Les relations
internationales
depuis 1945

Collection Cursus, série « Histoire »

Maurice Vaïsse

Les relations internationales depuis 1945

5ᵉ édition

ARMAND COLIN

© Armand Colin Éditeur, Paris 1990, 1996
ISBN : 2-200-01489-9

Masson & Armand Colin Éditeurs - 5 rue Laromiguière - 75241 Paris Cedex 05

Avant-propos

Les relations internationales constituent en elles-mêmes un sujet immense ; elles ne se limitent pas à la sphère étatique et concernent toutes sortes d'activités humaines : les flux migratoires, dont le tourisme, les relations culturelles, les activités économiques. Les courants transnationaux, en particulier religieux, y jouent leur rôle. Depuis 1945, en outre, les relations internationales ont connu un développement exceptionnel du fait de la mondialisation des échanges et des communications. On voyage beaucoup plus facilement et beaucoup plus rapidement. On sait en un instant ce qui se passe à l'autre extrémité du globe. En un mot, nous vivons dans l'ère « du village planétaire ».

Le sujet est trop grand pour être embrassé dans son intégralité : les aspects politiques sont abordés en priorité dans cet ouvrage. Et les acteurs de cette histoire sont les États ou les organisations gouvernementales.

Cependant, même en faisant l'impasse sur tous les autres aspects, la matière reste considérable. Pour la clarté de l'exposé, elle est ordonnée par tranches chronologiques : 1945-1955, 1955-1962, 1962-1973, 1973-1985, depuis 1985. À ces périodes correspondent des thèmes dominants : la naissance et la confrontation d'un monde bipolaire ; la coexistence pacifique ; la détente ; la nouvelle guerre froide ; la nouvelle détente. Les choix des césures chronologiques et des thèmes sont explicités dans le cours du récit, mais surtout pour une période si proche, où l'on a du mal à discerner le durable du provisoire, les dates clés choisies ne sont pas immuables et peuvent être contestées. Le meilleur exemple réside dans la chronologie de la « guerre froide », à propos de laquelle les discussions sur la fin de cette période sont indéfinies : est-ce 1953, avec la mort de Staline ? 1955, avec la coexistence pacifique ? 1962, avec la crise de Cuba ? ou bien 1989, avec l'année de tous les miracles à l'Est ? En outre, les dates choisies sont de simples repères et non des bornes. Par exemple, sur sa lancée la détente ne se termine pas en 1973 : elle trouve son apogée en 1975 lors de la conférence d'Helsinki. Il n'empêche que depuis 1973, le monde ne vit plus tout à fait à l'heure de la détente. Enfin, les césures chronologiques ne valent pas nécessairement pour le monde entier. Avec l'entrée des mondes extra-européens dans les relations internationales, qui étaient jusqu'alors le privilège des nations européennes, la « logique » des cycles varie de l'un à l'autre.

Par-delà l'hétérogénéité de la période, c'est bien ce qui en fait sa spécificité dans l'histoire de l'humanité. Depuis le XVIᵉ siècle, l'Europe dominait le monde, le « découvrait », lui imposait ses langues, ses religions, ses coutumes. Ce phénomène avait abouti au vaste mouvement de colonisation du XIXᵉ siècle. Encore en 1939, la puissance résidait en Occident, même si certains avaient pu discerner son déclin dès la fin de la Grande Guerre. Après 1945, la puissance ne réside plus en Europe, mais hors d'elle.

Les grands problèmes de la planète cessent de se confondre avec ceux du monde européen. Sans accorder une importance prépondérante ou exclusive au critère démographique, certains chiffres donnent à réfléchir. Entre 1950 et 1986, la population du monde a doublé, passant de 2,5 milliards d'êtres humains à 5 milliards. La population de l'Europe est passée de 500 à 770 millions d'habitants. C'est dire que la part de l'Europe dans la population mondiale décline nettement. L'Asie compte aujourd'hui environ 3 milliards d'habitants, dont plus d'un milliard pour la Chine, 840 millions pour l'Inde, 150 pour le Pakistan et pour le Bangladesh, 128 millions pour le Japon. Les relations internationales sont de moins de moins influencées par le monde européen et de plus en plus le fait des mondes extra-européens.

1 Naissance et confrontation d'un monde bipolaire (1945-1955)

Le monde qui naît à la suite de la Seconde Guerre mondiale est profondément différent de celui d'avant-guerre. Sur le plan des relations internationales en particulier, cette période marque une césure capitale dans l'histoire de l'humanité. C'est la fin de la prépondérance européenne. L'ère des superpuissances commence.

La puissance se déplace du Vieux Monde vers les mondes extra-européens. Certes, dès la Grande Guerre, cette dérive s'était amorcée. La Seconde Guerre «mondiale» a d'abord été une guerre européenne. Ruinée, dévastée, l'Europe est hors d'état de jouer le rôle prééminent qui était le sien. Les États qui se disputaient la primauté en Europe et dans le monde, le Royaume-Uni, la France, l'Allemagne, l'Italie, qu'ils sortent vainqueurs ou vaincus, ne sont plus des puissances. Les nouveaux Grands, les vrais vainqueurs, sont les États-Unis d'Amérique et la Russie soviétique. En 1945, leur suprématie se mesure à la dissémination de leurs forces sur le globe. Les Américains sont partout, en Europe comme en Asie; les Russes en Europe orientale, en Extrême-Orient. Pour un grand nombre d'habitants de la planète, Américains et Russes deviennent des modèles.

Le changement des pôles de la vie internationale par rapport à l'avant-guerre constitue, à l'évidence, un bouleversement; mais la transformation va plus loin. Elle concerne la nature même des rapports de force. Les grandes puissances européennes étaient des États moyens par leur population, leur superficie et leurs ressources. Les nouvelles grandes puissances sont des États géants.

De plus, plusieurs pays d'Europe avaient trouvé dans l'expansion coloniale un prolongement qui faisait d'eux non seulement des puissances mondiales, mais aussi des États plus riches et plus peuplés. La guerre fait perdre à l'Europe son prestige auprès des peuples coloniaux et relance les mouvements d'émancipation qui existaient çà et là.

Au concert européen succède un directoire des «trois Grands», Américains, Anglais et Russes qui renforcent leur concertation à partir de 1943 et vont régler le sort du monde d'après-guerre par les conférences de Yalta et de Potsdam. Mais l'alliance étroite de la guerre fait place à la méfiance de l'immédiat après-guerre et à la confrontation brutale. Ce n'est pas un monde uni qui sort de la guerre, c'est un monde bipolaire.

LA PAIX MANQUÉE (1945-1947)

Après six années de guerre, les Alliés veulent perpétuer la solidarité entre les «Nations Unies», régler les questions nées du conflit et assurer la paix du monde par la création d'un organisme international. Mais la naissance d'une nouvelle hiérarchie mondiale ne signifie pas pour autant le retour à la paix, car si la grande alliance américano-soviétique permet certaines décisions communes, elle cède bientôt à la méfiance.

Il s'agit de créer un organisme en profitant de l'expérience de la Société des Nations (SDN), qui avait échoué dans sa mission au cours de l'entre-deux-guerres. Dans la charte de l'Atlantique (14 août 1941), le président américain, F.D. Roosevelt, avait esquissé les principes fondamentaux d'un nouvel ordre international. Le 1er janvier 1942, à Washington, une vingtaine de dirigeants, dont Churchill et Roosevelt, adoptent une déclaration aux termes de laquelle les « Nations Unies » s'engagent à mettre en place, sitôt la guerre finie contre l'Axe, un système de paix et de sécurité. À la conférence de Moscou (19-30 octobre 1943), les représentants de la Grande-Bretagne, des États-Unis, de la Chine et de l'URSS proclament la nécessité d'établir aussitôt que possible « une organisation générale fondée sur le principe d'une égale souveraineté de tous les États pacifiques ». Lors de la conférence de Téhéran (8 novembre-2 décembre 1943), les trois Grands — Churchill, Roosevelt et Staline — conviennent de mettre sur pied cette organisation, ce qui est fait par des experts à la conférence de Dumbarton Oaks (septembre-octobre 1944).

Quatre mois plus tard, à la conférence de Yalta (4-11 février 1945), Churchill, Roosevelt et Staline résolvent certaines questions épineuses, comme la question de la représentation de l'URSS. Celle-ci, prétextant que l'Empire britannique avec les dominions (comme le Canada, l'Australie, etc.) constitue une entité unique dont néanmoins chacun des États est membre à part entière, veut avoir autant de sièges dans la nouvelle organisation qu'il y a de Républiques fédérées, c'est-à-dire 15 ; en fait, elle en obtient 3 : pour la Fédération, l'Ukraine et la Biélorussie (ou Russie blanche). Les trois Grands conviennent de tenir une conférence constitutive de l'Organisation des Nations Unies à San Francisco en avril-juin 1945.

La création de l'ONU

• *L'ONU est définitivement fondée par la charte de San Francisco, signée le 26 juin 1945* par cinquante États, où transparaissent les préoccupations de ses créateurs. Il s'agit de créer une organisation efficace, réellement représentative et dotée de larges compétences.

À Yalta, les trois Grands ont introduit dans le projet les dispositions qui garantissent le maintien de leur prééminence. La Société des Nations était paralysée par le principe d'unanimité. La nouvelle organisation doit être dirigée par un directoire de grandes puissances, membres permanents du Conseil de sécurité et disposant d'un droit de veto (États-Unis, URSS, Royaume-Uni, Chine, France). L'Assemblée générale incarne la démocratie à l'échelle internationale, limitée par l'exercice du pouvoir des membres permanents à condition qu'ils restent solidaires ou qu'ils aboutissent à un compromis.

Sa paralysie

Très vite, cependant, la rupture du front des vainqueurs paralyse le fonctionnement de l'ONU. Le 19 janvier 1946, la Grande-Bretagne et les États-Unis soutiennent une plainte adressée au Conseil de sécurité par le gouvernement iranien contre l'URSS qui continue d'occuper l'Azerbaïdjan iranien, en contradiction avec tous ses engagements.

• *À la Commission de l'énergie atomique de l'ONU*, créée le 14 janvier 1946, les États-Unis présentent le plan Baruch qui propose de remettre à un organisme international l'autorité pour le développement atomique, la propriété des mines d'ura-

Le Conseil de sécurité

Outre les 5 membres permanents, comprend des membres non permanents, élus pour deux ans : au total, le Conseil comprend 11 membres en 1946, 15 à partir de 1966. Son rôle est prépondérant pour les questions de maintien de la paix et de la sécurité. Il peut prendre des résolutions qui imposent des obligations aux États. Il peut aussi adopter à la majorité des mesures plus ou moins contraignantes, qui sont des « décisions ».

L'Assemblée générale

Composée des délégués de tous les États membres (l'ONU compte 51 membres en janvier 1946), elle élit les membres non permanents du Conseil de sécurité et admet les nouveaux membres. Sa compétence est très étendue, mais elle ne peut agir que par la voie de « recommandations » qui doivent être prises à la majorité des deux tiers des membres présents et votants. L'Assemblée, sur proposition du Conseil de sécurité, nomme le secrétaire général (le secrétariat est l'organe administratif des Nations Unies) qui joue un rôle de coordination, et peut avoir un rôle politique important. À la suite d'un compromis soviéto-américain, c'est le Norvégien Trygve Lie qui accède à ce poste.

D'autres organismes des Nations Unies ont des compétences définies, comme le Conseil de Tutelle pour le contrôle de l'administration des territoires coloniaux, le Conseil économique et social, et la Cour internationale de Justice, qui siège à La Haye.

Sont aussi rattachées diverses institutions spécialisées à l'ONU, comme le Fonds monétaire international, la Banque internationale pour la Reconstruction et le Développement, l'Organisation du ravitaillement et de l'agriculture (FAO), l'Organisation des Nations Unies pour l'Éducation, la Science et la Culture (UNESCO).

Les secrétaires généraux de l'ONU

2 février 1946-10 novembre 1952 : Trygve LIE (Norvégien)
31 mars 1953-18 septembre 1961 : Dag HAMMARSKJÖLD (Suédois)
3 novembre 1961-31 décembre 1971 : Sithu U THANT (Birman)
1er janvier 1972-31 décembre 1981 : Kurt WALDHEIM (Autrichien)
1er janvier 1982-31 décembre 1991 : Javier PEREZ de CUELLAR (Péruvien)
Depuis le 1er janvier 1992 : Boutros BOUTROS-GHALI (Égyptien)

nium et la mise en place d'un contrôle efficace, préalable à l'arrêt de la production de bombes. Les Soviétiques repoussent le projet et préconisent l'interdiction de l'usage de l'énergie atomique à des fins militaires et la destruction des bombes existantes. L'atmosphère est d'autant plus lourde que les affaires d'espionnage entretiennent une vive méfiance.

L'EUROPE EN 1947

Frontières de l'Allemagne
Frontières de la Pologne } en 1937
Frontières de 1947

Partage de l'Allemagne
République démocratique allemande
République fédérale allemande
Partage de Berlin

Sarre, reliée économiquement à la France

Territoires italiens attribués
à la Yougoslavie

État libre de Trieste
1947-1954

Source : *L'Histoire contemporaine depuis 1945*, R. Aron, Larousse.

La conférence de Yalta (4-11 février 1945)

Elle réunit Churchill, Roosevelt et Staline qui résolvent les problèmes de l'occupation de l'Allemagne et du gouvernement de la Pologne, alors que la guerre n'est pas encore terminée.

• *L'Allemagne* serait occupée par les armées des trois grandes puissances qui s'attribuent une zone d'occupation, selon l'avance supposée des troupes alliées en territoire allemand. Les Soviétiques recevraient le Mecklembourg, la Poméranie, le Brandebourg, la Saxe-Anhalt, la Thuringe et les territoires situés plus à l'est. Les Britanniques occuperaient le Nord-Est de l'Allemagne, y compris la Ruhr; les Américains, le Sud. Berlin constituerait un îlot à part, enclavé dans la zone d'occupation soviétique. À condition que la zone d'occupation française soit prélevée sur les zones anglaise et américaine, Staline accepte que la France soit puissance occupante à part entière et fasse partie de la Commission de contrôle interalliée avec des droits égaux à ceux des autres.

10

La Pologne de 1939 à 1945

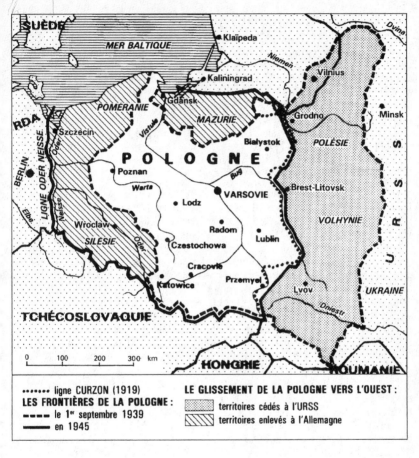

Source : *Le Monde.*

• *La Pologne* serait administrée par un gouvernement d'unité nationale issu du comité de Lublin, prosoviétique, élargi à quelques membres du comité de Londres, pro-occidental. On crée aussi une Commission des réparations pour évaluer le montant de ce que les Allemands devraient payer à leurs victimes. Et l'on adopte une « déclaration sur l'Europe libérée », par laquelle on prévoit d'organiser, dans tous les territoires européens libérés, des élections ouvertes à tous les partis démocratiques et contrôlés par des représentants des trois grandes puissances.

À Yalta, l'atmosphère est encore bonne, mais les signes d'une déchirure se multiplient dans les mois qui suivent.

C'est d'abord l'établissement de l'emprise soviétique sur la Roumanie par la mise en place d'un gouvernement communiste homogène (27 février 1945), ensuite les arrière-pensées des chefs militaires alliés lors de la ruée sur les réduits de résistance nazis. Une fois le Rhin franchi, le 23 mars, la tentation est grande pour les troupes américaines de foncer sur Berlin pour y arriver les premières.

Le commandement américain laisse cependant les Soviétiques s'emparer de la capitale du *Reich* et libérer la Tchécoslovaquie. Il accepte néanmoins la capitulation d'armées allemandes à l'Ouest, comme celle d'Italie commandée par le maréchal Kesselring (avril 1945), et surtout la capitulation générale le 7 mai 1945, signée à Reims au PC du général Eisenhower par le maréchal Keitel en présence d'un général soviétique. Malgré cela, Staline tient à ce que le maréchal Keitel signe de nouveau la capitulation sans condition de l'Allemagne au nom du nouveau chef de l'État allemand, l'amiral Dönitz, à Berlin, le 9 mai au PC du maréchal Joukov.

La conférence de Potsdam (17 juillet-2 août 1945)

Six mois à peine après la conférence de Yalta, une conférence au sommet réunit les trois vainqueurs de l'Axe à Potsdam. Mais le monde entre temps a beaucoup changé. Roosevelt est mort le 12 avril, et avec lui l'idée de maintenir la grande alliance; son successeur H. Truman va devenir plus méfiant à l'égard de l'Union soviétique. La capitulation de l'Allemagne et le succès de l'expérience de la première bombe atomique ont bouleversé les données de la situation. Truman n'a plus autant besoin du concours de Staline dans sa lutte contre le Japon. Quant à Churchill, présent à l'ouverture de la conférence, il est remplacé après les élections anglaises gagnées par les travaillistes par le nouveau Premier ministre Clément Attlee. Avant que cela soit rendu définitif par un traité de paix, Staline impose un profond remaniement de la carte politique de l'Europe orientale. L'URSS obtient le détachement du territoire allemand de la région de la Prusse orientale : la partie nord, autour de la ville de Königsberg — rebaptisée Kaliningrad —, est annexée par l'URSS et la partie sud-est remise à la Pologne.

C'est le territoire de la Pologne qui subit le plus de modifications. Comme frontière orientale, l'URSS impose « la ligne Curzon » (du nom de lord Curzon, secrétaire au *Foreign Office*, qui avait négocié en 1919 les frontières orientales de la « nouvelle Pologne ») qui maintient dans l'orbite de Moscou tous les territoires ukrainiens et biélorussiens. À l'Ouest, l'URSS obtient de laisser la Pologne administrer tous les territoires allemands situés à l'est du fleuve Oder et de la rivière Neisse occidentale, c'est-à-dire la Poméranie et la Silésie. Les Occidentaux, qui avaient proposé un tracé plus « occidental » de la frontière, acceptent provisoirement la ligne Oder-Neisse, jusqu'à la conclusion d'un traité de paix. Mais les Soviétiques font tout pour pérenniser cette situation. Dès le 17 août, ils signent avec la Pologne un accord sur la délimitation des frontières. Du coup, la Pologne passe de 388 000 km^2 à 310 000 km^2. Plus de deux millions d'Allemands sont expulsés des territoires annexés. Deux millions de Polonais sont rapatriés des territoires cédés à l'URSS.

Pour élaborer les traités de paix, les trois Grands décident la création d'un organisme appelé Conseil des ministres des Affaires étrangères, composé des représentants des cinq grandes puissances ayant le droit de veto à l'ONU. Ce Conseil se réunit à plusieurs reprises : en avril 1946 à Paris, en novembre-décembre 1946 à New York, en mars-avril 1947 à Moscou et enfin en décembre 1947 à Londres, mais n'aboutit à aucune conclusion positive.

Les traités de paix

La conférence de Paris (juillet-octobre 1946) permet aux vainqueurs d'élaborer des traités avec les cinq satellites de l'Allemagne (l'Italie, la Roumanie, la Bulgarie, la Hongrie et la Finlande).

• *Avec l'Italie* deux questions épineuses se posent : que faire des colonies italiennes (Libye, Érythrée, Somalie)? L'Union soviétique revendique une tutelle sur la Tripolitaine. Le Royaume-Uni propose l'octroi de l'indépendance. Finalement, on décide d'ajourner toute décision. En ce qui concerne Trieste, disputée entre les Yougoslaves soutenus par les Soviétiques et les Italiens par les Anglo-Saxons, elle fait l'objet d'un long débat diplomatique. Le traité de Paris crée le territoire libre de Trieste, sous la tutelle de l'ONU. Mais cette solution ne se révèle pas viable. Français, Anglais et Américains proposent en mars 1948 le retour du territoire libre de Trieste à l'Italie; Soviétiques et Yougoslaves refusent; et le *statu quo* est maintenu.

• *La Roumanie,* qui perd la Bessarabie et la Bukovine du Nord au profit de l'URSS et qui récupère la Transylvanie sur la Hongrie, n'a plus qu'une étroite façade maritime sur la mer Noire. *La Bulgarie* ne subit pas de modifications territoriales. Les clauses sont beaucoup plus dures pour *la Hongrie* qui revient à ses frontières de 1920; celle-ci perd la Transylvanie, rendue à la Roumanie, et la Ruthénie subcarpatique, annexée par l'Union soviétique, le sud de la Slovaquie au profit de la Tchécoslovaquie, qui en expulse les habitants hongrois. *La Finlande* doit céder 43 700 km^2 aux Soviétiques, qui la soumettent à de lourdes réparations. En revanche, la conclusion de traités de paix avec l'Allemagne, l'Autriche, le Japon semble plus difficile à atteindre.

• *L'Allemagne* en particulier est l'objet d'un débat permanent et contradictoire. La tutelle sur l'Allemagne, telle qu'elle est conçue en juin 1945, est commune aux quatre puissances; elle implique l'existence d'une autorité suprême : le Conseil de contrôle composé des quatre commandants en chef. Son siège, Berlin, est divisé en quatre secteurs, mais une autorité interalliée de gouvernement, la *Kommandantura*, subordonnée au Conseil de contrôle, assure l'administration de la ville. La tutelle commune suppose surtout l'entente sur une politique. Mais si l'on y parvient pour l'objectif final, extirper le national-socialisme et assurer la victoire de la démocratie en Allemagne, on est en désaccord à peu près sur tout le reste.

D'abord sur le problème du territoire, que les alliés ont l'intention non seulement d'occuper, mais aussi de tronçonner et de démembrer. Le 9 mai 1945, Staline abandonne l'idée d'un démembrement de l'Allemagne et contraint les Anglo-Américains à l'imiter. Tandis que ceux-ci souhaitent réinsérer l'Allemagne dans le concert des nations par l'unification économique de leurs zones — la mise en vigueur de la bizone date du 17 décembre 1947 —, les Français, suivant en cela la politique définie par le général de Gaulle, refusent toute idée d'unification tant que n'auront pas été satisfaites leurs exigences et réclament le contrôle de la Sarre ainsi que l'internationalisation de la Ruhr. On décide de prélever les réparations, dont le principe avait été admis à la conférence de Yalta, sur le potentiel industriel par le moyen de démontages d'usines. La France réclame une application stricte des réparations, en particulier en charbon de la Ruhr. De leur côté, les Soviétiques effectuent de larges prélèvements dans leur zone d'occupation. Au régime de type marxiste (nationalisation, laïcisation du régime scolaire et reforme agraire radicale) que les Soviétiques y établissent les trois puissances occidentales opposent la résurrection d'institutions politiques et économiques libérales dans les zones qu'elles contrôlent. L'impuissance frappe alors l'organisation quadripartite au niveau du Conseil de contrôle comme à celui de la *Kommandantura*. Institué pour juger les criminels de guerre nazis, le tribunal interallié de Nuremberg (20 novembre 1945-1er octobre 1946) prononce sa sentence (12 condamnations à mort, 7 à la prison), mais c'est le dernier acte solidaire des alliés concernant la question allemande. L'Allemagne est devenue un enjeu des relations internationales de l'après-guerre.

Les premières frictions

Bref, entre les alliés la confiance ne règne pas. La volonté de Staline de constituer un glacis autour de l'Union soviétique est évidente. La Pologne, où l'influence soviétique et marxiste élimine systématiquement l'influence occidentale, en fait les frais et cette affaire provoque les premières frictions graves entre Moscou d'une part, Washington et Londres de l'autre. Des deux côtés, le temps est au durcissement. Quand le 5 mars 1946, Winston Churchill, qui n'est plus Premier ministre, évoque dans son discours de Fulton (Missouri) « le rideau de fer qui, de Stettin dans la Baltique à Trieste dans l'Adriatique, s'est abattu sur notre continent », il désigne clairement le danger qui menace le monde : la tyrannie soviétique. Tout en ajoutant qu'il ne croit pas que la Russie désire la guerre, mais les fruits de la guerre et une expansion illimitée de sa puissance et de sa doctrine, il en appelle à la vigilance et au renforcement des nations occidentales. De son côté, l'ambassadeur américain à Moscou, George Kennan, souligne dans un rapport que le premier impératif de la diplomatie américaine à l'égard de l'Union soviétique doit être « de contenir avec patience, fermeté et vigilance ses tendances à l'expansion ».

Faut-il faire des concessions aux Soviétiques ou faut-il au contraire les empêcher d'aller plus loin ? Cette dernière orientation finit par l'emporter. L'esprit de Riga, capitale de la Lettonie — la tendance des diplomates américains comme Charles Bohlen et George Kennan qui ont appris le russe dans les pays Baltes et sont partisans de la fermeté —, se substitue à l'esprit de Yalta qui était celui de la conciliation.

Le passage de l'un à l'autre est symbolisé par la démission du secrétaire d'État, James Byrnes, favorable à la poursuite des négociations avec les Soviétiques. Son successeur, nommé le 9 janvier 1947, est le général Marshall, ancien commandant en chef des troupes américaines en Chine. Ainsi, quelques mois après la fin de la guerre, les vainqueurs sont désunis, ils ont échoué dans leur tâche qui consistait à bâtir un monde nouveau. Et l'Europe n'est pas le seul terrain de confrontation.

LE RETOUR DE LA PAIX AU PROCHE-ORIENT ET EN EXTRÊME-ORIENT

Le Proche-Orient

Le retour de la paix est marqué par le réveil du panarabisme illustré par la création au Caire de la Ligue arabe (mars 1945) et le début de la décolonisation dans les territoires sous mandat français et britannique, dans un contexte de rivalité avivée. L'après-guerre sonne la fin des espoirs anglais et français de perpétuer leur influence au Proche-Orient. Du côté français, le général de Gaulle veut tout à la fois amener à l'indépendance *la Syrie et le Liban* — territoires de l'ancien Empire ottoman qui avaient été confiés à la France par la Société des Nations en 1919 — et obtenir des garanties pour les intérêts économiques, culturels et stratégiques de la France dans la région. Les incidents qui dégénèrent en mai 1945 aboutissent à l'intervention des Britanniques intimant l'ordre aux Français de faire cesser le feu et à une tension entre les deux alliés, la France suspectant la Grande-Bretagne de profiter de son affaiblissement pour l'exclure du Moyen-Orient. Finalement, troupes françaises et britanniques sont retirées dans l'été 1946.

• *L'Égypte*, de son côté, compte obtenir de l'Angleterre la révision du traité de 1936, qui lui avait accordé une complète indépendance, sauf dans le domaine de la politique étrangère, le retrait des troupes britanniques de la zone du canal de Suez et l'intégration du Soudan anglo-égyptien dans l'État égyptien. Les négociations entamées en 1946 aboutissent à une impasse. Il en est de même entre l'Angleterre et *l'Irak*, dont le gouvernement décide de renoncer au traité signé en janvier 1948 qui concédait des avantages stratégiques à la Grande-Bretagne. En définitive, le seul allié sûr des Anglais est l'émir Abdallah de *Transjordanie* qui, dans le traité d'alliance valable pour vingt-cinq ans signé en mars 1946, accepte le stationnement de troupes britanniques.

• *En Iran*, occupé pendant la guerre par les Britanniques et les Soviétiques, l'évacuation des troupes étrangères suscite bien des difficultés sur fond de rivalités pétrolières. Les troupes anglaises et américaines évacuent, mais les Soviétiques maintiennent les leurs et suscitent des mouvements autonomistes en Azerbaïdjan et au Kurdistan. Dans un climat de vive tension, le gouvernement iranien, soutenu par les Anglais et les Américains, réussit à réduire les mouvements centrifuges et à se débarrasser des Soviétiques.

• *La Turquie*, qui a déclaré in extremis la guerre à l'Allemagne, est l'objet d'une vive pression soviétique pour obtenir des rectifications de frontières en Anatolie, la révision des accords de Montreux (1936) sur la navigation en mer Noire et la défense des détroits, ainsi qu'une « orientation plus amicale » de sa politique. Aux exigences de Staline énoncées le 7 août 1946, Truman réplique aussitôt par l'envoi de puissants moyens navals.

• *En Grèce* — placée sous le contrôle militaire anglais —, les rivalités nées de la guerre et de l'occupation dégénèrent en une véritable guerre civile en Macédoine où Yougoslaves et Bulgares encouragent des mouvements séparatistes. Les Britanniques n'en doivent pas moins employer la force pour restaurer la monarchie, tout en concédant l'effacement provisoire du roi. L'arrivée de l'armée rouge dans les États voisins, l'implantation de régimes communistes aux frontières nord de la Grèce, l'aggravation de la guerre froide relancent une guerre civile impitoyable. En Méditerranée et au Proche-Orient où leur influence est contestée et leur autorité bafouée, les Britanniques sont contraints de renoncer à leur prépondérance. C'est l'un des aspects de la relève de l'influence européenne dans le monde.

L'Extrême-Orient

La défaite du Japon est scellée par la capitulation annoncée le 15 août 1945 par l'empereur Hiro-Hito. Elle bouleverse toute la situation en Asie du Sud-Est. Le Japon lui-même est soumis au contrôle des États-Unis. En Chine, les communistes dirigés par Mao Tsê-Tung raniment la guerre civile contre le gouvernement de Tchang Kaï-Chek.

• *Au Japon*, le général MacArthur — commandant suprême au nom des puissances alliées — met en œuvre des réformes radicales tendant à le démocratiser, à y détruire la prépondérance des grands trusts familiaux, les *zaibatsu*, à prélever les réparations, à assurer l'occupation, à démanteler son potentiel militaire. L'empereur Hiro-Hito n'est pas traîné comme criminel de guerre devant la Justice alliée.

Il est même placé au cœur de la nouvelle constitution, comme symbole d'une nation démocratique. La politique dictatoriale de MacArthur aboutit à écarter les autres puissances du règlement de la paix au Japon. Conformément aux décisions des conférences du Caire (1943) et de Yalta, le Japon perd de nombreux territoires : la Mandchourie et l'île de Formose récupérées par la Chine, la Corée qui devient indépendante mais divisée et disputée; la partie sud de l'île de Sakhaline, la base de Port Arthur et les îles Kouriles cédées à l'URSS, une partie des îles Ryu Kyu, les îles Carolines et les îles Mariannes qui passent sous contrôle des États-Unis.

• *La Chine* ne retrouve pas la paix, du fait de l'action soviétique en Mandchourie et de la reprise de la guerre civile. Les accords sino-soviétiques d'août 1945 aboutissent à lier la Chine à l'URSS dans une alliance contre le Japon et à concéder aux Soviétiques des facilités concernant le chemin de fer de Mandchourie et les bases navales de Port Arthur et Dairen. Après la déclaration de guerre au Japon, les troupes soviétiques occupent la Mandchourie, qui était aux mains des Japonais, et s'y installent, favorisant la prise du pouvoir par les communistes chinois. D'ailleurs, un peu partout en Chine la guerre civile se développe. Malgré l'arbitrage de l'ambassadeur américain, le général Marshall, Tchang Kaï-Chek veut réduire les partisans de Mao Tsê-Tung. Les incertitudes de la politique américaine vont mener les dirigeants du parti nationaliste Kouo-min-tang, corrompus et impopulaires, à la défaite face aux communistes en 1949.

La désunion des alliés

Beaucoup de problèmes ne sont donc pas réglés. Entre les alliés, et singulièrement entre les États-Unis et l'URSS, la désunion succède à l'alliance. La tension s'accroît, et deux blocs vont naître qui s'opposent l'un à l'autre dans tous les domaines. Cette confrontation de deux blocs, l'un mené par les États-Unis, l'autre par l'Union soviétique, semble à tous moments susceptible de dégénérer en un conflit ouvert et généralisé. Mais la troisième guerre mondiale n'éclatera pas. Ce sera la « guerre froide ».

À qui la faute? On a invoqué le partage du monde à Yalta. En fait, en février 1945, la carte de guerre dicte déjà largement les options de l'après-guerre, les Soviétiques ayant de larges atouts à faire prévaloir. D'autre part, la déclaration sur l'Europe libérée doit permettre une évolution démocratique que les événements vont démentir. Donc, c'est moins les accords de Yalta que leur non-respect qu'il faut incriminer.

Certains historiens attribuent à l'URSS la responsabilité de la rupture. Les Soviétiques n'ont pas tenu tous les engagements pris à Yalta (en particulier la déclaration sur l'Europe libérée) et ils ont mené une politique expansionniste à laquelle les Américains ont dû réagir. D'autres rejettent au contraire les responsabilités sur les Américains. Ils expliquent l'expansionnisme soviétique par la nécessité de contrer la politique hégémonique menée par les États-Unis depuis 1945.

LA GUERRE FROIDE (1947-1955)

Deux ans après la fin de la guerre, l'Europe est coupée en deux blocs politiques et idéologiques, avec au Centre et au Nord quelques États qui restent neutres. En Europe de l'Est, l'URSS engage à partir de 1947 une brutale soviétisation. Les démocraties populaires sont mises au pas. Staline trouve toutefois les limites de son empire en Yougoslavie, en Finlande et en Grèce. Les États de l'Europe occidentale, qui ont choisi de s'allier aux États-Unis, reconstruisent leur économie grâce au plan Marshall et s'engagent à tâtons dans la voie de la coopération européenne.

LA NAISSANCE DES DEUX BLOCS

La relève américaine

L'année 1947 marque réellement une coupure. Les problèmes se multiplient en Asie et en Europe. En Chine, la guerre civile tourne à l'avantage du communiste Mao Tsê-Tung aux dépens du nationaliste Tchang Kaï-Chek. L'Indochine est en proie à une guerre coloniale depuis la fin de 1946 et le sort de la Corée n'est pas réglé. La situation de l'Europe et de ses alentours n'est pas meilleure. Des troubles secouent la Turquie directement menacée par les visées de Moscou sur les détroits de la mer Noire et sur les districts frontaliers de Kars et d'Ardahan. En Grèce, depuis 1946, des maquis communistes s'opposent au gouvernement royaliste légal d'Athènes soutenu par les Britanniques qui y maintiennent 40 000 hommes. À la fin de 1946, la situation est critique car la guérilla communiste menée par le général Markos est facilement aidée par les trois États frontaliers de la Grèce au nord : la Bulgarie, la Yougoslavie et l'Albanie. Et la Grande-Bretagne qui fournissait aux gouvernements grec et turc une aide militaire et financière, constate qu'elle ne peut plus faire face en Méditerranée orientale. Elle continue à occuper l'Égypte, Chypre, l'Irak, la Transjordanie, la Palestine. Le 24 février 1947, l'ambassadeur britannique à Washington informe le Département d'État que les troupes britanniques seraient prochainement retirées de Grèce. En Palestine, qui est encore sous mandat britannique, l'hostilité règne entre les Juifs qui veulent créer un foyer national et les Arabes palestiniens soutenus par les États arabes voisins. La Grèce, la Turquie, le monde arabe vont-ils à leur tour tomber sous la domination communiste ? Et que va-t-il advenir de l'Europe de l'Ouest dont l'économie doit être reconstruite ?

Pour la Grande-Bretagne, ruinée par la guerre et soucieuse de rendre ses engagements compatibles avec ses possibilités financières, c'est l'heure de la relève. Voulant alléger ses charges, elle est amenée à limiter ses perspectives mondiales, à décoloniser et à accepter le rôle de brillant second des États-Unis, déguisé sous le nom de « *special relationship* ». Pour les États-Unis, attachés par tradition à ne pas s'engager hors d'Amérique, en particulier en Europe, et tentés par un nouveau repli après une guerre dont ils sortent la nation la plus puissante du monde, l'heure des responsabilités internationales est arrivée.

• *C'est dans ces conditions que, le 12 mars 1947, le président Truman déclare au Congrès que les États-Unis sont prêts à prendre le relais des Britanniques en Grèce et en Turquie* et lui demande donc de voter des crédits : « Le moment est venu de ranger les États-Unis d'Amérique dans le camp et à la tête du monde libre. » Truman franchit ainsi le pas qui mène son pays de l'isolationnisme traditionnel à la direction du monde occidental. Les principes de la nouvelle politique extérieure américaine sont simples : c'est le maintien de la paix, la diffusion de la prospérité et l'extension progressive du modèle américain.

Lors de la session du Conseil des ministres des Affaires étrangères qui se tient à Moscou (mars-avril 1947) aucun accord ne se dégage sur le futur statut politique de l'Allemagne. Au désaccord succède bientôt la méfiance.

Dans plusieurs pays d'Europe de l'Ouest (France, Belgique, Italie), malgré la participation de communistes au gouvernement, l'agitation sociale se répand dans une atmosphère de grave crise économique.

Le problème, en effet, n'est pas seulement politique et militaire, il est aussi économique. À l'issue de la guerre, seuls les États-Unis ont gardé leur capacité économique intacte. Tous les autres pays sont dans le besoin et ressentent une double nécessité; ils doivent assurer la survie des habitants et importer de grandes quantités de nourriture ou d'engrais pour améliorer la production agricole; ils doivent reconstruire leur industrie et donc acquérir des machines. Or les États-Unis sont le seul pays où ils peuvent s'en procurer. Mais pour cela les pays européens ont besoin d'une quantité énorme de dollars, qu'ils ne possèdent pas : c'est le *dollar gap*. Afin d'assurer le plein emploi chez eux, les responsables américains sont convaincus de l'intérêt pour eux-mêmes de remédier à ce problème. Celui-ci avait été résolu pendant la guerre par le prêt-bail (prêt qui doit être remboursé ou restitué à la fin de la guerre) et suspendu en août 1945; il fallait donc trouver autre chose que les expédients de la liquidation des surplus américains à bas prix, des prêts consentis par l'*Export-Import Bank*, toutes aides irrégulières et incertaines.

Le système monétaire international mis en place à la fin de la guerre est lui-même insuffisant. La conférence monétaire réunie en juillet 1944 à Bretton Woods dans le New Hampshire (États-Unis) choisit le retour au *Gold Exchange Standard*, qui fait du dollar le pivot du système monétaire international, car les États-Unis, détenteurs alors de 80 % de l'or mondial, sont seuls capables d'assurer la convertibilité de leur monnaie en métal. Chaque État signataire peut utiliser l'or ou des devises convertibles en or — c'est-à-dire en fait le dollar — pour garantir la valeur de sa monnaie et régler ses paiements extérieurs. Chaque État s'engage à maintenir un taux stable de sa monnaie et à ne pas le modifier, sauf en cas de déséquilibre. Ce retour à un système dans lequel les parités seraient fixes est censé favoriser les échanges internationaux, mais il implique des contraintes. Chaque banque centrale doit soutenir sa monnaie de sorte qu'elle ne s'écarte pas de plus de 1 % de sa parité officielle.

• *Le Fonds monétaire international (FMI)*, qui fonctionne comme une caisse de secours mutuel, est créé afin de consolider le système. Avant la guerre, un État dont la balance était déficitaire voyait fondre ses réserves en or. Il était contraint au dilemme déflation-dévaluation. Financé par l'ensemble de ses membres, chacun souscrivant un quota proportionnel à son poids économique, (1/4 en or, 3/4 en monnaie nationale), le FMI accorde aux pays qui souffrent d'un déficit temporaire de leur balance des paiements des crédits sous forme de droits de tirage. Dans un délai de trois à cinq ans, les pays emprunteurs doivent les rembourser. Ils peuvent ainsi continuer de participer aux échanges internationaux sans contraintes excessives pour leurs nationaux. Quant à la Banque internationale pour la Reconstruction et le Développement (BIRD), elle doit financer les investissements à moyen et long terme. Les accords de Bretton Woods, qui fondent un ordre monétaire nouveau, consacrent la primauté du dollar, mais ils ne peuvent pas remédier à la pénurie en devise forte (*dollar gap*). Or, le problème est urgent : l'Europe a froid et faim.

Le plan Marshall

Le 5 juin 1947, le général Marshall, secrétaire au Département d'État, propose aux Européens, dans une allocution à Harvard, une aide collective pour quatre ans, à charge pour eux de s'entendre sur sa répartition. Ce plan doit assurer le relèvement économique de l'Europe, favoriser l'unification de leurs efforts et donc augmenter leur résistance au communisme, et en même temps permettre à l'économie américaine de maintenir sa prospérité. En principe, la proposition s'adresse aussi à l'Europe de l'Est, y compris l'Union soviétique. Mais devant le refus de Moscou, les démocraties populaires se dérobent et seuls seize pays — d'Europe occidentale principalement —, réunis à Paris en juillet 1947, acceptent l'offre américaine.

L'Union soviétique voit alors dans le plan Marshall une manifestation de l'impérialisme américain pour établir sa domination politique et économique sur l'Europe.

De plus, comme au début les crédits tardent à arriver, la situation est critique en France et en Italie. Dans ces deux pays, les partis communistes sont puissants et participent aux gouvernements issus de la guerre. En France, les ministres communistes sont évincés du gouvernement Ramadier le 4 mai 1947. Il en est de même en Italie le 31 mai 1947. L'agitation se développe avec de grandes grèves à l'automne. Leur caractère insurrectionnel ébranle la centrale syndicale CGT dont les membres réformistes font alors sécession. Partout en Europe, les communistes partent en campagne contre le plan Marshall. Afin de remédier aux problèmes d'approvisionnement, en charbon notamment, les États-Unis accordent une « aide intérimaire ».

• *En avril 1948, le Congrès des États-Unis vote l'European Recovery Program*, loi qui doit permettre l'aide américaine, assurée à 10 % sous forme de prêts et à 90 % par des dons en nature, donc des produits américains, livrés aux gouvernements qui les vendent aux industriels. Par exemple, le montant de ces marchandises, libellé en francs et payé au gouvernement français, s'appelle la « contrevaleur ». Grâce à cette contre-valeur, le gouvernement français peut faire des prêts publics à l'industrie ou à l'agriculture. C'est un système très efficace et très cohérent qui permet le relèvement économique des pays européens.

• *La coopération des pays européens.* En créant le 16 avril 1948 l'Organisation européenne de Coopération économique (OECE) chargée de répartir l'aide américaine, les Européens s'engagent dans la voie de la coopération. De 1948 à 1952, l'aide accordée dans le cadre du plan Marshall à l'Europe s'est élevée à près de 13 milliards de dollars, dont 3,2 pour le Royaume-Uni et 2,7 pour la France.

**Répartition de l'aide entre les principaux pays européens
(en millions de dollars et en pourcentage)**

	Total	%	dons	%
Tous les pays	12 992,5	100	9 290	100
France	2 629	20,3	2 212,1	23,8
Italie	1 434,6	11,0	1 174,4	12,6
Pays-Bas	1 078,7	8,3	796,4	8,6
RFA	1 317,3	10,1	1 078,7	11,6
Royaume-Uni	3 165,8	24,4	1 956,9	21

L'autre grand mérite de l'OECE consiste à libérer les échanges intra-européens qui étaient caractérisés par leur organisation archaïque et l'existence de restrictions aux échanges (prohibitions, contingentements). À partir de 1950 (création de l'Union européenne des Paiements), la politique de libéralisation de l'OECE prend tout son essor. L'accord général sur les tarifs douaniers et le commerce signé le 1ᵉʳ janvier 1948, désigné par son signe anglais GATT (*General Agreement on Tariffs and Trade*) est un traité multilatéral conclu entre plus de 80 États qui assurent plus des 4/5 du commerce mondial. Il vise à libéraliser le commerce et à l'établir sur des bases stables, par l'abandon de toute discrimination et de la pratique des contingentements. La répartition de l'aide accordée par les États-Unis dans le cadre du plan Marshall, comme les différentes institutions créées dans l'après-guerre sont le point de départ d'une solidarité économique des pays occidentaux dans le cadre d'une guerre froide qui coupe l'Europe en deux.

L'EUROPE DIVISÉE EN DEUX BLOCS ANTAGONISTES

Depuis 1947, la rupture est consommée, et l'Europe se scinde en deux blocs antagonistes : d'un côté l'Europe occidentale rattachée aux Américains ; de l'autre, l'Europe orientale soumise à l'influence soviétique.

La politique extérieure de l'URSS est fondée sur une obsession de la sécurité, découlant de sa vulnérabilité à une éventuelle attaque atomique américaine et de sa conviction d'une hostilité fondamentale du monde capitaliste. Elle a le comportement d'une citadelle assiégée et la volonté d'étendre sa zone d'influence sur toute l'Europe orientale, ce qu'elle fait en Allemagne de l'Est, Pologne, Tchécoslovaquie, Hongrie, Yougoslavie, Albanie, Bulgarie et Roumanie. Ces États signent avec l'Union soviétique et entre eux des traités dirigés contre l'Allemagne et prévoyant des mécanismes d'assistance. Ces alliances politiques sont renforcées par des mesures militaires comme la nomination du maréchal soviétique Rokossovski en qualité de ministre de la Défense nationale de Pologne (7 novembre 1949) et surtout par l'établissement de régimes communistes, les « démocraties populaires ».

La liquidation des partis non-marxistes s'accélère en Roumanie, Bulgarie, Pologne et Hongrie. Et à Szklarska-Poreba (Pologne) en septembre 1947, les représentants des partis communistes de 9 pays européens (URSS, Pologne, Yougoslavie, Bulgarie, Roumanie, Hongrie, Tchécoslovaquie, Italie, France) créent un bureau d'information pour servir d'organe de liaison entre les partis communistes, le *Kominform*. Cet organisme apparaît, aux yeux des Occidentaux, comme une reconstitution du *Komintern* (dissous durant l'été 1943) et par conséquent une volonté de durcissement de l'URSS. C'est en fait un instrument de la politique soviétique. Il s'agit de resserrer les rangs autour de l'URSS. Dans son rapport, le représentant soviétique Jdanov explique que le monde est divisé en deux camps, un camp impérialiste et capitaliste dirigé par les États-Unis et un camp anti-impérialiste et anticapitaliste mené par l'URSS. Et il invite les démocraties populaires à imiter le modèle soviétique.

• *Toutefois, la Yougoslavie, le plus fidèle des alliés, refuse l'alignement sur l'Union soviétique.* Le maréchal Tito, qui s'était imposé comme chef de la Résistance et comme le plus bouillant disciple de Staline, n'accepte pas de se soumettre à ses ordres. La crise éclate au printemps 1948 : le *Kominform* condamne publiquement Tito et le titisme comme un déviationnisme. Les démocraties populaires rompent leurs relations diplomatiques et dénoncent leurs traités d'assistance avec la Yougoslavie. Isolée dans le camp de l'Est, la Yougoslavie se rapproche de l'Occident, sans toutefois abandonner son engagement marxiste. Mais l'incapacité à mettre au pas la Yougoslavie constitue un échec de la politique soviétique et le premier schisme dans le bloc communiste.

Si la détermination américaine fait lâcher prise à la menace soviétique en Turquie, une guerre civile très cruelle fait rage jusqu'en octobre 1949 en Grèce où les troupes gouvernementales commandées par le général Papagos, aidées par la mission militaire américaine, forcent les guérilleros communistes à se réfugier en Bulgarie et en Albanie.

La Finlande réussit à éviter d'être subordonnée à l'URSS; elle s'accroche à sa neutralité, elle n'est pas gouvernée par le parti communiste et elle tient bon malgré des épreuves de force renouvelées.

• *Le cas de la Tchécoslovaquie est particulier.* C'est d'abord le seul État d'Europe centrale à avoir expérimenté la démocratie pendant l'entre-deux-guerres. Depuis les élections libres de 1946, remportées par le parti communiste, la Tchécoslovaquie est dirigée par un gouvernement de coalition, qui voudrait tenir la balance égale entre les deux camps. Ce gouvernement est divisé sur l'offre du plan Marshall. Les socialistes y sont favorables, les communistes y sont hostiles et, avec l'aide des milices ouvrières, font pression pour renoncer à l'aide américaine et forcer le gouvernement à choisir son camp. L'épreuve de force, voulue par le parti communiste tchécoslovaque, aboutit le 25 février 1948 au contrôle du pouvoir par les communistes. Après cinq jours de crise, le président Bénès accepte le nouveau gouvernement dirigé par le communiste Gottwald. Tous les ministres y sont communistes, sauf le ministre des Affaires étrangères, Jan Masaryk, qui se suicide le 10 mars. Les comités d'action entreprennent l'épuration des administrations. La frontière occidentale est fermée. Le « coup de Prague » a réussi. C'est un moment fort de la guerre froide.

• *Le pacte de Bruxelles.* Le coup de Prague a profondément impressionné les Européens de l'Ouest qui voient soudain la guerre à leur porte. Ils prennent conscience de leur impuissance s'ils restent désunis. À l'issue de la guerre, nul traité ne lie la France et la Grande-Bretagne, divisées par des intérêts contradictoires surtout au Proche-Orient et en Allemagne. Après bien des tergiversations, c'est seulement le 4 mars 1947 que G. Bidault et E. Bevin signent un traité d'alliance et d'assistance mutuelle à Dunkerque, ville symboliquement choisie en souvenir de la bataille de mai-juin 1940. Ces dispositions sont surtout inspirées par la crainte d'une résurrection du danger allemand. Mais la tension internationale croissante amène Français et Anglais à mettre au point avec les Belges, les Hollandais et les Luxembourgeois un traité d'alliance, dit de l'Union occidentale. Le pacte de Bruxelles est la première des alliances à être dirigée non pas uniquement contre l'Allemagne, mais contre n'importe quel agresseur. Il comporte un engagement d'assistance automatique contre toute agression; il organise un réseau de relations dans plusieurs domaines. Surtout des instances militaires de l'Alliance sont mises en place dès le temps de paix, symbolisées par l'installation d'un état-major interallié à Fontainebleau.

Ainsi en mars 1948, la crainte de la guerre réapparaît en Europe et amène les Européens impuissants à se tourner vers les Américains pour les protéger du danger soviétique.

De fait, cette menace est concrétisée par le blocus de Berlin, le « petit blocus » qui commence en mars et se termine en juin, suivi du « grand » qui dure un an, du

23 juin 1948 au 12 mai 1949. Ainsi le problème allemand est-il au cœur de la guerre froide de 1948 à 1953.

LE PROBLÈME ALLEMAND AU CŒUR DE LA GUERRE FROIDE

Lorsque Anglais et Américains unifient leur zone le 17 décembre 1947, les Soviétiques protestent et réclament leur part de réparations. La France obtient l'approbation des Anglo-Saxons pour un détachement politique de la Sarre par rapport à l'Allemagne et son rattachement économique à la France.

Lors de la rencontre des ministres des Affaires étrangères de France (Bidault), de Grande-Bretagne (Bevin), des États-Unis (général Marshall) et de l'URSS (Molotov), à Moscou (mars-avril 1947), l'impasse est totale, aussi bien sur la dénazification que sur les frontières orientales de l'Allemagne et les réparations.

En ce qui concerne le futur gouvernement de l'Allemagne, les vues des anciens Alliés sont encore plus divergentes. La France désire une Allemagne très peu centralisée à structure fédérale regroupant une douzaine de *Länder*. L'Union soviétique au contraire réclame un État très fortement centralisé et un contrôle international de la Ruhr, où elle aurait sa part. Les Anglais et les Américains se prononcent pour un gouvernement fédéral fort, contrôlant les Affaires étrangères, l'Économie et les Finances.

L'accord est également impossible sur le traité de paix avec l'Autriche, car les Soviétiques réclament le contrôle d'une grande partie de l'économie, ce que les Occidentaux refusent.

À la conférence de Londres (25 novembre-18 décembre 1947), aucun progrès n'est réalisé. Molotov impute les difficultés à la « mauvaise foi » des Occidentaux et refuse carrément toutes leurs propositions. Il réclame l'organisation immédiate d'un gouvernement central allemand. Décidément, le problème allemand est devenu la pomme de discorde des anciens Alliés, et la question du statut de Berlin en est le point le plus irritant.

Le problème du statut de Berlin et le blocus

En réalité, les Soviétiques n'avaient pas admis comme une situation normale et définitive le statut de Berlin, avec quatre zones d'occupation. Ils considéraient que Berlin devait faire partie de l'Allemagne de l'Est. Ainsi, en mars 1948, le maréchal soviétique Sokolovski décide d'arrêter les débats du Conseil de contrôle interallié et peu de jours après, les Soviétiques annoncent qu'ils confient à des Allemands de l'Est le contrôle de l'accès à Berlin-Ouest. Devant le refus des Occidentaux, toutes les voies terrestres d'accès à Berlin sont bloquées : c'est le petit blocus de Berlin. Mais une crise plus grave se prépare.

• *À la suite de la conférence de Londres, en juin 1948*, Français, Anglais et Américains tombent d'accord pour unifier leurs trois zones d'occupation, y organiser des élections à une assemblée constituante. Les Français, très réticents à l'unification des zones, n'acceptent de signer qu'en échange de la mise en place d'une autorité internationale de la Ruhr, qui exercerait un contrôle non seulement sur la Ruhr, mais sur toute l'économie allemande. Quoi qu'il en soit, c'est la voie ouverte à la constitution d'un État d'Allemagne occidentale. Pour montrer leur volonté d'unification, les trois puissances occidentales décident de créer une monnaie commune, le Deutsche Mark (DM). Cette réforme monétaire déplaît aux

L'Allemagne de 1938 à 1945

Source : *Allemagne* (Histoire), M. Eude, Encyclopaedia Universalis éditeur.

Soviétiques qui, par mesure de rétorsion, organisent un blocus terrestre total de Berlin. C'est l'épreuve de force.

• *La réaction des États-Unis est immédiate.* Ils décident de ne pas accepter la situation de fait créée par les Soviétiques et de ravitailler Berlin-Ouest par un pont aérien. Assurée à 95 % par les Américains, cette opération va assurer pendant un an le ravitaillement de la ville et contraindre les Soviétiques à céder. En juin 1949, ils lèvent le blocus de Berlin et acceptent d'ouvrir à nouveau les autoroutes et lignes de chemin de fer qui permettaient de ravitailler Berlin-Ouest, avec des contrôles soviétiques. Le Conseil des ministres des Affaires étrangères, qui se réunit à Paris en mai-juin 1949, sanctionne cet équilibre précaire. Berlin est devenue un symbole du combat pour la liberté.

1945   – 2 mai : Capitulation de Berlin, conquise par l'armée rouge.
     – 5 juin : Déclaration des quatre (États-Unis, URSS, Grande-Bretagne, France) à Berlin. Ils prennent en main l'administration de la ville dotée d'un statut spécial et partagée en quatre secteurs.
     – 22 novembre : Délimitation de couloirs aériens entre Berlin et les zones occidentales.

1948   – 23 juin : Les Soviétiques commencent le blocus de Berlin ; toute circulation routière et ferroviaire vers Berlin-Ouest est interrompue.
     – 26 juin : Début du pont aérien.

1949   – 12 mai : Fin du blocus de Berlin.

1953   – 17 juin : Soulèvement à Berlin-Est et dans plusieurs villes de RDA.

1957   – 6 octobre : W. Brandt est élu bourgmestre de Berlin-Ouest.

1958   – 9-27 novembre : N. Khrouchtchev veut mettre fin au statut de Berlin qui serait transformée en ville libre.

1959   – 11 mai-20 juin : Échec de la conférence des ministres des Affaires étrangères à Genève.

1960   – 16 mai : Conférence au sommet avortée à Paris.
     – 5 août : Les trois Grands occidentaux réaffirment leur volonté de maintenir par tous les moyens la liberté d'accès à Berlin.

1961   – 13 août : Construction du mur de Berlin.

1962   – février : Incidents dans les couloirs aériens de Berlin.

1963   – 26 juin : Visite du président Kennedy au mur : « *Ich bin ein Berliner* ».

1969   – 16 décembre : Les trois Grands suggèrent au Kremlin d'ouvrir une discussion pour améliorer la situation à Berlin et en particulier pour en garantir le libre accès. Les Soviétiques acceptent.

1970   – 26 mars : Première rencontre à Berlin depuis 1959 des trois ambassadeurs occidentaux et de l'ambassadeur d'URSS.

1971   – 3 septembre : Accord quadripartite sur Berlin.

1972   – 3 juin : Entrée en vigueur du nouveau statut interallié de Berlin.

1987   – 30 avril : M. Honecker refuse d'assister à Berlin-Ouest aux cérémonies du 750e anniversaire de la ville.
     – 12 juin : Visite de Ronald Reagan à Berlin-Ouest. « Abattez ce mur, M. Gorbatchev ! ».

1989   – 9 novembre : Les autorités de RDA décident l'ouverture des frontières et du mur. Nuit d'allégresse à Berlin : des milliers de Berlinois de l'Est franchissent le mur.
     – 21 décembre : Le chancelier H. Kohl (RFA) et le Premier ministre H. Modrow (RDA) se rencontrent à la porte de Brandebourg, réouverte.

1990   – 31 août : Le traité d'unification entre la RFA et la RDA est paraphé à Berlin-Est.

1991   – 20 juin : Les députés allemands votent en faveur du transfert de Bonn à Berlin du siège du gouvernement et du Bundestag.

La constitution des deux États

• *Conformément aux accords de Londres, se réunit au cours de l'été 1948 la Commission chargée d'élaborer la Constitution de l'Allemagne de l'Ouest.* Composée de représentants élus des onze *Länder*, elle soumet au printemps 1949 un projet de constitution rejeté par les commandants en chef. Un nouveau projet est accepté en mai 1949. Dans l'intervalle, les Occidentaux ont négocié entre eux et ont signé en avril 1949 les accords de Washington. Le but est d'octroyer à l'Allemagne toute l'autonomie compatible avec l'occupation alliée. Une distinction est donc faite entre les larges pouvoirs qui demeurent aux mains des autorités d'occupation (désarmement, démilitarisation, contrôle de la Ruhr, réparations, décartellisation) et les responsabilités qui seront transférées au futur gouvernement d'Allemagne de l'Ouest. La Défense et les Affaires étrangères restent de la compétence exclusive des alliés. L'Allemagne ne peut signer de traité qu'avec leur accord et elle doit rester totalement désarmée. Le gouvernement militaire de l'Allemagne est remplacé par une Haute Commission alliée, composée de John MacCloy (États-Unis), André François-Poncet (France) et du général Robertson (Royaume-Uni).

• *À la suite des accords de Washington, la Constitution allemande de nature fédérale, « la loi fondamentale », est acceptée par les alliés* et des élections générales organisées en août 1949. Ce texte est un compromis entre les thèses fédéralistes et les thèses centralistes. La République fédérale allemande est une fédération de onze *Länder*, chaque *Land* ayant sa constitution propre. Le *Bundestag* désigne un président de la République, sans grand pouvoir, et un chancelier véritable chef du pouvoir exécutif. C'est le leader du parti chrétien démocrate (CDU), l'ancien maire de Cologne, Konrad Adenauer, sorti victorieux des élections. Ainsi naît l'Allemagne de l'Ouest.

Le 7 octobre 1949, l'URSS réplique en faisant de sa propre zone une République démocratique Allemande, (RDA, en allemand : DDR), dotée, elle, d'une constitution centralisatrice.

• *À partir de ce moment, la division de l'Allemagne est institutionnalisée* et l'enjeu allemand se complique du problème de la réunification des deux Allemagnes. Tour à tour le chancelier Adenauer (RFA) et le président Grotewohl (RDA) lancent des initiatives spectaculaires tendant à organiser des élections libres dans toute l'Allemagne. Aucun progrès n'est réalisé, d'autant plus que la RDA reconnaît la ligne Oder-Neisse comme sa frontière orientale alors que l'Allemagne occidentale la rejette vigoureusement. Deux États allemands se développent parallèlement, chacun empruntant les méthodes et les objectifs du camp où il se trouve, le capitalisme à l'Ouest, le communisme à l'Est. À la suite des décisions accélérant la collectivisation des terres et relevant les normes de production dans l'industrie, une grève générale et une révolte populaire éclatent le 17 juin 1953 à Berlin-Est. Les manifestants réclament au secrétaire général du parti est-allemand (SED) des élections libres. L'état de siège est proclamé. La répression est terrible.

Mais l'Allemagne n'est plus seulement un enjeu. Elle devient également un acteur. Si le gouvernement de l'Allemagne de l'Est limite ses ambitions à être un satellite de l'Union soviétique, le gouvernement d'Allemagne de l'Ouest manifeste d'emblée plus d'autonomie et signe en novembre 1949 les accords de Petersberg avec les puissances occidentales. Ces accords mettent pratiquement fin aux réparations en Allemagne occidentale. L'admission du nouvel État au Conseil de l'Europe est compliquée par la volonté française d'y faire entrer la Sarre, alors que Adenauer n'entend pas reconnaître l'existence d'une Sarre autonome. Adenauer finit par accepter, sous réserve du gel du statut de la Sarre. Le 2 mai 1951, la République fédérale d'Allemagne (RFA) est admise comme membre de plein droit au Conseil de

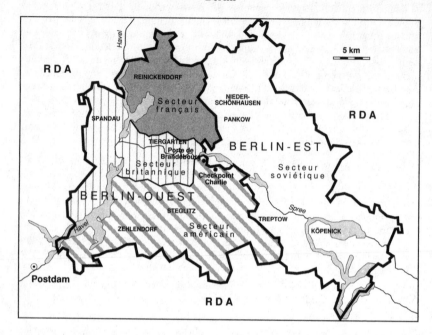

l'Europe. Entre temps, elle a été autorisée par les accords de Londres (mai 1950) et de New York (septembre 1950) à rétablir un ministère des Affaires étrangères et à reprendre des relations diplomatiques avec tous les pays.

• *La Sarre, principal sujet de discorde franco-allemand*. Le gouvernement français et le gouvernement sarrois précisent en 1949 et 1950 le statut d'autonomie politique de la Sarre et le rattachement économique de la Sarre à la France en négociant une série de conventions. Tout en ne remettant pas en cause le caractère provisoire du statut de la Sarre, ces conventions accordent plus d'autonomie au gouvernement sarrois par rapport à l'autorité du haut-commissaire. Mais elles renforcent aussi la situation de fait et le rattachement de la Sarre à l'espace économique français, à l'encontre des buts du gouvernement de Bonn dont la protestation prend la forme d'un Livre blanc publié en mars 1950 et qui saisit toutes les occasions pour poser la question de la Sarre, comme en 1952 la nomination du Haut Commissaire comme ambassadeur. La tension croissante entre la France et l'Allemagne à propos de la Sarre et la poursuite de la guerre froide expliquent la multiplication des initiatives prises pour favoriser la construction européenne.

L'EXPANSION COMMUNISTE EN EXTRÊME-ORIENT

• *Les deux Chines* : l'été de 1947 est un tournant dans la guerre civile en Chine. Après avoir progressé au Henan, les nationalistes s'effondrent un peu partout, malgré l'aide américaine. Une fois conquise toute la Chine du Nord en octobre

1948, les communistes entrent à Pékin le 22 janvier 1949 et à Shanghai le 25 mai. Tchang Kaï-Chek se réfugie dans l'île de Formose et abandonne la Chine continentale à Mao Tsê-Tung qui proclame la République populaire de Chine (RPC) le 1er octobre 1949. C'est la naissance d'un autre nœud de la guerre froide en raison de l'opposition idéologique entre les deux Chines et du problème des petites îles côtières restées aux mains des nationalistes dans le Sud, Quemoy et Matsu, et plus au nord, les îles Taschen. Le casse-tête diplomatique des deux Chines va empoisonner les relations internationales pendant un quart de siècle. Faut-il reconnaître la Chine communiste ? Les puissances occidentales hésitent à « lâcher » Tchang Kaï-Chek au profit de Mao Tsê-Tung. Seule, la Grande-Bretagne, implantée à Hong Kong, reconnaît le régime communiste en janvier 1950. À l'ONU, la Chine nationaliste continue d'occuper le siège de membre permanent au Conseil de sécurité. Aussitôt suivie par toutes les démocraties populaires, l'URSS reconnaît la République populaire et lui procure la sécurité nécessaire.

L'alliance sino-soviétique traduit surtout leur commune opposition à la politique des États-Unis et de leurs alliés. Le 14 février 1950, Mao conclut avec Staline un « traité d'assistance et d'amitié mutuelles ». L'URSS s'engage à évacuer la Mandchourie et Port-Arthur et à aider la Chine sur le plan économique, technique et financier. Du coup, la situation est profondément modifiée en Extrême-Orient où la RPC va désormais jouer un rôle actif en Indochine et en Corée.

• *L'Indochine, enjeu idéologique.* Depuis décembre 1946, les Français mènent un combat ambigu en Indochine. Ils affirment vouloir protéger l'indépendance et l'intégrité des États d'Indochine contre l'agression viêt-minh, mais aucun gouvernement ne veut prendre l'initiative de négociations qui aboutiraient au retrait français. Le combat colonial est une charge de plus en plus lourde pour le budget et de la France qui reçoit une aide toujours plus considérable des États-Unis. À partir de juin 1950, la guerre d'Indochine prend un tournant décisif. La guerre coloniale devient une guerre idéologique entre le camp communiste, avec la Chine comme porte-drapeau, et le camp occidental, représenté par les Français soutenus par les Américains.

• *En Corée aussi, les tensions nées de la guerre dégénèrent en un conflit idéologique.* La Corée était une colonie japonaise depuis 1910. Quand, à la fin de la Deuxième Guerre mondiale, l'URSS a attaqué le Japon, le 8 août 1945, il avait été entendu que les Soviétiques recevraient la reddition japonaise au nord du 38e parallèle et les Américains au sud du 38e parallèle. Reste la question de la Corée. La conférence de Moscou (décembre 1945) se prononce pour la formule de la tutelle des grandes puissances, qui devrait favoriser la réunification du pays. Mais le désaccord, qui n'empêche pas Américains et Soviétiques d'évacuer le pays, aboutit rapidement à une impasse politique, à une tension entre le Nord et le Sud et à une instabilité le long de la frontière du 38e parallèle. Le 25 juin 1950, les Nord-Coréens lancent une vaste offensive contre le Sud. Si les origines du conflit sont encore obscures, ses conséquences sont claires. Le déclenchement de la guerre va amener l'intervention des Américains qui avaient dans un premier temps exclu la Corée de leur périmètre stratégique en Extrême-Orient. De fait, ils décident alors de défendre les Philippines (accord de garantie du 30 août 1951); ils apportent une assistance économique et militaire à Formose et à la France en Indochine. Surtout ils décident de faire du Japon leur allié.

• *Le Japon.* Au lendemain de la guerre, le général MacArthur, commandant suprême au nom des puissances alliées, avait entrepris de profondes réformes, tendant à démocratiser le Japon sur le plan politique et économique. La guerre de Corée va constituer un test pour le loyalisme japonais, car les forces d'occupation américaines sont réduites au minimum. En septembre 1951, à la suite de la conférence de San Francisco, les États-Unis signent un traité de paix avec le Japon, qui déclare renoncer à divers territoires, Corée, Formose, Pescadores, Kouriles, partie sud de Sakhaline. Du coup, le Japon, État vaincu et occupé, se voit promu au rang de « sentinelle du monde libre » au large de la Chine et de l'URSS. Le traité de sécurité de San Francisco (8 septembre 1951) accorde aux Américains de nombreuses bases militaires en territoire japonais. Une seconde ligne défensive est constituée dans le Pacifique par un pacte de sécurité collective signé le 1er septembre 1951 à San Francisco entre l'Australie, la Nouvelle-Zélande et les États-Unis (ANZUS).

• *L'intervention américaine en Corée* se fait sous les auspices des Nations Unies, car le Conseil de sécurité dénonce l'agression nord-coréenne et, en l'absence de l'URSS, décide d'intervenir en Corée. L'absence de veto soviétique s'explique par le fait que depuis le 1er janvier 1950, les Soviétiques avaient déclaré qu'ils ne siégeraient pas au Conseil de sécurité tant que la Chine communiste ne remplacerait pas la Chine nationaliste à l'ONU. L'armée des Nations Unies, surtout composée de divisions américaines, secondées entre autres par des troupes britanniques et un bataillon français, est dirigée par le général américain MacArthur, le vainqueur de la guerre du Pacifique et commandant suprême au Japon. Dans un premier temps (juin-août 1950), il consolide la tête de pont de Pu-San. Sa contre-offensive de l'automne 1950 amène les troupes des Nations Unies à franchir le 38e parallèle et les conduit au voisinage de la frontière chinoise (septembre-novembre 1950). C'est alors que la Chine s'engage dans la guerre. L'intervention de centaines de milliers de « volontaires chinois » force MacArthur à battre en retraite (novembre-janvier 1951) avant qu'il ne parvienne par une contre-offensive à se rétablir sur le 38e parallèle. En avril 1951, MacArthur réclame le droit de bombarder les bases de volontaires chinois, en Mandchourie, au risque d'une guerre ouverte avec la Chine. Du coup, Truman le remplace par le général Ridgway, qui se contente de tenir les positions acquises. Après deux ans de négociations, un accord sur le rapatriement des prisonniers, signé en avril 1953, a bien du mal à être appliqué. La convention d'armistice signée à Pan Mun Jon, le 27 juillet 1953, consacre une « paix blanche ». La frontière entre le Nord et le Sud est très proche de celle de 1950, le long du 38e parallèle ; en Extrême-Orient, aussi, le monde est divisé en deux, entre la Corée du Nord, procommuniste, présidée par le maréchal Kim-Il-Sung et la Corée du Sud, pro-occidentale, dirigée par Syngman Rhee.

LES DEUX CAMPS FACE À FACE

Le camp atlantique

La conviction que l'Union soviétique représente un défi mortel pour le monde libre pousse ce dernier à s'unir et à réarmer. Le pacte de Bruxelles conclu entre la France, le Royaume-Uni et le Benelux était dirigé contre un agresseur, quel qu'il soit. Mais ses participants, qui avaient en tête la menace soviétique, eurent vite fait de constater l'impuissance de l'Union occidentale face aux divisions de l'armée rouge. Aussi demandent-ils parallèlement aux États-Unis d'adhérer au pacte de Bruxelles et de leur apporter une aide militaire. Dès le 4 mars 1948, G. Bidault, ministre français des Affaires étrangères, écrit au général Marshall, secrétaire au Département d'État, pour l'inviter à resserrer sur le terrain politique et militaire la collaboration de l'Ancien et du Nouveau Monde.

Depuis la doctrine Truman, les Américains, préoccupés d'endiguer le développement du communisme, augmentent leurs dépenses militaires qui atteignent 13 % du PNB en 1952, tiennent leurs forces militaires en état d'alerte et créent une centrale de renseignements, la *Central Intelligence Agency* (CIA). Ils ne refusent pas d'entamer des négociations avec les Européens. Mais aux États-Unis, tout traité doit être, aux termes de la Constitution, approuvé par le Sénat à la majorité des deux tiers avant d'être ratifié. Le gouvernement américain a donc estimé qu'il serait plus sage de faire voter par le Sénat une résolution préalable autorisant le pouvoir exécutif à conclure les alliances en temps de paix. C'est la résolution Vandenberg (du nom du sénateur républicain, président de la Commission des Affaires étrangères du Sénat) votée le 11 juin 1948. Il s'agit d'une véritable révolution dans la politique étrangère des États-Unis, qui ne contractaient d'alliances que pour le temps de guerre. Les pactes vont devenir un instrument privilégié de leur sécurité nationale en temps de paix. Désormais la voie est ouverte à l'Alliance atlantique, négociée à la fin de l'année 1948 et au début de 1949.

• *Le Pacte atlantique*, conclu pour vingt ans, est signé solennellement à Washington le 4 avril 1949 par les représentants de douze nations (États-Unis, Canada, France, Royaume-Uni, Benelux, Italie, Norvège, Danemark, Islande, Portugal). L'Union occidentale est pratiquement vidée de sa substance, plusieurs de ses organes sont d'ailleurs absorbés par ceux de l'OTAN. Le « *standing group* » (groupe permanent composé par des représentants des États-Unis, de la Grande-Bretagne et de la France), qui siège à Washington, est chargé d'assurer la direction stratégique de l'Alliance.

L'Organisation du traité de l'Atlantique Nord (OTAN en français, NATO en anglais) est à ce moment une alliance très souple stipulant qu'une attaque armée contre l'un de ses signataires en Europe, en Amérique du Nord, en Algérie, contre une des îles de l'Atlantique, équivaudrait à l'attaque contre le territoire de tous, aboutissant à l'assistance mutuelle. Cette assistance militaire n'est pas automatique et chaque pays conserve son armée et son commandement. Il n'y a pas d'institutions prévues en période de paix, mis à part un Conseil atlantique aux prérogatives plutôt vagues. Cependant, pour tous les observateurs, l'OTAN place l'Europe occidentale sous la protection américaine. Aussi le Pacte atlantique est-il violemment combattu. L'Union soviétique le considère comme un pacte agressif dirigé contre elle. Dans les pays européens, les communistes y voient l'asservissement de l'Europe occidentale aux États-Unis. Les neutralistes regrettent l'alignement sur l'Amérique.

Peu après, ces campagnes sont relayées par l'appel de Stockholm (19 mars 1950) qui est le point d'orgue d'un vaste mouvement pacifiste animé par des militants communistes dans le monde entier. Destiné à affaiblir la riposte du camp occidental contre l'expansion communiste, le Conseil mondial de la Paix recommande l'interdiction absolue de l'arme atomique.

En dépit de ces campagnes, le traité est rapidement ratifié par douze nations (Royaume-Uni, France, Portugal, Benelux, Italie, Norvège, Danemark, États-Unis, Canada, Irlande, suivies en 1952 par la Grèce et la Turquie). Il entre en vigueur dès août 1949 et il est accompagné par un programme militaire qui va prendre une part croissante dans l'aide américaine à l'Europe. Mais ce n'est encore qu'une alliance, sans automaticité ni organisation intégrée. Les événements d'Extrême-Orient, et en particulier la guerre de Corée, vont profondément modifier le système du Pacte atlantique par le biais de l'intégration militaire.

• *Le « new-look ».* La guerre froide est surtout un affrontement idéologique et la lutte contre le communisme passe par la propagande et la mobilisation idéologique. Aux États-Unis, le sénateur du Wisconsin, MacCarthy, lance une violente campagne anticommuniste (9 février 1950) qui se transforme en une véritable « chasse aux sorcières », mettant en accusation tous ceux qui sont soupçonnés d'activités anti-américaines. En novembre 1952, les républicains remportent les élections présidentielles. Le général Eisenhower est élu. Il a critiqué dans sa campagne électorale la politique de l'administration démocrate qui a consisté à contenir le communisme (*containment*) et a préconisé une politique de fermeté et de refoulement du communisme (*roll-back*). En fait, la nouvelle administration républicaine renonce rapidement à cette politique, qui risquerait de mener à une guerre généralisée. Le nouveau visage de la politique américaine, le *new-look*, se résume alors à un aspect diplomatique : la pactomanie, et à un aspect stratégique : la doctrine des représailles massives.

Depuis 1945, les données stratégiques ont évolué. En 1949, l'URSS a fait exploser une bombe A. Les États-Unis n'ont plus le monopole de l'arme atomique et le conflit de Corée apparaît comme le modèle d'une guerre limitée, certes, mais meurtrière, impopulaire et inefficace. Réfugiés dans le sanctuaire mandchou, les Chinois sont hors d'atteinte. L'arme atomique ne permettrait-elle pas d'imposer sa volonté à moindre frais à condition de ne pas limiter les représailles à un seul territoire ? Les républicains adoptent en 1953 la nouvelle stratégie définie par l'amiral Radford, président du Comité des chefs d'État-Major, que l'on peut résumer par trois formules : représailles massives (*massive retaliation*), riposte immédiate (*instant retaliation*), pas de sanctuaire (*no sheltering*). À toute attaque, les États-Unis répondront immédiatement par l'arme atomique. Nul territoire ne sera épargné. Ainsi les États-Unis estiment-ils obtenir le maximum de sécurité au coût le moins élevé.

• *Le renforcement des alliances.* Le nouveau secrétaire d'État, J.F. Dulles, consacre tous ses efforts à renforcer le réseau d'alliances conclues par Washington. En Asie, il s'agit de contenir le communisme chinois et de faire échec à la « théorie des dominos » : lorsqu'un pays tombe dans le camp communiste, ceux qui l'entourent risquent à leur tour d'être entraînés. Déjà alliés dans le Pacifique avec les Philippines, l'Australie, la Nouvelle-Zélande et le Japon, les États-Unis signent des traités de défense avec la Corée du Sud (1953), le Pakistan, la Chine nationaliste et le Sud-Viêt-nam (1954). Mais le plus important est le pacte de Manille, qui crée l'Organisation du traité de l'Asie du Sud-Est (OTASE), le 8 septembre 1954. Les États-Unis, la France, la Grande-Bretagne, l'Australie, la Nouvelle-Zélande, les Philippines, le Pakistan, la Thaïlande, s'engagent à riposter collectivement à une attaque contre l'un de leurs territoires ou contre toute région au sud du 21° 30 nord, ce qui inclut l'Indochine, mais non Taiwan, lié par le traité de défense sino-américain (2 décembre 1954) et sujet à une vive tension en 1954-1955. Au Moyen-Orient, le pacte de Bagdad (février 1955) regroupant la Turquie, l'Irak, le Pakistan, l'Iran et le Royaume-Uni crée un cordon protecteur aux frontières méridionales de l'URSS. En Amérique latine, les États-Unis tentent d'entraîner les États latino-américains dans une croisade anticommuniste (conférence de Caracas en mars 1954) et de renforcer la cohésion de l'Organisation des États américains par une conférence qui se tient du 19 au 22 juillet 1956 à Panama. Ils affirment leur étroite solidarité dans les affaires mondiales et favorisent l'invasion du Guatemala (juin 1954) alors dirigé par le gouvernement procommuniste du colonel Arbenz. Le Japon joue un rôle limité et subordonné aux États-Unis. Ceux-ci, par l'article 9 de la constitution du 3 mai 1947, lui ont imposé un pacifisme institutionnel par lequel le Japon renonce au recours à la force et à l'entretien de tout potentiel militaire. Or, à partir de la guerre de Corée, l'Amérique le sollicite de réarmer et conclut le traité de 1951. Les Japonais mettent en place une force défensive, bien qu'ils y soient farouchement opposés et soient aussi hostiles aux expériences atomiques américaines dans le Pacifique. Du côté soviétique, ils réclament les îles Sakhaline, la partie sud de Sakhaline, et surtout les îles au nord de Hokkaido (Habomai, Sikotan). Malgré l'impasse des négociations sur le contentieux territorial, Japonais et Soviétiques signent une déclaration commune mettant fin à l'état de guerre (octobre 1956) et permettant le rétablissement de relations diplomatiques normales. Le Japon est d'ailleurs admis à l'ONU le 18 décembre 1956.

La coopération européenne

La crainte d'une agression communiste en Europe occidentale est avivée par le conflit de Corée et pousse les Européens à accélérer leur rapprochement sur tous les plans.

• *La coopération économique* : Les premières étapes se font surtout dans le domaine économique. L'OECE organise à partir de 1948 une véritable collaboration commerciale et monétaire entre les seize États européens qui bénéficient du plan Marshall. Un mouvement d'opinion favorable à la création d'une fédération européenne aboutit à la réunion d'un congrès à La Haye en mai 1948, qui exprime le vœu de créer une Union européenne. Mais le désaccord franco-britannique ne permet pas d'aller bien loin. Les Français désirent la création d'une assemblée consultative, embryon d'un futur parlement européen. Les Anglais ne veulent pas entendre parler d'abandon d'une portion de la souveraineté nationale et réclament la création d'un simple comité des ministres. Les uns et les autres parviennent en janvier 1949 à un compromis en créant une Assemblée consultative européenne à compétence limitée. Ce Conseil de l'Europe, ouvert aux dix-sept pays membres de l'OECE, tient sa première session en août 1949 à Strasbourg, mais il ne fait qu'esquisser une coopération politique et culturelle.

Plusieurs initiatives sont prises en vue de dépasser l'antagonisme franco-allemand par la construction d'une Europe occidentale unie. La plus importante d'entre elles est le plan Schuman. Le ministre français des Affaires étrangères, Robert Schuman, adopte l'idée de Jean Monnet, alors haut-commissaire au Plan, consistant à placer l'ensemble de la production franco-allemande de charbon et d'acier sous une haute autorité commune dans le cadre d'une organisation ouverte aux autres pays d'Europe. L'objectif est de proposer des «réalisations concrètes créant d'abord une solidarité de fait» et aboutissant à éliminer la traditionnelle rivalité franco-allemande.

Le plan Schuman (9 mai 1950) marque le passage d'une simple coopération à une véritable intégration : il propose de mettre en commun la production et la vente des produits sidérurgiques. La France, l'Allemagne occidentale, l'Italie et les pays du

Benelux créent la Communauté européenne du Charbon et de l'Acier (CECA). Le Royaume-Uni, soucieux de préserver sa souveraineté, se tient à l'écart de cette construction continentale. Le traité de Paris (18 avril 1951) confie un pouvoir supranational à une Haute Autorité composée de neuf membres, indépendants des gouvernements nationaux, chargée de moderniser la production de charbon et d'acier et de développer l'exportation commune. L'Autorité internationale de la Ruhr disparaît.

• *La coopération militaire.* Mais les risques de guerre amènent les Européens à envisager aussi une entente militaire et les Américains les pressent de réarmer. En décembre 1950, l'OTAN décide de faire un effort collectif considérable et de créer une organisation militaire intégrée ayant à sa tête le Quartier général des Forces alliées en Europe, le SHAPE (*Supreme Headquarters of Allied Powers in Europe*), commandé par un général américain. C'est le général Eisenhower qui est désigné. À la juxtaposition d'armées nationales se substitue une « force intégrée ». Un effort sérieux est entrepris pour simplifier, coordonner, harmoniser tous les organes de l'OTAN, et l'on convient en 1952 qu'ils s'installent à Paris.

Encore faut-t-il des armes! Les Américains les fournissent. Des crédits! L'aide économique américaine se transforme graduellement en aide militaire. Des hommes! L'armée française est alors engagée en Indochine et le gouvernement américain ne veut pas que seuls ses GI (*Government Issue*, soldat de l'armée américaine) défendent l'Elbe et le Rhin. Pourquoi ne pas réarmer l'Allemagne occidentale? C'est la suggestion que fait officiellement le gouvernement américain en septembre 1950. Le refus de la France, qui s'oppose catégoriquement au réarmement de l'Allemagne, place l'OTAN dans une impasse. Pour tourner la difficulté, le ministre français de la Défense nationale, René Pleven, propose en octobre 1950 de transposer dans le domaine militaire la philosophie du plan Schuman. Il s'agit de créer une armée commune par l'intégration d'unités des six armées européennes concernées. Cela permettrait d'avoir des soldats allemands et d'accroître les effectifs. Mais il n'y aurait pas d'armée allemande… Les négociations pour l'armée européenne sont longues et modifient le projet initial, puisque l'intégration des forces militaires doit se réaliser au niveau de la division. Le traité instituant la Communauté européenne de Défense (CED) n'est signé que le 27 mai 1952. Mais elle n'entrera pas en vigueur en raison des réticences françaises. Pour les gaullistes, les communistes et une partie de la gauche, la CED a le tort de constituer un embryon d'armée allemande, de signifier la fin d'une force nationale autonome et enfin de soumettre l'armée européenne au commandement américain de l'OTAN. C'est l'objet d'un débat permanent dans l'opinion française et entre les alliés. Les Américains font pression sur les gouvernements français successifs pour qu'ils honorent le traité de la CED ratifié au demeurant par les Pays-Bas, la Belgique et l'Allemagne. Les gouvernements français mettent en avant des « préalables » à obtenir avant la ratification ou essaient de négocier des « protocoles additionnels ». Le secrétaire au Département d'État, J. Foster Dulles, déclare en décembre 1953 que si la France ne ratifiait pas le traité de la CED, il y aurait une révision déchirante de la politique américaine en Europe. En août 1954, le nouveau président du Conseil, Pierre Mendès France, propose aux cinq partenaires de la France divers aménagements de nature à atténuer le caractère supranational d'un traité pourtant proposé et rédigé par des Français. Face au refus des autres États, l'Assemblée nationale française s'oppose définitivement à la ratification du traité de la CED, par le vote d'une simple question préalable, le 30 août 1954.

Les ministres des Affaires étrangères		Présidents de la Ve République
10 sept. 44-16 déc. 46	: Georges Bidault	
16 déc. 46-22 janv. 47	: Léon Blum	
22 janv. 47-25 juil. 48	: Georges Bidault	
26 juil. 48-8 janv. 53	: Robert Schuman	
8 janv. 53-19 juin 54	: Georges Bidault	
19 juin 54-20 janv. 55	: P. Mendès France	
20 janv. 55-23 fév. 55	: Edgar Faure	
23 fév. 55-1er fév. 56	: Antoine Pinay	
1er fév. 56-14 mai 58	: Christian Pineau	Charles de
14 mai 58-1er juin 58	: René Pleven	Gaulle
1er juin 58-31 mai 68	: Maurice Couve de Murville	janv. 1959-
31 mai 68-22 juin 69	: Michel Debré	avril 1969
22 juin 69-15 mars 73	: Maurice Schumann	Georges
15 mars 73-5 avril 73	: André Bettencourt	Pompidou
5 avril 73-28 mai 74	: Michel Jobert	juin 1969- avril 1974
28 mai 74-27 août 76	: Jean Sauvagnargues	Valéry
27 août 76-29 nov. 78	: Louis de Guiringaud	Giscard
29 nov. 78-22 mai 81	: Jean-François Poncet	d'Estaing mai 1974- mai 1981
22 mai 81-7 déc. 84	: Claude Cheysson	François
7 déc. 84-20 mars 86	: Roland Dumas	Mitterrand
20 mars 86-12 mai 88	: J.-B. Raimond	mai 1981-
12 mai 88-29 mars 93	: Roland Dumas	mai 1995
30 mars 93-17 mai 95	: Alain Juppé	
À partir du 17 mai 95	: Hervé de Charette	Jacques Chirac depuis mai 1995

La solution de rechange est trouvée dans les deux mois qui suivent. Le ministre britannique des Affaires étrangères, Anthony Eden, a l'idée de redonner vie à l'Union occidentale et d'y faire admettre l'Allemagne et l'Italie. Ainsi sont assurés à la fois un certain contrôle européen sur la future armée allemande et la participation de la Grande-Bretagne au dispositif militaire ouest-européen. Par les accords de Paris (23 octobre 1954), l'Union occidentale devient l'Union de l'Europe occidentale (UEO) qui accueille l'Allemagne et l'Italie; l'Allemagne recouvre sa totale souveraineté et en particulier le droit de réarmer. Cette reconstitution d'une force militaire allemande est toutefois assortie de limitations : l'Allemagne doit accepter de ne pas fabriquer d'armes atomiques, biologiques et chimiques, d'engins à longue portée, de navires de guerre de plus de 3 000 tonnes, d'avions de bombardement stratégique. Les Occidentaux abandonnent leur droit d'intervention en Allemagne et déclarent vouloir associer celle-ci sur un pied d'égalité « aux efforts des peuples libres pour la paix et la sécurité ». En mai 1955, l'Allemagne devient le quinzième membre de l'OTAN. Et la *Bundeswehr* se constitue à partir de novembre 1955.

On assiste en outre à un rapprochement temporaire de la Yougoslavie avec l'Occident, par l'intermédiaire du Traité d'amitié et de coopération signé à Ankara (28 février 1953) entre la Grèce, la Turquie et la Yougoslavie, et du traité de Bled (9 août 1954), qui est un accord de défense. Du coup, le contentieux de Trieste est réglé par les accords de Londres (5 octobre 1954) qui prévoient l'évacuation des troupes anglaises et américaines, l'établissement d'une administration italienne et le maintien du port franc à Trieste. Mais le pacte balkanique perd toute cohésion à la suite du rapprochement soviéto-yougoslave de 1956 et du conflit entre la Grèce et la Turquie à propos de Chypre.

Le camp oriental et les premiers signes de dégel Est-Ouest

La cohérence du bloc oriental se manifeste par l'embrigadement idéologique, dont le *Kominform* est le chef d'orchestre.

Il dénonce l'impérialisme américain, fauteur de guerre, il monte en épingle le modèle soviétique, encense le génial Staline et vitupère le fourbe Tito. Les opposants sont partout pourchassés en Europe de l'Est. Non seulement la foi et les ecclésiastiques sont persécutés, mais tout déviationnisme est proscrit, par le biais de purges et de procès qui écartent du pouvoir les dirigeants trop « nationaux », Gomulka en Pologne, Rajk en Hongrie (1949) et Slansky en Tchécoslovaquie (1952). Jouissant de l'audience de nombreux intellectuels et artistes, les partis communistes d'Europe occidentale sont amenés à participer à la guerre idéologique et à dénoncer l'ingérence des États-Unis dans les affaires européennes.

Sur le plan économique, l'accent est mis sur l'industrie lourde et la collectivisation des terres. En réplique à la constitution de l'OECE, les États d'Europe orientale (Bulgarie, Hongrie, Pologne, Roumanie, Tchécoslovaquie, Union soviétique, suivies par l'Albanie et la République démocratique Allemande) se regroupent le 25 janvier 1949 au sein du Conseil d'assistance économique mutuelle (CAEM), ou COMECON, qui facilite leurs relations commerciales, en partie au profit de l'Union soviétique.

Sur le plan militaire, l'Union soviétique a signé avec les démocraties populaires et avec la Chine populaire des traités d'assistance mutuelle bilatéraux. Isolé du monde occidental, le bloc oriental s'aligne sur le « Grand Frère ». À la suite de l'entrée de l'Allemagne occidentale dans l'OTAN, il crée le 14 mai 1955 le pacte de Varsovie, quasiment calqué sur l'OTAN. Cette alliance regroupe, sous un commandement soviétique, toutes les forces armées des pays d'Europe de l'Est, sauf la Yougoslavie, qui avaient auparavant contracté des alliances bilatérales.

• *La mort de Staline* (mars 1953) ne met pas seulement fin, sur le plan politique, à un quart de siècle de dictature personnelle en Union soviétique. C'est en effet une direction collective qui est mise en place, avec Malenkov comme chef du gouvernement et Nikita Khrouchtchev, comme Premier secrétaire du Parti communiste. Elle inaugure une période de « dégel », terme repris d'un roman d'Ilya Ehrenbourg qui a pressenti le relatif courant de libéralisation s'amorçant en Union soviétique. Dégel intérieur, avec une amnistie, des diminutions de peine et le début d'une déstalinisation qui provoque du même coup une grave agitation : émeutes en Tchécoslovaquie (juin 1953), véritable révolte à Berlin-Est (16 et 17 juin 1953).

Partout, dans les démocraties populaires, on assiste au dédoublement des fonctions de président du Conseil des ministres et de Premier secrétaire du Parti. En Union soviétique, l'apparente politique de détente s'accentue avec le remplacement à la tête du gouvernement de Malenkov par le maréchal Boulganine (février 1955).

• *Le dégel de l'URSS en politique étrangère.* Les signes de bonne volonté se multiplient. Le 20 juillet 1953, les relations diplomatiques avec Israël, rompues cinq mois plus tôt, sont rétablies. Le 27 juillet est signée la convention d'armistice en Corée. L'Union soviétique accepte la réunion proposée par Churchill d'une conférence des quatre ministres des Affaires étrangères à Berlin (du 23 janvier au 18 février 1954) qui n'aboutit pas. Le 31 mars 1954, l'Union soviétique propose la conclusion d'un pacte européen de sécurité collective. Elle apporte une contribution à la conférence de Genève sur l'Indochine (26 avril-21 juillet 1954). Le 11 octobre 1954, les forces soviétiques évacuent Port Arthur. Le 26 janvier 1955, Moscou met fin à l'état de guerre avec l'Allemagne.

Au printemps 1955, l'URSS promet de retirer toutes ses troupes d'occupation de l'Autriche, à la condition que ce pays reste neutre. Désormais, un traité de paix est possible. Le 15 mai 1955, les quatre grandes puissances signent à Vienne le traité d'État qui met fin à l'occupation de l'Autriche qui s'engage à rester neutre et à refuser toute union avec l'Allemagne. L'Autriche peut être membre de l'ONU et adhérer aux organisations non militaires. À la suite du traité d'État, l'esprit de la détente permet la tenue à Genève d'une conférence au sommet (18-23 juillet 1955) qui réunit le président Eisenhower, le maréchal Boulganine accompagné de Khrouchtchev, le Premier ministre britannique Eden, et le président du Conseil français, Edgar Faure. Les résultats en sont maigres et le désaccord est total sur l'Allemagne, mais «l'esprit de Genève» laisse espérer que la détente remplacera désormais la guerre froide. De fait, les ouvertures soviétiques à la République fédérale allemande se concrétisent par le voyage du chancelier Adenauer à Moscou (9-13 septembre 1955) et l'établissement de relations diplomatiques entre l'URSS et la RFA.

• *Le problème allemand n'en reste pas moins le principal pôle de tension entre l'Est et l'Ouest.* L'URSS réagit avec vigueur à l'éventualité de la création d'une Communauté européenne de Défense, qui comprendrait des unités militaires allemandes, et à l'élaboration de l'Union de l'Europe occidentale consécutive à l'échec de la CED. Elle multiplie les appels au désarmement et à la sécurité de l'Europe et convoque à Moscou une conférence (29 novembre-2 décembre 1954) à laquelle seules assistent les démocraties populaires. Les Soviétiques répondent à l'intégration de l'Allemagne de l'Ouest dans l'OTAN par la création du pacte de Varsovie, le 14 mai 1955. Regroupant autour de l'URSS sept démocraties populaires (Pologne, Tchécoslovaquie, Allemagne orientale, Roumanie, Bulgarie, Albanie, Hongrie), le pacte de Varsovie est un traité d'amitié, de coopération et d'assistance mutuelle qui comporte un commandement militaire unique confié à un maréchal soviétique. Il confère au bloc oriental une structure solide et assume désormais un rôle de gardien du bloc.

La conférence au sommet des 18-23 juillet 1955 et la conférence des ministres des Affaires étrangères réunissant Dulles, MacMillan, Molotov et Pinay (27 octobre-16 novembre 1955) butent sur le problème allemand. Molotov récuse toute réunification de l'Allemagne si ce n'est par l'absorption de la RFA dans la RDA. Le dialogue Est-Ouest semble bloqué. D'ailleurs, le 20 septembre 1955, l'URSS reconnaît la pleine souveraineté de la République Démocratique Allemande.

• *La relative libéralisation permet un rapprochement de l'Union soviétique avec la Yougoslavie.* Depuis la rupture en juin 1948 et malgré l'isolement forcé de la Yougoslavie, traitée comme un pays schismatique et coupée du camp socialiste, Tito avait réussi à maintenir, à la grande fureur de Staline, le cap d'un pays indépendant et attaché au socialisme, sans toutefois rejoindre le camp occidental. En se rendant à Belgrade avec Mikoyan et Boulganine (26 mai-3 juin 1955), Khrouchtchev fait un geste de réconciliation. Il reconnaît la diversité des voies conduisant au socialisme. Dans le même temps, la compétition Est-Ouest se transporte hors d'Europe, où l'Union soviétique exploite la volonté d'émancipation coloniale qui se répand dans le Tiers Monde.

LA PREMIÈRE PHASE DE DÉCOLONISATION (1945-1955)

LES FACTEURS PROPRES À LA DÉCOLONISATION

De 1945 à 1962, la décolonisation s'est faite en deux étapes : une première dans l'immédiate après-guerre intéresse le Proche et le Moyen-Orient et l'Asie du Sud-Est ; une seconde, qui commence en 1955, concerne essentiellement l'Afrique du Nord et l'Afrique noire. Le tournant est l'année 1955, marquée par la conférence de Bandoeng qui, dans l'unanimité, décide de hâter et de généraliser la décolonisation et par la décision des États-Unis et de l'URSS de ne plus limiter l'admission de nouveaux membres aux Nations Unies, décision favorable à la libération des peuples colonisés.

La Seconde Guerre mondiale a profondément transformé les rapports entre les métropoles européennes et leurs colonies. Elle a démontré la fragilité des empires minés par les ferments nationalistes semés pendant le conflit. Elle fait surgir deux grandes puissances, États-Unis et URSS, qui sont chacune à leur façon anticolonialistes.

Par idéologie, l'URSS est favorable à la décolonisation qui va aboutir à affaiblir les pays occidentaux. Elle la prône activement à partir de 1956. En principe, les États-Unis soutiennent le combat des peuples colonisés pour des raisons sentimentales et historiques. Ils accordent d'ailleurs l'indépendance aux îles Philippines en 1946, mais ils ne prennent pas de position officielle afin de ne pas embarrasser leurs alliés.

L'attitude des puissances coloniales

• *Le Royaume-Uni, dirigé par un gouvernement travailliste,* a pratiqué volontairement une décolonisation progressive ; *les Pays-Bas* s'y sont résignés.

• *Le cas de la France est tout à fait différent.* Affaiblie par la guerre, elle considère que son empire est le moyen de reconquérir une image de grande puissance, sans opter franchement pour un statut d'association ou d'assimilation. La conférence de Brazzaville, réunie par le général de Gaulle en 1944, n'ouvre pas la voie à l'indépendance des colonies françaises, mais à plus de modernisme et de libéralisme. La même idée préside à la mise en place de l'Union française prévue dans la Constitution de la IVe République. C'est le cadre dans lequel les territoires pourront évoluer soit vers l'assimilation soit vers l'autonomie. Après 1958, la France s'engage dans la décolonisation. La *Belgique*, après avoir espéré y échapper, suit.

• *Le sort des colonies italiennes* n'avait pas été réglé par le traité de paix avec l'Italie, qui entre en vigueur en septembre 1947. Mission en avait donc été donnée aux Nations Unies. Un an plus tard, il n'y a toujours pas d'accord. Au printemps 1949, un compromis est mis au point par Ernest Bevin, ministre anglais des Affaires étrangères, et son homologue italien, le comte Sforza. Il prévoit l'accession de la Libye à l'indépendance, après un régime de tutelle partagée entre l'Italie, la France et l'Angleterre. Il confie la tutelle de la Somalie à l'Italie ; enfin il partage l'Érythrée entre l'Éthiopie et le Soudan. Mais le compromis Sforza-Bevin est rejeté par l'Assemblée des Nations Unies en juin 1949, qui décide finalement de l'indépendance de la Libye avant 1952 et de celle de la Somalie après dix ans de tutelle italienne. Quant à l'Érythrée, elle serait fédérée à l'Éthiopie. La Libye accède à l'indépendance le 1er janvier 1951 et se choisit un régime monarchique, les États-Unis et surtout la Grande-Bretagne obtiennent d'y conserver leurs bases.

Le cas particulier de l'Amérique latine

En Amérique, la guerre contribue à renforcer les liens entre les Républiques américaines, qui apportent plus ou moins leur contribution à la lutte contre les puissances de l'Axe, à l'exception de l'Argentine. À la conférence interaméricaine de Mexico (février-mars 1945) les États américains signent l'Acte de Chapultepec qui met en place un système de sécurité collective en Amérique. À la conférence de Rio de Janeiro (août-septembre 1947), ils signent le pacte de Rio, qui est un traité interaméricain d'assistance réciproque.

L'Union interaméricaine est renforcée par une charte de l'Organisation des États américains (OEA), signée le 30 avril 1948, qui groupe les vingt républiques américaines. Toutefois l'après-guerre amène un refroidissement entre les États-Unis et les pays latino-américains qui réclament l'évacuation des bases militaires installées sur leur territoire et souhaitent bénéficier d'un programme d'aide économique semblable au plan Marshall. L'arrivée au pouvoir en Argentine d'un régime militaire en 1944 et l'élection en février 1946 du colonel Peron à la présidence de la République (1946-1955) aboutissent à instaurer un régime inspiré de l'exemple fasciste et caractérisé par un populisme social aux accents nationalistes et anti-impérialistes. Du coup, les relations se tendent entre les États-Unis et l'Argentine.

Les républiques d'Amérique latine remettent aussi en question les possessions européennes (britannique, hollandaise, française). C'est le cas des îles Falkland sous domination britannique, revendiquées par l'Argentine, du Honduras britannique, convoité par le Guatemala, et des départements français d'outre-mer (Martinique, Guadeloupe, Guyane). Des troubles secouent les pays d'Amérique latine où des nationalistes luttent pour l'indépendance économique de leurs pays et où des coups d'État éclatent, comme en mai 1954 au Paraguay (celui du général Stroessner) et des révolutions, comme au Guatemala en juin 1954.

LA DÉCOLONISATION AU PROCHE ET AU MOYEN-ORIENT

Au Proche-Orient, les pays recouvrent peu à peu leur entière indépendance alors que la création de l'État d'Israël, en 1948, et l'exploitation des richesses pétrolières provoque déjà des crises sérieuses avec l'Occident.

• *La fin des mandats.* Au Liban et en Syrie, la contestation des mandats confiés à la France par la SDN à la suite du démantèlement de l'Empire ottoman et les manigances des Anglais qui dominent la région contraignent les Français à stopper toute velléité de mainmise sur ces territoires et à promettre l'indépendance accordée au milieu de troubles très violents en mai 1945. Alors que l'armée française commence à riposter, la Grande-Bretagne lance un ultimatum à la France pour l'obliger à céder. Au mois d'août 1945, l'indépendance de la Syrie et du Liban est acquise, mais ce n'est ni de plein gré, ni avec enthousiasme. La pression des Anglais a été déterminante. De son côté, le Royaume-Uni a accordé successivement l'indépendance à l'Irak en 1930, à l'Égypte en 1936 (sous réserve de quelques positions au Caire, à Alexandrie et sur le canal de Suez) et à la Transjordanie en 1946 où la seule force armée valable est la Légion arabe dirigée par un officier britannique, Glubb Pacha.

• *La création de l'État d'Israël*, est cependant à l'origine du problème essentiel. Né de la convergence d'une conviction millénaire — le retour à la Terre promise — et des idées de Theodor Herzl (1860-1904), le sionisme (retour à Sion = Jérusalem) amène les Juifs dispersés dans le monde entier à rejoindre ceux qui étaient demeurés en Palestine. La puissance de tutelle, la Grande-Bretagne, après avoir patronné l'idée d'un Foyer national juif par la déclaration Balfour (1917), est revenue à une politique proarabe, consistant à stopper l'émigration et à fractionner le territoire qui resterait sous influence anglaise, mais la Seconde Guerre mondiale joue un rôle d'accélérateur : la révélation du génocide renforce dans l'opinion publique la cause du sionisme et accélère l'arrivée des Juifs en Palestine, qui sont 553 000 en 1945 contre 1 240 050 Arabes. Un climat de guérilla se développe entretenu par les organisations juives contre les Anglais impatients de se débarrasser du fardeau. Aussi la question palestinienne est-elle soumise en 1947 à une commission d'enquête de l'Organisation des Nations Unies qui recommande de constituer un État juif, un État arabe et d'internationaliser Jérusalem selon un plan de partage, accepté par les Juifs, mais rejeté par les Arabes.

Sans attendre la réalisation du plan, la Grande-Bretagne décide de mettre fin à son mandat en mai 1948. Dès le 14 mai, les Juifs proclament l'État d'Israël, immédiatement reconnu par les États-Unis et l'Union soviétique. Aussitôt les armées arabes pénètrent en Palestine. Les opérations militaires (mai 1948-janvier 1949) tournent à l'avantage des Israéliens avec lesquels les Arabes concluent des armistices. Les accords de cessez-le-feu mettent un terme à la lutte armée, non à l'état de guerre. C'est le *statu quo* par rapport au plan de 1947, avec un tracé de frontières plus avantageux pour l'État d'Israël. Mais ces frontières ne sont que des frontières de fait. Jérusalem est partagée entre les Israéliens et les Transjordaniens, qui annexent la rive droite du Jourdain et constituent ainsi la Jordanie en 1950. L'Égypte annexe la bande de Gaza. En mai 1949, Israël est admis à l'ONU. La Ligue arabe refuse de reconnaître le fait accompli et conclut un pacte de défense entre pays arabes en avril 1950. Le problème de l'existence de l'État d'Israël se complique du problème des réfugiés arabes de Palestine qui ont fui la guerre et peuplent les camps dans des pays limitrophes. Dès cette époque se trouvent réunies les conditions d'un problème insoluble, aux rebondissements dramatiques.

• *L'instabilité politique.* Face au nouvel homme fort, le roi Abdallah de Jordanie, la Syrie connaît une grande instabilité politique et semble hésiter entre une orientation pro-occidentale et une tentation neutraliste. L'assassinat du roi Abdallah le

20 juillet 1951 met fin au rêve de constituer une « Grande Syrie » autour de la dynastie hachémite. Afin d'apaiser les conflits du Proche-Orient, les États-Unis, la France et la Grande-Bretagne adoptent une position commune en mai 1950. Par une déclaration tripartite, ils décident de restreindre les ventes d'armes aux seuls pays qui s'engageraient à ne commettre aucune agression, et surtout ils garantissent le *statu quo* territorial.

• *L'enjeu pétrolier.* Les rivalités, dues aux riches gisements de pétrole du Moyen-Orient, s'ajoutent aux problèmes politiques. Les États-Unis, par compagnies privées interposées, tentent de s'assurer une part de la production pétrolière de la région. Ils se heurtent aux intérêts britanniques. Les compagnies pétrolières, *l'Irak Petroleum Company*, *l'Anglo Iranian Company*, le *Kuwait Oil Company et l'Aramco* (en Arabie Saoudite), sont confrontées aux nationalismes, à l'occasion de la construction d'oléoducs destinés à acheminer le pétrole vers la Méditerranée ou de la négociation de conventions. Leurs profits sont considérables, puisqu'en 1950 l'Iran ne touche que 9 % de royalties de *l'Anglo Iranian Oil Company*. Or la situation est explosive dans le pays et le premier ministre Mossadegh engage le combat. En mars 1951, sous la pression des milieux nationalistes, menés par Mossadegh, le parlement iranien décide de nationaliser les pétroles et en particulier les biens de *l'Anglo Iranian Company*. Cette crise tourne à l'épreuve de force anglo-iranienne et à un conflit interne grave : Mossadegh est finalement arrêté le 24 août 1953. Les intérêts anglais et américains retrouvent leur assise dans un régime autoritaire sous la direction du Shah. Mais cette première bataille économique préfigure la crise de Suez.

• *Le conflit anglo-égyptien.* L'Égypte connaît une poussée de fièvre. Les Anglais prennent en juin 1948 l'initiative de favoriser l'accession à l'indépendance du Soudan, ce qui a pour effet d'y éliminer l'influence égyptienne. Par réaction, en octobre 1951, le gouvernement de Nahas Pacha décide de demander au Parlement l'abrogation du traité anglo-égyptien de 1936 (qui devait rester en vigueur jusqu'en 1956) et la proclamation du roi Farouk, « roi d'Égypte et du Soudan ». L'Angleterre s'y oppose avec vigueur et envoie d'importants renforts dans la zone du canal, manifestant ainsi sa volonté de s'y maintenir. Les États occidentaux proposent à l'Égypte d'assurer la défense du canal par un organisme international commun auquel elle adhérerait. À la suite d'émeutes anti-britanniques au Caire en décembre 1951 et janvier 1952, la tension anglo-égyptienne est de plus en plus vive jusqu'à la décision du roi Farouk de remplacer Nahas Pacha par un premier ministre plus conciliant (janvier 1952). Après le coup d'État d'un groupe d'officiers sous la direction du général Neguib, le roi Farouk abdique (28 juillet 1952), la monarchie est abolie et le général Neguib devient président jusqu'à son limogeage et son remplacement par le colonel Nasser (printemps 1954). Le grand dessein de celui-ci est l'union des peuples arabes. Il réussit à signer avec l'Angleterre un traité définitif (19 octobre 1954) assurant l'évacuation des troupes britanniques. Il adopte un neutralisme anti-occidental et annonce sa volonté d'anéantir l'État d'Israël.

Face à tous ces remous, la Grande-Bretagne soutient l'initiative de l'Irak et de la Turquie de conclure un traité « pour assurer la stabilité et la sécurité au Moyen-Orient » (24 février 1955). Au cours de la même année, le Pakistan (23 septembre) et l'Iran (3 novembre 1955) adhèrent au pacte de Bagdad. La Jordanie est l'objet de vives pressions pour s'y associer. L'Égypte de Nasser et l'Union soviétique protestent vivement contre le pacte de Bagdad, que les États-Unis considèrent comme l'une des clés de leur système de défense.

LA DÉCOLONISATION EN ASIE

L'émancipation de l'Asie du Sud-Est est en partie une conséquence de la défaite japonaise. En 1945, seule la Thaïlande était indépendante. En quelques années, toutes les colonies, à l'exception des possessions portugaises de Goa et de Timor, deviennent souveraines. En 1957, dix nouveaux États sont nés. Cette émancipation provient du sentiment nationaliste et anti-européen, des promesses faites pendant la guerre par les occupants japonais comme par les puissances européennes, et des encouragements américains. La décolonisation de l'Asie du Sud-Est se fait dans la violence et n'aboutit pas à une stabilité totale.

• *L'Inde* avait depuis longtemps un mouvement nationaliste très organisé, le parti du Congrès créé en 1886. Pendant la guerre, alors que l'expansion japonaise menace l'Inde, le chef du parti du Congrès, Nehru, demande l'indépendance immédiate et souhaite la participation de l'armée indienne à la lutte contre le Japon. À la fin de la guerre, le nouveau Premier ministre travailliste, Attlee, est très favorable à l'octroi de l'indépendance, mais la décolonisation est compliquée par le fait que l'Inde est une mosaïque de races et de religions d'où émergent un groupe hindou et un groupe musulman. Le parti du Congrès souhaite le maintien de l'unité indienne. Regroupés dans la « Ligue musulmane », les musulmans ne veulent pas se retrouver minorité religieuse et politique dans une Inde dominée par le parti du Congrès et ils réclament la création d'un Pakistan indépendant. Les incidents deviennent de plus en plus violents en août 1946 et dégénèrent en une véritable guerre civile. Confrontés à une impasse, les Anglais décident en février 1947 d'évacuer l'Inde.

Lord Mountbatten, vice-roi des Indes, est chargé de la mission d'acheminer le pays à l'indépendance (août 1947), en y favorisant la partition : d'un coté, l'Inde, État laïque, de l'autre, le Pakistan, État religieux musulman, formé du Pakistan occidental, le Pendjab, et du Pakistan oriental, partie est du Bengale. Les deux États indépendants s'associent au *Commonwealth*.

L'Inde réclame aussitôt la rétrocession des enclaves étrangères, portugaise (Goa) et françaises (Pondichéry, Yanaon, Karikal, Mahé et Chandernagor). Le Portugal refuse. La France attend 1954 pour céder ses comptoirs à l'Inde. Les Pakistanais réclament le contrôle du territoire frontalier du Cachemire attribué à l'Inde. Une guerre en 1947-1948 aboutit à une ligne de démarcation, théâtre de futurs conflits territoriaux. Quant au Tibet, à l'autonomie duquel tenait l'Inde, la Chine populaire en prend le contrôle total en 1950.

Occupée par les Japonais pendant la guerre, la *Birmanie* obtient du Royaume-Uni son indépendance le 4 janvier 1948 et refuse d'entrer dans le *Commonwealth*. Le nouvel État est en proie à la guerre civile menée à la fois par les communistes et par les populations Karen qui réclament leur autonomie. Très ancienne colonie espagnole, attribuée en 1898 aux États-Unis à la suite de la guerre hispano-américaine, et occupées par les Japonais pendant la Seconde Guerre mondiale, les *Philippines* deviennent indépendantes le 4 juillet 1946 et accordent des concessions économiques et des bases aériennes et navales aux États-Unis pour une durée de 99 ans.

• *Pour l'Indonésie, la Seconde Guerre mondiale joue un rôle décisif*. Le parti nationaliste indonésien du Docteur Soekarno n'hésite pas à collaborer avec les

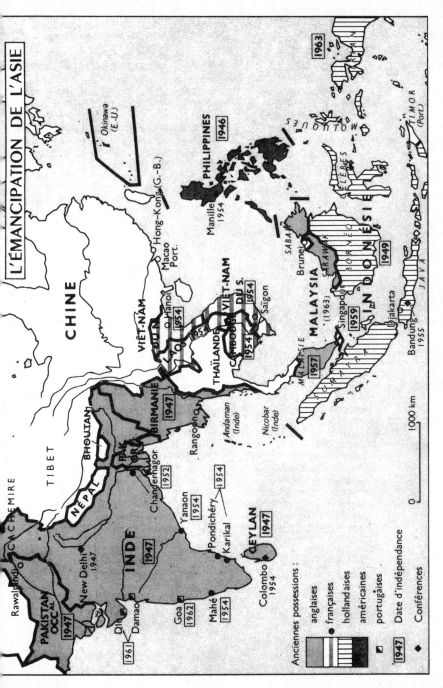

L'ÉMANCIPATION DE L'ASIE

CHINE

TIBET

CACHEMIRE

Rawalpindi

PAKISTAN OCC.
1947

NÉPAL

BHOUTAN

INDE
1947

New Delhi
1947

Diu
Damao

Goa
1962

1961

Mahé
1954

Karikal

Pondichéry
1954

Yanaon
1954

Chandernagor
1952

CEYLAN
1947

Colombo
1954

BIRMANIE
1947

Rangoon

Andaman
(Inde)

Nicobar
(Inde)

Okinawa
(E.-U.)

Hong-Kong (G.-B.)

Macao
Port.

VIÊT-NAM
DU N.

Hanoi
1954

THAÏLANDE

CAMBODGE
1954

1955

VIÊT-NAM
DU S.
1954

Saigon

PHILIPPINES
1946

Manille
1954

MALAISIE

SABAH

Brunei

SARAWAK

MALAYSIA
(1963)

Singapour
1959

1957

SUMATRA

BORNÉO

INDONÉSIE
1949

CÉLÈBES

MOLUQUES

JAVA

Djakarta

Bandung
1955

TIMOR
(Port.)

1963

0   1000 km

Anciennes possessions :

anglaises

françaises

hollandaises

américaines

portugaises

1947   Date d'indépendance

Conférences

Source : *Histoire contemporaine depuis 1945*, R. Aron, Larousse.

4 — LE *COMMONWEALTH*

C'est l'ensemble des États et territoires qui sont issus de l'Empire britannique et ont gardé entre eux des liens plus moraux que juridiques.

Le terme apparaît pour la première fois en 1921 dans le traité de Londres qui reconnaît l'existence d'un nouveau dominion, l'État libre d'Irlande, qui s'ajoute aux autres dominions (territoires jugés assez évolués pour bénéficier de la souveraineté interne sous la dépendance du souverain britannique) le Canada, l'Australie, la Nouvelle-Zélande et l'Union sud-africaine.

En 1931, le statut de Westminster substitue à l'Empire une communauté de nations britanniques (*British Commonwealth of Nations*) liés par un serment d'allégeance à la Couronne britannique et par leur libre volonté d'association. En 1932, les accords d'Ottawa établissent le principe d'une « préférence impériale ».

La décolonisation oblige à reconsidérer les définitions antérieures. Tous les territoires qui se trouvaient sous juridiction britannique n'ont pas rejoint le *Commonwealth*. En 1949, le *Commonwealth* est défini comme un ensemble multiethnique et multilinguistique, dont le souverain britannique est le chef. Des conférences périodiques de chefs d'État ou de gouvernement assurent un minimum de solidarité, que renforce l'institution à Londres d'un secrétariat pour le *Commonwealth*.

Malgré les départs de la Birmanie et de l'Irlande (1948), du Soudan (1956), de la Somalie, du Koweït, de l'Afrique du Sud (1961), de la Rhodésie (1965), d'Aden (1967) et du Pakistan occidental (1972), le *Commonwealth* compte en 1990 48 membres.

États membres (par ordre de date d'accès à leur indépendance)

Royaume-Uni
Canada : 01/07/1867
Australie : 01/01/1901
Nouvelle-Zélande : 26/09/1907
Inde : 15/08/1947
Sri-Lanka : 04/02/1948
Ghana : 06/03/1957
Malaisie : 31/08/1957
Chypre : 16/08/1960
Nigeria : 01/10/1960
Sierra Leone : 27/04/1961
Tanzanie : 09/12/1961
Samoa occidentale : 01/01/1962
Jamaïque : 06/08/1962
Trinidad et Tobago : 31/08/1962
Ouganda : 09/10/1962
Kenya : 12/12/1963
Malawi : 06/07/1964
Malte : 21/09/1964
Zambie : 24/10/1964
Gambie : 18/02/1965
Maldives : 26/07/1965
Singapour : 09/08/1965
Guyana : 26/05/1966

Botswana : 30/09/1966
Lesotho : 04/10/1966
Barbades : 30/11/1966
Nauru : 31/01/1968
Maurice : 12/03/1968
Swaziland : 06/09/1968
Tonga : 04/06/1970
Bangladesh : 16/12/1971
Bahamas : 10/07/1973
Grenade : 07/02/1974
Papouasie-Nouvelle Guinée : 16/09/1975
Seychelles : 29/06/1976
Îles Salomon : 07/07/1978
Tuvalu : 01/10/1978
Dominique : 03/11/1978
Sainte Lucie : 22/02/1979
Kiribati : 12/07/1979
Saint-Vincent et Grenadines : 27/10/1979
Zimbabwe : 18/04/1980
Vanuatu : 30/07/1980
Belize : 21/09/1981
Antigua et Barbuda : 01/11/1981
Saint-Christophe et Nevis : 19/09/1983
Brunei : 01/01/1984

Japonais qui lui accordent l'indépendance. La reprise en main par les Hollandais est difficile. Ils créent en 1947 une Fédération d'Indonésie, comprenant le territoire de Java, dirigé par des Indonésiens, les autres territoires étant dominés par les Hollandais. La rupture survient en 1948 après de nombreux incidents et l'échec de l'insurrection communiste à Java. La Haye croit alors le moment venu de reprendre le contrôle du pays, mais après avoir engagé le combat, les Hollandais — sur la pression des Américains, des Anglais et des Nations Unies — doivent accepter l'indépendance totale de l'Indonésie. Le 27 décembre 1949, La Haye abandonne toute souveraineté sur ce qui étaient les Indes néerlandaises à l'exception de la partie ouest de la Nouvelle-Guinée, revendiquée par les Indonésiens et cédée en 1962 par les Hollandais.

• *En Indochine, aussi, l'occupation japonaise a été décisive.* Le 9 mars 1945 les Japonais liquident en effet les restes de l'administration française. Le 11 mars 1945, l'indépendance du Viêt-nam est proclamée et aboutit à la création d'un gouvernement de coalition dirigé par Hô Chi Minh qui proclame la République. L'empereur Bao Dai reconnaît cette République, mais préfère quitter le territoire. Dès la fin de la guerre, le général de Gaulle décide de constituer une force expéditionnaire, confiée au général Leclerc, pour reprendre pied en Indochine, évacuée par les Japonais et occupée au nord par les Chinois, au sud par les Anglais. Les difficiles négociations entre Français et Vietnamiens aboutissent le 6 mars 1946 à un accord permettant aux troupes françaises de réoccuper le Tonkin. En contrepartie, la France reconnaît la république du Viêt-nam qui devrait comprendre les trois régions : le Tonkin au nord, l'Annam au centre, la Cochinchine au sud. La Fédération des États indochinois, comprenant le Viêt-nam, le Cambodge et le Laos, serait associée à l'Union française. Mais la mise en œuvre de cet accord est difficile. L'amiral Thierry d'Argenlieu, nommé haut-commissaire en Indochine, érige la Cochinchine en République indépendante sous la tutelle française. Cependant, en septembre 1946, Hô Chi Minh et le gouvernement français signent les accords de Fontainebleau. Sur place, en Indochine, la situation s'aggrave brusquement après des incidents à Haiphong et le bombardement de la ville par la marine française. Le 19 décembre 1946, une guerre commence, qui va durer près de huit ans, la France constate qu'elle ne peut pas imposer le retour pur et simple à la situation d'avant-guerre, si bien que par les accords de la baie d'Along elle met en place en juin 1948 un État vietnamien, avec à sa tête l'empereur Bao Dai, et auquel elle promet l'indépendance totale.

À partir du déclenchement du conflit de Corée, la guerre d'Indochine devient un autre front de la guerre idéologique entre l'Ouest et l'Est. En janvier 1950, Hô Chi Minh obtient la reconnaissance diplomatique de son gouvernement par Moscou et Pékin, qui lui apporte une importante aide militaire. En octobre 1950, les forces franco-vietnamiennes subissent un grave revers, ce qui prouve la montée en puissance du Viêt-minh. De son côté, l'armée française, commandée par le général de Lattre de Tassigny et puissamment aidée sur le plan matériel et financier par les Américains, redresse un temps la situation.

Mais la position militaire franco-vietnamienne ne tarde pas à s'aggraver en raison du renforcement du Viêt-Minh et de la décision du Haut Commandement français d'organiser dans le Tonkin occidental, à Diên Biên Phû, un centre de résistance que l'armée viêt-minh attaque en mars 1954. Pendant les cinquante-six jours de combat, l'intervention directe des États-Unis d'abord envisagée est ensuite écartée.

1945   – 9 mars : Coup de force japonais contre le protectorat français du Viêt-nam.
– 2 septembre : À Hanoi, Hô Chi Minh proclame l'indépendance du Viêt-nam.
– 5 octobre : Le général Leclerc s'installe à Saigon.

1946   – 6 mars : Accord Sainteny-Hô Chi Minh : la France reconnaît la République démocratique du Viêt-nam en échange de son retour au Tonkin.
– juillet-septembre : Conférence de Fontainebleau.
– 24 novembre : Bombardement de Haïphong.
– 19 décembre : Soulèvement à Hanoi. Début de la guerre d'Indochine.

1948   – 5 juin : Déclaration de la baie d'Along : « La France reconnaît solennellement l'indépendance du Viêt-nam ».

1950   – novembre : Graves revers français au Tonkin.
– décembre : De Lattre haut-commissaire en Indochine.

1952   – 11 janvier : Mort du maréchal De Lattre.

1954   – 26 avril : Ouverture de la conférence de Genève.
– 7 mai : Chute de Diên Biên Phû.
– 20/21 juillet : Accords de Genève : indépendance et partition provisoire du Viêt-nam. Fin de la guerre d'Indochine.

1956   – 9 avril : Au Viêt-nam du Sud, le gouvernement Diêm ajourne la consultation électorale prévue sur la réunification du pays.

1960   – 5 octobre : Le Viêt-nam du Nord se fixe l'objectif de la libération du Sud.
– 20 décembre : Création au Viêt-nam du Sud d'un Front de libération national (FLN). Début de la guerre du Viêt-nam.

1961   – 16 décembre : Le président Kennedy décide d'élever à quinze mille les effectifs militaires américains au Viêt-nam.

1963   – 11 juin : À la suite d'incidents sanglants entre bouddhistes et forces de l'ordre, un bonze s'immole par le feu à Saigon.
– Ier novembre : Coup d'État à Saigon. Mort de Ngô Dinh Diêm

1964   – 2/5 août : Incident naval du golfe de Tonkin.
– 7 août : Le Congrès adopte une résolution permettant une intervention américaine en Asie du Sud-Est.

1965   – 7 février : Début des raids aériens américains contre le Nord-Viêt-nam.
– 8 juin : Début officiel de la participation des forces américaines aux combats terrestres au Sud-Viêt-nam.
– 12/19 février : Coup d'État militaire à Saigon ; le général Thieu devient chef de l'État, le général Ky, chef du gouvernement.

1966   – 30 août : Discours du général de Gaulle à Pnom Penh.

1967   – Importants bombardements américains.
1968   – février : Offensive du Têt.
– 31 mars : Le président Johnson annonce un arrêt partiel des bombardements.
– mai : Rencontres à Paris entre délégués américains et nord-vietnamiens.
– novembre : Arrêt total des bombardements.

1969 – janvier : Début de la conférence de Paris.
– 12 novembre : Manifestations aux États-Unis contre la guerre.

1970 – 29 avril : Intervention américaine au Cambodge.

1971 – 8 février : Intervention américaine au Laos.
– 26/31 décembre : Offensive américaine sur le Nord-Viêt-nam.

1972 – avril : Reprise des bombardements américains, contacts secrets à Paris.
– 30 décembre : Arrêt des bombardements et reprise des négociations.

1973 – 27 janvier : Signature des accords de Paris.
– 29 mars : Départ des derniers militaires américains de l'armée de terre.

1975 – 17 avril : Chute de Pnom Penh.
– 30 avril : Chute de Saigon ; fin de la guerre. Réunification du Viêt-nam.
– décembre : Le Laos devient une République populaire.

Alors qu'une conférence se réunit à Genève pour discuter de la paix en Corée (après l'armistice de Pan-Mun-Jon de 1953) et d'un armistice en Indochine, survient la nouvelle de la chute de Diên Biên Phû, le 7 mai, qui accélère le processus de paix. Les négociations piétinent à Genève à propos de la ligne d'armistice entre le Sud et le Nord et sur la date des élections qui devaient permettre la réunification du Viêt-nam. Finalement, un armistice est signé le 20 juillet 1954 qui divise l'Indochine en deux le long du 17e parallèle : le Viêt-nam du Nord où dominent les communistes, le Viêt-nam du Sud où règnent les nationalistes menés par Ngô Dinh Diêm et soutenus par les Américains, dont l'influence se substitue à celle de la France. Les troupes françaises doivent évacuer l'Indochine dans un délai de quelques mois et des élections être organisées dans un délai de deux ans, pour envisager une réunification du Viêt-nam. Après la Corée et l'Allemagne, un nouveau pays est divisé par une frontière idéologique, le « rideau de bambou ». C'est aussi la source de nouveaux conflits car les États-Unis sont décidés à soutenir Ngô Dinh Diêm, qui élimine bientôt l'empereur Bao Dai à la faveur d'une consultation populaire. Pour la France, c'est à la fois la fin du boulet indochinois et le terme mis à une présence de près de trois quarts de siècle dans cette région du monde, car les accords de Genève sanctionnent la victoire d'un mouvement révolutionnaire sur une puissance européenne et ouvrent la voie à la décolonisation du second grand empire colonial.

Enfin, à l'occasion de la conférence de Genève, la Chine apparaît comme une puissance avec laquelle il faut compter en Asie. Les accords sino-soviétiques (signés le 12 octobre 1954) et les bombardements des îles côtières de Formose (septembre 1954) attestent du réveil chinois.

• *Sous la direction de Nehru, l'Inde s'efforce de jouer un rôle mondial* et de prendre la tête du neutralisme et de l'anti-colonialisme. Tout en restant dans le *Commonwealth*, elle rejette l'aide militaire américaine le 1er mars 1954, condamne formellement les pactes, l'OTASE et le pacte de Bagdad, et fidèle à la doctrine de Gandhi, elle met son point d'honneur à ne pas employer la force. Elle obtient la cession des cinq comptoirs français de l'Inde dont le rattachement est opéré le

1er novembre 1954, mais elle se heurte au refus du Portugal de céder Goa. L'active politique extérieure de l'Inde se manifeste par les nombreuses rencontres entre Nehru et Chou en-Lai (juin 1954, novembre 1956) et surtout celles entre Nehru et les dirigeants soviétiques, qui favorisent de tout leur poids le «neutralisme» indien et l'axe neutraliste autour de Nehru, Tito et Nasser.

Même si la confrontation entre les deux blocs persiste, le rôle des nouveaux États et leur volonté de dépasser la bipolarisation et la guerre froide amènent à une autre conception des relations internationales. La confrontation continue, mais la guerre froide fait progressivement place à la coexistence pacifique.

2 La coexistence pacifique (1955-1962)

Les années 1955-1956 ne sonnent pas la fin du monde bipolaire né au lendemain de la Seconde Guerre mondiale. Elles ne sont pas non plus celles de la fin de la guerre froide. Mais cette période intermédiaire, qui fait passer le monde de la confrontation de deux blocs à la détente, est placée sous le signe de la coexistence pacifique. Celle-ci est à la fois un nouveau mode de relations Est-Ouest et une conséquence de « la naissance du Tiers Monde ». En effet, à la première phase de décolonisation asiatique succède une seconde vague surtout africaine. À Bandoeng, en 1955, en l'absence des grandes puissances, les États récemment décolonisés proclament leur volonté d'indépendance et de coexistence pacifique, et à Suez, en 1956, les deux grandes puissances coloniales européennes subissent un revers diplomatique face à un État du Proche-Orient.

Le Tiers Monde proclame plus ou moins pacifiquement son intention de ne plus être traité en objet de la politique internationale. Du coup, il complique et enrichit le jeu des rapports de force Est-Ouest. La compétition économique, la course aux armements et à l'espace se substituent peu à peu à la confrontation idéologique. L'opposition idéologique rend impossible une véritable paix. L'équilibre nucléaire rend improbable la guerre, selon la formule de Raymond Aron : « Paix impossible, guerre improbable ». Entre les deux blocs aussi, la coexistence pacifique triomphe, même si des crises violentes, comme celles qui affectent un ancien pôle de tension — Berlin — et un nouveau — Cuba — ponctuent la période. Même à l'intérieur des blocs, des lignes de rupture apparaissent, surtout dans le bloc oriental où, à la suite de la déstalinisation, des crises secouent la Pologne et la Hongrie et des fissures naissent dans l'alliance sino-soviétique. Dans le bloc occidental, ce sont les pays européens qui, sortis de la reconstruction, s'organisent peu à peu.

LA DEUXIÈME PHASE DE DÉCOLONISATION

À la faveur des mouvements d'émancipation, naît un ensemble de pays situés en Asie et en Afrique qui ont en commun d'être sous-développés et de connaître une importante croissance démographique : c'est le « Tiers Monde » (expression créée par Alfred Sauvy en 1952). Il prend conscience de son existence lors de la conférence de Bandoeng en avril 1955. Il remporte une victoire diplomatique à Suez. En l'espace de quatre ans, il devient multiple et transforme l'Organisation des Nations Unies.

La compétition Est-Ouest se transporte hors d'Europe, où l'Union soviétique exploite la volonté d'émancipation coloniale qui se répand dans le Tiers Monde. Certes, Khrouchtchev n'obtient pas que des succès : il essuie des revers au Congo et dans d'autres pays africains. Mais c'est de son règne que datent l'implantation soviétique au Proche-Orient et l'installation d'un régime communiste à Cuba.

Au Proche-Orient, la fourniture d'armes tchécoslovaques à l'Égypte crée une périlleuse situation de course aux armements que la nationalisation du canal de Suez transforme en occasion de conflit.

La reculade diplomatique franco-britannique ouvre les portes du Proche-Orient aux deux superpuissances qui ne vont plus cesser d'y mener une lutte d'influence, sans toutefois s'y affronter. Les pays non-alignés sont récupérés par la diplomatie soviétique, lors de la conférence de solidarité afro-asiatique au Caire (décembre 1957), et à l'ONU, lors d'une tumultueuse session (1960), Khrouchtchev vilipende les Occidentaux.

BANDOENG ET SUEZ

• *C'est des pays asiatiques que vient l'initiative de la conférence de Bandoeng.* Elle intervient dans une conjoncture particulière : la fin des guerres de Corée et d'Indochine et le règlement du contentieux sino-indien sur le Tibet par le traité du 29 avril 1954 qui donne de la Chine une image plus pacifique, tout en lui reconnaissant le contrôle sur le Tibet.

Cette conférence, qui se tient du 17 au 24 avril 1955 dans l'ancienne capitale de l'Indonésie, marque un tournant dans l'histoire de la décolonisation. Les initiateurs sont les chefs des gouvernements de Birmanie, de Ceylan, d'Inde, d'Indonésie et du Pakistan (groupe de Colombo) qui décident de convoquer en Indonésie une conférence de pays africains et asiatiques. Parmi les 24 gouvernements représentés, trois tendances s'affirment : une tendance pro-occidentale (Philippines, Japon, Sud-Viêt-nam, Laos, Thaïlande, Turquie, Pakistan, Éthiopie, Liban, Libye, Libéria, Irak, Iran), une tendance neutraliste (Afghanistan, Birmanie, Égypte, Inde, Indonésie, Syrie), une tendance communiste (Chine, Nord-Viêt-nam), les positions des autres États étant plus incertaines.

Aussi bien la condamnation du colonialisme, principal thème de la conférence, est-elle la plus large possible. Le second thème de la conférence est la coexistence pacifique, que prêche Nehru en prenant comme base d'action le *Panch Shila*, ces cinq principes insérés par l'Inde et par la Chine dans le préambule de l'accord qu'elles ont conclu sur le Tibet, considéré en quelque sorte comme un modèle des relations internationales nouvelles : respect de l'intégrité territoriale et de la souveraineté; non-agression; non-ingérence dans les affaires intérieures; réciprocité des avantages dans les contrats; coexistence pacifique.

Aux « cinq principes », le premier ministre pakistanais, Mohammed Ali, oppose les « sept piliers de la paix », parmi lesquels le droit pour tout pays de se défendre seul ou collectivement, qui justifie l'appartenance du Pakistan à l'Organisation du traité de l'Asie du Sud-Est (OTASE). La Chine populaire, en la personne du président du conseil chinois, Chou En-Lai, joue dans une grande mesure le médiateur entre l'Inde et le Pakistan, et elle apparaît comme une référence et un modèle pour le Tiers Monde en gestation.

Pour la première fois, une grande conférence a réuni des États du Tiers Monde, sans la participation des États européens, des États-Unis et de l'URSS. Le rendez-vous de l'afro-asiatisme coïncide en effet avec une nouvelle étape de l'émancipation coloniale. Confusément, se fait jour l'idée que les pays du Tiers Monde doivent rechercher une autre voie. La rencontre de Nasser, Tito et Nehru à Brioni (18-20 juillet 1956) permet de promouvoir le non-alignement. La traduction politique de cette idée consiste dans une politique de bascule entre les deux blocs, expérimentée en vraie grandeur au Proche-Orient.

• *Au Proche-Orient*, le fait nouveau est le développement du nationalisme arabe qui coïncide avec la percée soviétique dans le Tiers Monde. Par une déclaration publiée le 16 avril 1955, les dirigeants soviétiques proclament leur refus d'accepter plus longtemps le monopole occidental dans cette région que le pacte de Bagdad vient encore de renforcer. Ce qui préface l'intervention active de l'URSS en Méditerranée. Or après l'élimination du général Neguib (mars 1954), le colonel Nasser se fait le champion du nationalisme arabe et du panarabisme. Il ne cache pas son intention d'anéantir Israël, avec lequel les États arabes se querellent en permanence depuis 1948. C'est dans cette perspective qu'il conclut avec la Tchécoslovaquie le 27 septembre 1955 un important contrat pour la fourniture d'armes tchèques et soviétiques : chasseurs, bombardiers à réaction et chars. Le monopole britannique du commerce des armes au Proche-Orient est ainsi brisé.

Nasser veut rendre son pays plus indépendant et obtient des Anglais l'évacuation totale de son pays, y compris du canal de Suez. Avec le Yougoslave Tito, libéré du conflit de Trieste, et l'Indien Nehru, il lance l'idée du non-engagement auquel la conférence de Bandoeng (1955) donne un contenu positif : la lutte pour la décolonisation. Il veut sortir son pays du sous-développement et espère obtenir des États-Unis le financement du barrage d'Assouan, destiné à assurer l'irrigation en Haute-Égypte et à produire de l'énergie électrique. Mais après avoir hésité, le secrétaire au Département d'État, Foster Dulles, refuse le 19 juillet 1956 toute aide financière à un pays décidément trop neutraliste, au moment précis de la conférence de Brioni (18-20 juillet).

• *La riposte de Nasser est immédiate : le 26 juillet, il annonce la nationalisation du canal de Suez*, propriété d'une compagnie où les intérêts français et britanniques sont majoritaires. Il s'agit d'un triple défi : défi à l'ancienne puissance colonisatrice britannique qui accepte mal la perte d'une des clés de son empire, défi à la France qui reproche à l'Égypte de soutenir la rébellion algérienne, défi à Israël auquel Nasser compte bien interdire le droit à ses navires d'emprunter le canal de Suez. Les trois puissances ont ainsi des intérêts convergents à mettre en échec le colonel Nasser. Pour les Français, la nationalisation est l'occasion d'éliminer l'homme qui — tels les dictateurs des années 30 — entend bâtir un empire arabe et de mettre un terme à la rébellion algérienne. Pour les Anglais, il s'agit d'empêcher qu'un pays ne s'empare d'un point de passage vital pour leur nation et ne contrôle le canal de Suez. Pour les Israéliens, il s'agit de déjouer la menace mortelle qui pèse sur leurs approvisionnements et en réalité sur leur existence même en tant qu'État. Les négociations traînent. Une conférence internationale réunie à Londres (1er-23 août 1956) n'aboutit pas à faire fléchir Nasser, non plus que la conférence des usagers à Londres (18-22 septembre) et le Conseil de sécurité à New York (5-15 octobre). Entre les Franco-Britanniques et les Égyptiens, l'épreuve de force se prépare, Moscou soutenant l'Égypte, Washington refusant d'envisager une solution de force en pleine période d'élection présidentielle. Une opération franco-britannique, mise au point à Sèvres le 22 octobre sous la direction du président du Conseil français, Guy Mollet, et du Premier ministre britannique, Anthony Eden, est finalement lancée — après bien des tergiversations — en coordination avec une attaque préventive israélienne. Les troupes égyptiennes perdent alors le contrôle du Sinaï et de la plus grande partie du canal de Suez. Mais, le 5 novembre, l'Union soviétique menace la France et la Grande-Bretagne de ses fusées atomiques. Les États-Unis, qui considèrent l'intervention comme un mauvais coup porté à l'Alliance atlantique et aux Nations Unies, se désolidarisent de leurs Alliés et pèsent sur la livre sterling. Les pressions parviennent à faire céder Eden, puis Mollet. À l'Assemblée générale de l'ONU, la France et le Royaume-Uni sont condamnés. Les forces franco-britanniques sont stoppées sur leur lancée le 6 novembre à minuit. Les Anglo-Français évacuent leur tête de pont en décembre et les Israéliens, leurs conquêtes, au début de 1957. L'ONU interpose entre Israël et l'Égypte des unités internationales de Casques bleus, placées également à Charm-el-Cheikh, garantissant ainsi la liberté de navigation dans le détroit de Tiran.

La crise de Suez ruine l'influence traditionnelle de la France et de la Grande-Bretagne dans la région. Leur intervention militaire apparaît comme une volonté de sauvegarder leurs intérêts économiques et politiques, c'est-à-dire comme une évidente manifestation de colonialisme. Mais cette politique de la canonnière a lamentablement échoué. Du coup, elle démontre que les puissances moyennes n'ont plus de liberté d'action. Elles ont été « lâchées » par leurs alliés, ce qui déclenche une crise au sein de l'OTAN. Le colonel Nasser, qui a imposé la nationalisation du canal, sort victorieux de cette crise et devient le champion incontesté du nationalisme arabe et de la décolonisation. L'URSS se fait une image de défenseur des petites puissances contre l'impérialisme. Moscou apparaît ainsi comme le principal allié du monde arabe et enregistre une percée au Proche-Orient, où son prestige est confirmé auprès de l'opinion publique arabe. Son influence s'affirme non seulement en Égypte mais aussi en Syrie.

Les États-Unis, grâce à une attitude nuancée, réussissent à préserver leur image dans la région. Par leur appui à la dynastie hâchémite, ils font basculer la Jordanie du roi Hussein dans leur camp. Ils ne sont pas disposés à abandonner à l'Union soviétique le contrôle politique du Proche-Orient. La doctrine Eisenhower (5 janvier 1957), qui comporte une aide économique et une assistance militaire des États-Unis à tout pays du Proche-Orient soucieux de prévenir l'agression ou la subversion, est destinée à combler le vide au Proche-Orient. L'Union soviétique réplique à cette menace de paix par le plan Chepilov (11 février 1957) qui préconise la non-intégration des États proche-orientaux dans des blocs militaires, la liquidation des bases étrangères, etc.

L'effet le plus clair de l'affaire de Suez est l'élimination des influences française et anglaise de la région, où les deux superpuissances, appuyées l'une sur l'Égypte et la Syrie, l'autre sur le pacte de Bagdad, la Jordanie et l'Arabie Saoudite, se retrouvent face à face. Quant au canal de Suez, il est rendu inutilisable par les sabordages égyptiens, ce qui gêne énormément l'approvisionnement pétrolier de l'Europe, et il est désormais contrôlé par l'Égypte. La Syrie, dominée par le parti Baas, préconise l'unité du monde arabe, en commençant par une fusion avec l'Égypte qui se concrétise dans une République arabe unie (RAU) éphémère (1958-1961). À la suite du coup d'État des militaires irakiens qui abolissent la monarchie (14 juillet 1958), même l'Irak rompt avec le pacte de Bagdad, transformé alors en CENTO (*Central Treaty Organisation*). Afin de marquer un coup d'arrêt à l'expansion du communisme, Américains et Britanniques interviennent au Liban et en Jordanie pour réprimer l'agitation qui s'y développe (juillet 1958). Aux Nations Unies, tous les pays de la Ligue arabe proposent une résolution aux termes de laquelle le Moyen-Orient doit être tenu à l'écart des querelles entre les grandes puissances (21 août 1958). En outre, c'est à partir de la conférence de Bandoeng et de la crise de Suez que se développe la deuxième phase de décolonisation qui se situe principalement en Afrique.

LA DÉCOLONISATION EN AFRIQUE DU NORD

La situation est très différente, selon qu'il s'agit de l'Algérie, territoire considéré comme français où habite une forte minorité d'Européens, ou de la Tunisie et du Maroc, protectorats ayant conservé leur souverain sinon leur souveraineté. Mais, partout, la Ligue arabe manifeste son opposition à la politique française en Afrique du Nord et apporte son soutien aux partis nationalistes dans les protectorats du Maroc et de Tunisie et en Algérie. En août 1951, les pays arabes décident de porter le problème marocain devant l'Assemblée générale des Nations Unies et, en décembre, ils interviennent auprès du Conseil de sécurité à propos de la Tunisie.

• *Le mouvement nationaliste tunisien*. Il est encouragé par la situation du pays pendant la guerre; occupée par les Italiens et les Allemands, la Tunisie est le théâtre de batailles sanglantes et un terrain d'affrontement entre Français. Dès sa libération, le bey Moncef, révoqué pour avoir collaboré avec les Allemands, est remplacé par Lamine Bey. En 1951, le drame se noue. Les revendications du parti traditionaliste, le Destour, du parti occidentalisé d'Habib Bourguiba, le Néo-Destour, et du syndicat UGTT (Union générale des travailleurs tunisiens) sont stimulées par l'accession à l'indépendance (en octobre) de la Libye voisine. Le leader de l'opposition, Habib Bourguiba, en appelle à l'autonomie interne. Le bey lui-même réclame la réunion d'une Assemblée nationale tunisienne et la constitution d'un gouvernement tunisien responsable.

À partir de décembre 1951, des troubles secouent les campagnes en Tunisie du Sud et la répression s'abat sur les responsables du Néo-Destour (Bourguiba est arrêté) et les ministres du gouvernement tunisien. En juillet 1952, la France propose un système de co-souveraineté dans le cadre de l'Union française qui est rejeté. Le terrorisme sévit. Finalement, le nouveau président du Conseil, Pierre Mendès France, se rend à Tunis en juillet 1954 et, dans le discours de Carthage, il annonce que la France accorde l'autonomie interne à la Tunisie : celle-ci dispose donc de son propre gouvernement, mais reste subordonnée à la France en matière de défense, de politique extérieure et de relations économiques internationales. Après trois ans d'exil, Habib Bourguiba, le «combattant suprême», revient dans son pays (1er juin 1955). Les négociations franco-tunisiennes aboutissent à l'indépendance totale de la Tunisie le 20 mars 1956.

• *Le rôle du souverain Mohammed ben Youssef, au Maroc*, a été beaucoup plus marquant. Pendant la guerre, il est encouragé dans sa volonté d'indépendance par le président américain Roosevelt. Dès la fin de la guerre, les relations avec la France deviennent tendues en raison de la création par Allal el-Fassi de l'«Istiqlàl», parti de l'indépendance, et du discours du sultan à Tanger en 1947 où il exalte la Ligue arabe. Sous l'influence d'une partie de la colonie française, la politique des résidents successifs (maréchal Juin, général Guillaume) est de plus en plus ferme : ils insistent pour que le Sultan désavoue l'Istiqlàl. Mais le discours du trône de novembre 1952 est un appel au nationalisme marocain et on entre dans le cycle agitation-répression. À la suite d'intrigues du pacha de Marrakech, le Glaoui, soutenu par des tribus berbères, des colons français et certains hauts fonctionnaires français, Mohammed ben Youssef est déposé, remplacé par un de ses cousins, et exilé à Madagascar pendant l'été 1953. À partir de ce moment-là, la situation se dégrade, avec en particulier des attentats dans les villes. En 1955, le gouvernement français décide de faire revenir le sultan en France

La décolonisation de l'Afrique (jusqu'en 1968)

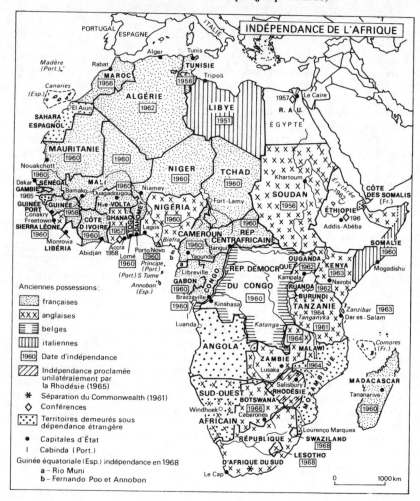

Source : *Histoire contemporaine depuis 1945*, R. Aron, Larousse.

et de négocier avec lui les accords de la Celle-Saint-Cloud. En novembre 1955, Mohammed ben Youssef obtient à la fois son retour sur le trône du Maroc (sous le nom de Mohammed V) et la promesse de l'indépendance. Le 16 novembre, c'est son retour triomphal à Rabat. Le 2 mars 1956, le Maroc accède à l'indépendance, suivi quelques semaines plus tard par la Tunisie.

• *L'Algérie, déjà secouée à partir du 8 mai 1945 par une vive révolte*, est quant à elle un cas à part. Constituée de départements français au statut particulier, peuplée par une importante minorité européenne (1 million sur un total de 9 millions d'habitants en 1954), elle est considérée comme une partie intégrante de la France. Aussi, lorsque la révolte éclate à la Toussaint 1954, les gouvernants successifs tiennent à faire respecter le maintien dans la République, en l'assortissant de quelques réformes, dont le collège électoral unique, c'est-à-dire un corps électoral composé indistinctement de musulmans et d'Européens.

Peu à peu, le Front de Libération nationale (FLN) réussit à étendre la rébellion par la guérilla et le terrorisme. À partir de 1956, le gouvernement Guy Mollet reconnaît la spécificité algérienne et il propose une solution en trois volets : cessez-le-feu, élections et négociation. Mais il renforce son action militaire en Algérie par l'envoi des jeunes appelés du contingent — ce que les précédents gouvernements n'avaient pas osé faire en Indochine — et, à l'extérieur, par l'arraisonnement de l'avion transportant les dirigeants de la rébellion (22 octobre 1956) et par l'intervention à Suez (novembre). L'armée française exerce son «droit de suite» en bombardant des unités du FLN réfugiées dans le village tunisien de Sakiet Sidi Youssef (8 février 1958). Les relations avec le Maroc, la Tunisie et les pays arabes sont de plus en plus tendues. Les États-Unis et la Grande-Bretagne font pression sur le gouvernement français pour qu'il accepte leurs bons offices afin de trouver une issue au drame algérien, qui menace l'Alliance atlantique.

L'internationalisation de l'affaire d'Algérie est en marche. Chaque année, à l'Assemblée générale de l'ONU, la France, mise en accusation, doit manœuvrer pour ne pas se trouver condamnée par une résolution afro-asiatique. La perspective de l'ouverture de pourparlers aboutit à la révolte du 13 mai 1958 qui donne au général de Gaulle l'occasion de revenir au pouvoir, car il est considéré comme le seul homme susceptible d'éviter la guerre civile et de restaurer l'unité nationale. Face au gouvernement provisoire de la République algérienne (GPRA), créé par le FLN le 19 septembre 1958, tendu dans sa revendication d'indépendance et dirigé par un modéré, Fehrat Abbas, le général de Gaulle est animé du double souci d'éviter une nouvelle défaite coloniale et de se débarrasser du boulet algérien pour avoir les mains libres en politique étrangère. Il formule progressivement une politique de développement économique, de main tendue à la rébellion, d'association, d'autodétermination (16 septembre 1959) et enfin d'Algérie algérienne conduisant, à travers des crises politiques et des coups de force («semaine des barricades» en janvier 1960, putsch des généraux en avril 1961), à de longues et difficiles négociations et aux accords d'Évian (18 mars 1962). La France obtient la garantie des droits de la population européenne, le maintien d'une présence militaire pendant trois ans, celui de ses intérêts économiques au Sahara pendant cinq ans, et la promesse d'une étroite coopération franco-algérienne. Le cessez-le-feu intervient le 19 mars. La plupart des Européens quittent l'Algérie, qui proclame son indépendance le 3 juillet 1962.

LA DÉCOLONISATION EN AFRIQUE NOIRE

Avant 1957, il y a encore très peu de pays indépendants en Afrique noire. En l'espace de cinq ans, de 1957 à 1962, presque toute l'Afrique va sortir du statut colonial.

La décolonisation de l'Afrique anglophone

Elle se fait progressivement, territoire par territoire, en suivant des étapes, par la procédure de négociations et d'enquêtes, et généralement de façon pacifique.

• *La première colonie britannique africaine à devenir indépendante* (*6 mars 1957*) *est la Gold Coast* (Côte de l'Or) qui, sous la direction du leader indépendantiste Kwane N'Krumah, prend le nom de Ghana.

Le Nigeria devient indépendant le 1er octobre 1960, et la Sierra Leone, le 27 avril 1961. Le Tanganyika, ancienne colonie allemande, passée sous le contrôle britannique, accède à l'indépendance le 28 décembre 1961, Julius Nyerere étant premier ministre. Devenue indépendante en décembre 1963, l'île de Zanzibar qui connaît des troubles ethniques et politiques violents, constitue avec le Tanganyika une république unie sous le nom de Tanzanie le 29 septembre 1964.

Au Kenya, la décolonisation est beaucoup plus difficile, car parallèlement au parti indépendantiste de Jomo Kenyatta, se développe le mouvement terroriste des Mau-Mau. La révolte dure jusqu'en 1955. C'est seulement en décembre 1963 que le Kenya accède à l'indépendance. Enfin, le 9 décembre 1962, l'Ouganda entre dans le *Commonwealth* comme pays indépendant.

• *En Afrique australe*, outre l'Union sud-africaine, indépendante dans le cadre du *Commonwealth* depuis 1910 et qui le quitte en 1961, les possessions britanniques comprennent trois territoires : Rhodésie du Sud, Rhodésie du Nord et Nyassaland, réunies dans une Fédération d'Afrique centrale. Celle-ci éclate en raison de l'indépendance du Nyassaland (juillet 1964) qui prend le nom de Malawi, de la sécession de la Rhodésie du Nord, qui devient la Zambie et de la situation particulière de la Rhodésie du Sud où la forte minorité blanche, qui détient le pouvoir, décide de décréter par un geste unilatéral et sans l'accord de la Grande-Bretagne, l'indépendance du pays (avril 1964). Malgré le blocus instauré par les Britanniques et de nombreux États africains, la Rhodésie du Sud persiste dans sa politique.

La décolonisation de l'Afrique noire française

Elle s'opère de façon tout à fait différente. La politique française est d'abord une politique d'assimilation, puis elle évolue vers une indépendance en suivant des normes générales dans le cadre de l'Union française.

Au terme de la Constitution de la IVe République, toutes les anciennes colonies d'Afrique noire et de Madagascar deviennent les « territoires d'outre-mer », leurs habitants deviennent citoyens français et élisent leurs représentants dans les Assemblées françaises. Tout en étant divisées sur l'idée d'un regroupement fédéral, les élites africaines qui se dégagent peu à peu aspirent à plus d'autonomie à l'égard de la France.

• *La loi-cadre (ou loi Defferre)*. Le mouvement de décolonisation amorcé dans le monde entier, de la conférence de Bandoeng en 1955 à l'indépendance accordée au Ghana en 1957, pousse le gouvernement de Guy Mollet à mettre en place un cadre d'évolution souple pour les pays d'Afrique noire et Madagascar. C'est la loi-cadre votée le 23 juin 1956 qui prévoit une large autonomie interne, avec des assemblées élues au suffrage universel direct et collège unique dans chaque territoire, coiffées par une assemblée générale. Cette loi, dite « loi Defferre », du nom du ministre qui en a assumé la responsabilité, permet l'apprentissage de l'autogestion par les élites africaines, avec l'aide de la métropole et dans la paix. Les territoires du Cameroun et du Togo, attribués par mandat de la SDN en 1922 et devenus des territoires sous tutelle en 1946, accèdent à l'indépendance. La république du Togo reçoit l'autonomie complète en 1956 et devient indépendante le 24 avril 1960. De même pour le Cameroun, le 1er janvier 1960, auquel s'unit le Cameroun anciennement anglais.

• *La Communauté*. Après son retour au pouvoir, le général de Gaulle proclame le droit à l'indépendance des peuples d'outre-mer. Mais il précise que les Africains pourront choisir lors du référendum entre la Communauté avec la France et l'indépendance dans la sécession. Le 23 septembre 1958, 11 territoires sur les 12 anciennes colonies d'Afrique occidentale et équatoriale française acceptent la constitution de la Ve République et de la Communauté qui donne à ces États une large autonomie interne, mais qui conserve les compétences en politique étrangère et défense nationale. Seule la Guinée de Sekou Touré refuse. En fait, au cours de l'année 1960, tous les États africains membres de la Communauté demandent à la France le transfert des compétences, accèdent ainsi à l'indépendance et signent ensuite un traité d'association avec la France. C'est le cas du Sénégal et du Soudan (groupés un temps dans la Fédération du Mali), de Madagascar (26 juin 1960), puis des quatre États d'Afrique équatoriale, Congo, Gabon, République centrafricaine, Tchad, enfin des pays de « l'Entente », Côte-d'Ivoire, Dahomey, Haute-Volta, Niger, et en dernier lieu (19 octobre 1960) de la Mauritanie, dont une partie du territoire est revendiquée par le Maroc.

La décolonisation du Congo belge

À la suite des modifications qui affectent l'Afrique noire francophone, la fièvre nationaliste s'empare du Congo belge qui était la plus vaste et la plus riche (grâce aux ressources en cuivre et en uranium de la province du Katanga) de toutes les colonies européennes en Afrique noire. Alors que la Belgique avait jusque-là pratiqué une politique paternaliste, elle accorde brusquement l'indépendance (30 juin 1960) aux nationalistes congolais, Kasavubu et Lumumba, qui la réclament. L'un devient chef de l'État, l'autre premier ministre. Mais dès sa naissance, cet État est la proie d'incidents anti-Belges et d'une guerre civile qui met aux prises les « centralistes » autour de Lumumba, alors chef du gouvernement, et les « fédéralistes » de la province du Katanga conduits par Moïse Tschombé, qui fait sécession et proclame l'indépendance de sa province. L'enjeu congolais est tel qu'on assiste à une internationalisation du conflit. Les menaces soviétiques et l'intervention des Casques bleus s'ajoutent aux conflits internes (opposition entre Kasavubu et Lumumba soutenu par l'URSS et à l'entrée en scène de l'armée congolaise dirigée par le général Mobutu. La confusion est à son comble, à la suite de l'arrestation et de l'assassinat de Patrice Lumumba (février 1961) et de la mort du secrétaire général des Nations Unies, Dag Hammarskjöld, (18 septembre 1961) qui se dépensait sans compter pour aboutir à une solution. Finalement les sécessions sont réduites et l'unité du Congo restaurée grâce aux forces de l'ONU. Mais l'ordre ne revient qu'à l'accession au pouvoir du général Mobutu (novembre 1965).

Deux autres territoires, sous tutelle belge, le Rwanda et l'Urundi (devenu le Burundi) accèdent à l'indépendance le 1er juillet 1962.

Les « résidus » de colonies européennes en Afrique noire en 1962

Les seuls territoires africains à ne pas avoir acquis leur indépendance en 1962 sont le Sahara espagnol, la Côte française des Somalis devenue territoire des Afars et des Issas, et surtout les colonies portugaises : îles du Cap-Vert, de Sao Tomé et Principe, la Guinée portugaise, l'Angola et le Mozambique. Le Portugal les considère comme des provinces et y applique une politique d'assimilation. L'accession à l'indépendance des autres pays africains y suscite des révoltes plus ou moins larvées.

L'ÉVOLUTION DES NATIONS UNIES

Entre le mouvement de décolonisation et l'organisation des Nations Unies, les interactions sont évidentes. L'ONU, par les débats renouvelés sur la décolonisation, pèse assurément dans le sens de l'indépendance des colonies, comme le montrent les votes sur l'inscription à l'ordre du jour de l'Assemblée des Nations Unies sur la question algérienne. Il faut toutefois attendre 1961 pour que les Nations Unies votent une déclaration selon laquelle toute colonie doit immédiatement recevoir son indépendance.

D'un autre côté, la décolonisation provoque un bouleversement de la structure diplomatique internationale, en particulier à l'Organisation des Nations Unies, où l'apparition de nouveaux États ébranle une majorité traditionnellement inspirée par les États-Unis à l'Assemblée générale. Les nouveaux membres se servent des Nations Unies comme d'une tribune, où les positions occidentales sont mises en cause.

• *Le déclin du pouvoir du Conseil de sécurité.* C'est précisément à ce moment que le pouvoir réel passe du Conseil de sécurité, paralysé par l'exercice du droit de veto, à l'Assemblée des Nations Unies, où les pays du Tiers Monde ont la majorité et où le groupe afro-asiatique fait la loi, privilégiant la lutte contre le colonialisme. Dans le même temps, le Secrétariat général de l'ONU, de simple organe d'exécution, devient un véritable gouvernement international. Cette orientation est adoptée par le suédois Dag Hammarskjöld qui succède comme secrétaire général de l'ONU (10 avril 1953-17 septembre 1961) à un autre Scandinave, le Norvégien Trygve Lie (février 1946-1953). Ce diplomate s'entoure de collaborateurs authentiquement « dénationalisés », ce qui lui vaut d'entrer en conflit avec l'URSS, à laquelle il refuse tout poste élevé dans l'appareil des Nations Unies. Il organise avec efficacité la force d'urgence appelée à stationner sur le territoire égyptien après la crise de Suez de 1956, les groupes d'observateurs militaires chargés d'une enquête sur les troubles du Liban en 1958 et surtout l'intervention des Nations Unies au Congo, où il trouve la mort le 18 septembre 1961 dans un accident d'avion.

• *Le déclin de l'autorité du Secrétariat général.* Afin d'avoir prise sur le Secrétariat général, l'Union soviétique réclame la substitution à un seul homme d'un groupe de trois hommes : la « troïka », composée d'un occidental, d'un communiste et d'un neutre chacun disposant du droit de veto. Elle veut ainsi transposer, d'une certaine manière, le mécanisme du Conseil de sécurité. Ce projet n'ayant rallié qu'un nombre modeste de suffrages, l'URSS, dans le but de restreindre l'importance du Secrétariat et l'autonomie de ses activités, soutient le 3 novembre 1961 la nomination du candidat des Afro-Asiatiques, le Birman U Thant. Sa longue administration (1961-1971) est marquée par le déclin continu de l'autorité du secrétaire général, bien que, dans un premier temps, il réussisse à dégager les Nations Unies de leur participation au conflit congolais, après avoir réduit la sécession du Katanga, et qu'il mette en œuvre la force de l'ONU destinée à s'interposer à Chypre, entre les communautés grecque et turque.

• *Une série d'autres facteurs contribue à diminuer la crédibilité des Nations Unies et de ses institutions.* L'influence du groupe afro-asiatique décroît à la suite de la violation de la charte par l'Inde elle-même qui s'empare par la force de l'enclave portugaise de Goa (1961), des conflits indo-pakistanais et sino-indien, et aussi des multiples coups d'État africains. Les diatribes enflammées lancées par les délégués afro-asiatiques contre les régimes sud-africain, rhodésien et portugais donnent une impression de verbalisme et contribuent à l'altération de l'image de l'ONU dans l'opinion internationale. Deux des cinq membres permanents du Conseil de sécurité — L'Union soviétique et la France — veulent limiter le rôle politique du secrétaire général et refusent à U Thant toute délégation excessive en matière d'opérations de maintien de la paix. Et le général de Gaulle ne se prive pas de critiquer publiquement le « machin ».

• *Enfin, les interminables discussions sur le désarmement font également beaucoup de tort à l'ONU.* Le 15 novembre 1945, par la première résolution qu'elle vote, l'Assemblée générale des Nations Unies crée une Commission de l'Énergie atomique (CEA) composée des onze membres du Conseil de sécurité et du Canada. C'est à cette commission que, en juin 1946, le délégué américain Bernard Baruch propose le plan qui porte son nom, consistant à mettre en place une « Autorité du développement atomique » chargée de contrôler la production mondiale de matières fissiles. Le délégué soviétique, Andreï Gromyko, rejette aussitôt ce plan, car l'Union soviétique refuse le contrôle international de ses installations atomiques. Il préconise, en revanche, l'interdiction de la production d'armes atomiques et la destruction des stocks existants. L'impasse est totale.

Le 13 février 1947, le Conseil de sécurité crée une Commission des armements de type classique. Le délégué soviétique, Litvinov, demande la réduction proportionnelle au tiers de toutes les forces terrestres, aériennes et navales. Les puissances occidentales réclament le recensement préalable des armements existants, mais se heurtent au veto de l'Union soviétique qui repousse tout contrôle.

L'impasse est donc aussi nette pour les armes conventionnelles que pour les armes atomiques. Et en guise de protestation contre le refus de substituer la Chine de Pékin à celle de Formose, l'URSS se retire des commissions de désarmement en 1950.

Quand les discussions reprennent, en 1954, le délégué soviétique, Vychinsky, accepte devant l'Assemblée des Nations Unies un plan de compromis franco-anglais. L'URSS se rallie à l'imbrication des mesures de désarmement classique et nucléaire. Elle n'insiste plus sur la réduction proportionnelle des effectifs et armements conventionnels et elle paraît se rallier à la nécessité d'un contrôle. Mais à la conférence au sommet de Genève (18-23 juillet 1955), les chefs d'État ou de gouvernement ne peuvent se mettre d'accord. Désormais, l'affaire du désarmement sera surtout traitée en dehors du cadre des Nations Unies, par le dialogue des deux super-Grands. Là aussi, c'est un échec de l'ONU.

L'ÉVOLUTION DES BLOCS

Peu à peu, les deux blocs en viennent à concevoir que leurs rapports ne tendent pas nécessairement vers la guerre ouverte. Les premiers signes de dégel remontent à la mort de Staline, mais la coexistence pacifique est à l'ordre du jour dans le rapport de N. Khrouchtchev au XXe Congrès du parti communiste de l'Union soviétique. La déstalinisation est à l'origine des fissures qui apparaissent dans le bloc oriental. Dans le bloc occidental, un nouveau pôle de puissance est en train de naître autour du Marché commun. La coexistence pacifique ne signifie pas pour autant la fin des tensions. Dans un système d'équilibre de la terreur, les crises de Berlin et de Cuba secouent le monde.

LA DÉSTALINISATION ET LES CRISES POLONAISE ET HONGROISE

Le XX⁰ Congrès du parti communiste de l'Union soviétique est marqué par la présentation de deux rapports, dont l'un secret, par le secrétaire général du PCUS. Dans ce texte, Nikita Khrouchtchev admet la pluralité des orientations dans l'édification du socialisme. C'est la voie ouverte à une certaine autonomie pour les démocraties populaires.

• *La déstalinisation est à l'ordre du jour lors du XX⁰ Congrès du parti communiste de l'Union soviétique* (14-25 février 1956) au cours duquel les discours condamnent le « culte de la personnalité », évoquent les nouveaux rapports Est-Ouest et insistent sur l'importance des pays « neutralistes » et la diversité des voies nationales dans l'édification socialiste. L'essentiel réside dans le rapport secret où Nikita Khrouchtchev — devenu entre temps l'homme fort du régime — dénonce l'ère stalinienne et le culte de la personnalité de Staline. La dissolution du *Kominform* (17 avril 1956) paraît laisser aux démocraties populaires une plus grande indépendance vis-à-vis de l'Union soviétique. Mais les crises polonaise et hongroise vont montrer les limites de la déstalinisation.

Depuis 1953, un relâchement général s'opère en Pologne et en Hongrie ; des manifestations d'écrivains et d'étudiants critiquent certains aspects du régime. En Hongrie, l'affrontement oppose le secrétaire général du parti, Rakosi, au premier ministre, Imre Nagy qui, après avoir dénoncé les abus de la police et la collectivisation systématique des terres, est relevé de ses fonctions le 14 avril 1955 et exclu du parti.

• *En Pologne, la « déstalinisation » aboutit à la réhabilitation de l'ancien secrétaire général du parti ouvrier*, Ladislas Gomulka, arrêté en 1951. En effet, à la suite des émeutes des ouvriers de Poznan (juin 1956), l'Union soviétique semble prête à intervenir dans la confrontation qui éclate en octobre entre staliniens et antistaliniens. Khrouchtchev se déplace même à Varsovie et finit par accepter le nouveau pouvoir polonais. L'épreuve de force tourne donc à l'avantage de l'antistalinien Gomulka, élu premier secrétaire du parti (21 octobre 1956), tandis que le ministre de la Défense, le maréchal soviétique Rokossovski, est éliminé du Bureau politique du parti et de son poste. Malgré ce véritable coup d'État, les Soviétiques acceptent ce changement, car les nouveaux dirigeants polonais déclarent rester fidèles au pacte de Varsovie.

• *En Hongrie, les événements sont beaucoup plus dramatiques.* Sur fond de crise économique grave, l'effervescence politique se développe. Impuissant face à l'agitation, Rakosi est contraint à démissionner en juillet. Les manifestations d'octobre tournent à l'insurrection générale et nationale, après une première intervention militaire soviétique le 24 octobre. Sous la pression populaire, le nouveau gouvernement dirigé par Imre Nagy proclame la neutralité de la Hongrie (1-3 novembre 1956) et le pluripartisme, et dénonce le pacte de Varsovie. L'Union soviétique, qui dans un premier temps avait retiré ses troupes, décide d'étouffer dans l'œuf la révolution hongroise. Elle ne peut accepter ni le démenti politique qu'inflige cette affaire au dogme du caractère irréversible des conquêtes communistes, ni la perte stratégique de bases militaires au centre de l'Europe, ni la perspective d'élections libres en Hongrie. L'armée soviétique rentre à Budapest le 4 novembre et y brise toute résistance. Elle arrête Nagy et installe Janos Kadar au pouvoir. Celui-ci rétablit la toute-puissance du parti communiste hongrois ; la Hongrie réintègre le pacte de Varsovie et la normalisation suit son cours. La répression de la révolte hongroise par l'Union soviétique est approuvée par les communistes. Elle est en revanche dénoncée par les pays occidentaux qui y voient la preuve de la domination implacable du «Grand Frère» en Europe de l'Est. Après une parodie de procès, Imre Nagy est exécuté le 17 juin 1958. Et Janos Kadar devient le maître absolu du pays en décembre 1961.

L'Union soviétique a donc bien marqué les limites de l'autonomie qu'elle accordait à ses satellites. C'est un coup d'arrêt à la recherche de voies nationales vers le socialisme. Lors de la célébration du 40e anniversaire de la révolution d'Octobre (en novembre 1957), les partis communistes affirment l'unité du monde socialiste dans une déclaration que n'approuve pas Tito. Mais des fissures, avivées par les désaccords entre Chinois et Soviétiques, sont apparues dans le bloc de l'Est. Dans le camp occidental, aussi, l'Europe s'organise face aux États-Unis.

LA RELANCE DE LA CONSTRUCTION EUROPÉENNE

On assiste en effet à la construction d'un ensemble économique européen qui serait susceptible de contrebalancer la puissance américaine. À la suite de l'échec de la CED, l'occasion paraît favorable d'explorer les voies d'une «relance européenne».

La conférence des six ministres de la CECA réunie à Messine, sur invitation du nouveau ministre italien des Affaires étrangères, G. Martino, le 1er juin 1955, décide de cette relance par le développement d'institutions communes, la fusion progressive de leurs économies nationales, la création d'un Marché commun, l'harmonisation de leurs politiques sociales et la création d'une Communauté européenne de l'Énergie atomique.

Les travaux d'experts réunis à Bruxelles sous la présidence du ministre belge des Affaires étrangères, Paul-Henri Spaak, aboutissent aux projets d'Euratom et de Marché commun, où la dose de supranationalité est plus faible que celle existant dans la CECA. À la Haute Autorité sont substitués un Conseil des ministres et une Commission. Celle-ci est d'abord composée de 9 membres puis de 14. Les commissaires, qui sont des experts, sont désignés par les gouvernements des États membres, mais ils ne les représentent pas. Ils sont chargés d'élaborer la politique à suivre. Le Conseil des ministres, qui réunit les représentants des gouvernements, est l'organe de décision. Il examine les propositions de la Commission et statue selon la règle de l'unanimité. Après un délai de six ans, le traité stipule que la règle de la majorité simple devrait prévaloir. Une assemblée et une cour de justice sont prévues.

• *La naissance du Marché commun.* Les traités qui l'instituent sont signés à Rome le 25 mars 1957. Le Marché commun est conçu comme une union douanière. Sa réalisation doit être progressive : trois périodes de quatre ans; à chaque phase, les pays membres réduiraient leur tarif douanier à l'égard des autres membres. Un tarif extérieur commun serait établi à l'égard des pays tiers. D'autre part, les frontières s'ouvriraient progressivement aux mouvements internes de travailleurs et de capitaux. Les territoires d'outre-mer seraient admis à titre d'essai.

• *L'Euratom.* À l'origine, le but d'Euratom est de fournir à de bonnes conditions l'énergie dont l'Europe a besoin et d'assurer une indépendance accrue à l'Europe des Six en matière atomique. En fait, l'objectif assigné à Euratom ne consiste pas à regrouper la production d'énergie atomique dans l'ensemble des six pays. Une agence d'approvisionnement dispose d'une option d'achat sur les minerais, matières brutes et matières fissiles produits dans les pays membres et du droit exclusif de conclure des contrats portant sur la fourniture de ces matières provenant de l'extérieur. Un contrôle minutieux, assorti d'inspections sur place, serait exercé par la Communauté. Malgré les espoirs mis dans cet organisme, Euratom se révèle être un échec. Les arrière-pensées de la France, désirant réserver son indépendance atomique pour pouvoir construire sa bombe, et la volonté américaine de limiter le degré d'autonomie des pays européens dans ce domaine aboutissent à faire échouer les projets les plus ambitieux. Lorsqu'en 1957, les six pays européens, sur l'initiative française, envisagent de construire une usine de séparation isotopique qui leur aurait fourni leur propre uranium enrichi, les Américains abaissent le prix de ce produit à la disposition des pays européens, ce qui les dissuade d'entreprendre ces coûteux investissements.

Les deux traités instituent donc une zone économique particulière, celle de l'Europe des Six, une Europe continentale.

• *L'AELE*. Le Royaume-Uni, qui a refusé d'entrer dans le Marché commun, tente de réaliser une vaste zone de libre-échange comprenant tous les pays membres de l'OECE, ce qui englToberait donc le Marché commun et lui ôterait toute sa spécificité. Devant le refus français, les Britanniques créent avec d'autres pays européens (le Portugal, la Suisse, l'Autriche, le Danemark, la Norvège et la Suède) l'Association européenne de Libre Échange (AELE) par le traité de Stockholm (20 novembre 1959).

De fait le Marché commun entre en vigueur le 1er janvier 1959 et prend, malgré la concurrence de l'Association européenne de Libre Échange (AELE), une réelle importance. La baisse des droits de douane et les élargissements de contingents de marchandises se succèdent régulièrement. Les modalités d'une politique agricole et d'une politique financière communes sont étudiées. Au point que le premier ministre britannique, Harold MacMillan, décide d'ouvrir au cours de l'été 1961 des négociations en vue d'entrer dans le Marché commun.

• *Le règlement du conflit sarrois*, s'il ne va pas dans le sens de l'intégration européenne, supprime le principal élément de tension entre la France et l'Allemagne.

Pour résoudre ce problème, le chef du gouvernement sarrois, J. Hoffmann, avait lancé en mars 1952 l'idée d'européaniser la Sarre. L'accord sur les modalités est difficile à trouver entre la France et l'Allemagne alors que la France en fait un préalable à la ratification de la CED et que l'opinion publique sarroise évolue pour sa part vers le rattachement pur et simple à la République fédérale. Le plan Van Naters (du nom du rapporteur du Conseil de l'Europe) du 17 septembre 1953 propose que la Sarre devienne territoire européen et siège des institutions européennes, avec un gouvernement local, dans le cadre économique et monétaire français. Après l'échec de la CED, la France considère toujours la solution de la question sarroise comme la condition d'un accord plus global. Le 23 octobre 1954, Français et Allemands adoptent le plan Van Naters, en spécifiant que le statut sarrois serait soumis à référendum. La consultation populaire qui a lieu le 23 octobre 1955 tourne à l'avantage des partisans du rattachement à l'Allemagne, qui rejettent le statut européen proposé. Afin de régler les modalités du retour à l'Allemagne, les négociations franco-allemandes aboutissent à l'accord d'octobre 1956. La Sarre doit être rattachée à l'Allemagne sur le plan politique à compter du 1er janvier 1957 et à partir du 1er janvier 1960, sur le plan économique.

En échange, la France obtient des livraisons de charbon sarrois et la canalisation de la Moselle, qui devait désenclaver la sidérurgie lorraine. Ainsi disparaît la principale source de tension entre la France et l'Allemagne.

LA COEXISTENCE PACIFIQUE ET SES LIMITES

Entre les deux camps, Est-Ouest, la coexistence pacifique succède à la guerre froide. Dès la mort de Staline, s'était amorcé un dégel des relations, mais c'est surtout en 1955 que la signature du traité de paix concernant l'Autriche et la réconciliation des dirigeants soviétiques avec Tito illustrent le changement de la politique extérieure soviétique.

Les facteurs sont essentiellement l'émergence du Tiers Monde et l'équilibre de la terreur. À la faveur de la décolonisation, sont nés en Asie et en Afrique des États qui refusent l'alignement sur l'Est ou sur l'Ouest et veulent vivre en paix : un nouvel acteur, le Tiers Monde, vient troubler le jeu bipolaire. D'autre part, la menace d'anéantissement que font peser les armes nucléaires n'est plus le monopole d'une seule puissance. Elle est bilatérale, équilibrée, bref : elle se neutralise. Sur le plan de l'équilibre mondial, la crise de Suez comme celle de Hongrie démontrent que les deux superpuissances ont préféré ne pas s'affronter. Les dirigeants soviétiques, et en particulier Nikita Khrouchtchev, sont plus rapides que les Américains à adapter leur politique à cette évolution. Dans son rapport au Soviet suprême, le 31 octobre 1959, Khrouchtchev abandonne l'idée d'une confrontation militaire inévitable entre les systèmes capitaliste et communiste. Même si la victoire du communisme reste l'objectif à long terme, la compétition doit se limiter aux terrains économique et idéologique.

De fait, entre 1955 et 1962 le style des relations diplomatiques change : les dirigeants soviétiques multiplient les voyages à l'étranger. Khrouchtchev rencontre Eisenhower aux États-Unis en septembre 1959, de Gaulle en France en mars 1960, Kennedy à Vienne en juin 1961. Et il privilégie désormais la compétition économique avec les États-Unis, en prédisant qu'en 1980 l'Union soviétique aura largement dépassé les États-Unis en matière de production. La victoire communiste doit se faire dans le domaine économique.

Mais la guerre froide n'en continue pas moins. Elle affecte particulièrement son « épicentre », Berlin, à partir de 1958 et elle s'étend à l'Afrique à l'occasion des conflits de décolonisation, à l'Amérique latine avec la crise de Cuba, et à l'Asie dans le détroit de Formose où les communistes chinois bombardent les îles de la Chine nationaliste, Quemoy et Matsu (22-23 août 1958). Les Américains, par la voix de leur secrétaire d'État J.F. Dulles, prennent l'affaire très au sérieux et se déclarent prêts à aller jusqu'à la guerre. Cette crise dans le détroit de Formose intervient dans un contexte ambigu des relations entre l'Union soviétique, qui a promis à son allié une aide technique pour la fabrication d'un arsenal atomique, et la Chine qui se lance dans une profonde transformation interne connue sous le nom de « Grand Bond en avant », critiquée par Khrouchtchev lors de son voyage à Pékin en juillet 1958. Il faut donc voir dans cette crise un signe d'indépendance de la Chine à l'égard de l'Union soviétique, même si Khrouchtchev informe le président Eisenhower que toute attaque contre la Chine communiste serait considérée comme dirigée contre l'URSS. La crise s'apaise d'elle-même. La question de Taiwan est gelée.

L'équilibre de la terreur

La diplomatie soviétique sait tirer partie du jeu de la dissuasion nucléaire en brandissant contre la France et l'Angleterre au moment de la crise de Suez la menace du feu nucléaire et en intimidant l'Amérique par l'utilisation de ses succès dans l'espace.

• *Le succès soviétique dans l'espace.* Le lancement du premier satellite artificiel de la Terre — le Spoutnik — par les Soviétiques, le 4 octobre 1957, et le premier vol d'un homme dans l'espace, le Soviétique Gagarine (12 avril 1961) représentent des exploits scientifiques et semblent prouver que l'URSS dispose de fusées à longue portée qui, lancées de son territoire, peuvent atteindre les États-Unis. Ceux-ci prennent conscience de ce qu'ils croient être leur retard, le *missile gap*. Ils décident d'entreprendre un effort gigantesque pour le rattraper. Le 25 mai 1961, le président Kennedy relève le défi et demande au Congrès un effort accru pour la conquête spatiale. C'est aussi le début d'une nouvelle course aux armements destinée non à anéantir l'adversaire, mais à l'essouffler et à garder la supériorité.

• *La riposte graduée des États-Unis.* En même temps, les États-Unis infléchissent leur stratégie. Le nouveau président, le démocrate J.F. Kennedy, affirme la volonté des États-Unis de protéger le monde libre, mais, sous l'impulsion du secrétaire à la Défense, R. MacNamara, les démocrates remplacent la doctrine des représailles massives par celle de la riposte graduée. Celle-ci vise à proportionner la riposte à la menace et à l'enjeu, suivant une escalade savante allant du conflit conventionnel à la guerre nucléaire. Cette stratégie implique par conséquent la possession d'une panoplie complète d'armes et, en particulier, le renforcement des forces conventionnelles américaines, rendues plus mobiles, ainsi que dans l'ordre nucléaire, le développement de nouveaux moyens de riposte — telles les fusées Polaris. Elle s'accompagne d'une profonde réforme de l'administration de la Défense américaine, le Pentagone, dans le sens d'une centralisation du commandement suprême. Malgré les inquiétudes américaines sur le *missile gap*, l'URSS est en fait très en retard sur les États-Unis dans la course aux armements stratégiques. En 1962, Moscou dispose de 75 missiles intercontinentaux basés à terre et n'en fabrique que 25 par an. Les États-Unis possèdent déjà 294 missiles intercontinentaux et en fabriquent 100 par an. La supériorité américaine est encore plus écrasante dans le domaine des missiles sous-marins et des bombardiers intercontinentaux.

• *Les premières négociations pour le désarmement.* L'autre conséquence de l'équilibre de la terreur est la relance du désarmement. L'Union soviétique s'en fait le champion, appuie le projet Rapacki de dénucléarisation de l'Europe centrale (1957-1958) et décrète un moratoire sur les essais nucléaires. En 1958 s'ouvrent des négociations entre les trois puissances alors dotées de l'arme atomique afin d'aboutir à un arrêt des expériences nucléaires dans l'atmosphère. Parallèlement à ces pourparlers qui traînent en longueur, en avril 1961 les gouvernements américain et soviétique décident de reprendre les négociations dans un nouvel organisme, « le Comité des 18 », formé des représentants des puissances occidentales, orientales et non-alignées. Lors de la rencontre au sommet de Vienne (3-4 juin 1961), Khrouchtchev demande à Kennedy que les négociations sur les essais nucléaires soient replacées dans le cadre plus général du désarmement. En septembre 1961, les négociateurs américain et soviétique, MacCloy et Zorine, s'assignent un objectif ambitieux, le désarmement général et complet. Mais sa réalisation sera progressive, par étapes, de durée déterminée, équilibrée. En fait, la convergence américano-soviétique va entraîner l'abandon de la perspective d'une réduction générale des armements. Les deux super-Grands préfèrent désormais la négociation d'accords partiels et sélectifs.

Les crises de Berlin et de Cuba

Alors qu'on aurait pu croire la guerre froide terminée, celle-ci menace tout spécialement son « épicentre », Berlin, à partir de 1958, mais elle affecte également désormais les mondes extra-européens, l'Afrique et l'Amérique latine, en particulier Cuba. À travers le développement de ces deux crises, c'est un long apprentissage de la coexistence qui débouche sur la détente.

• *Berlin « le mur de la honte »*. Dès 1948, l'ancienne capitale du *Reich* hitlérien constitue un enjeu fondamental entre l'Est et l'Ouest. Berlin-Ouest devient un symbole de liberté et l'objet même de la volonté occidentale de défendre cette liberté. Mais le maintien de la présence occidentale à Berlin est ressenti comme une remise en question permanente de la sphère d'influence soviétique et de l'édification d'une Allemagne communiste. Le flot des réfugiés est-allemands qui passe par Berlin ne cesse de croître. En quinze ans, 3 millions d'Allemands émigrent ainsi de l'Est vers l'Ouest, en profitant du statut de Berlin. Ce vote « avec les pieds » atteint la crédibilité de l'Allemagne de l'Est.

Malgré l'évolution générale de l'Allemagne, le statut de Berlin ne change pas. Lorsque, le 23 octobre 1954, les accords de Paris instaurent la souveraineté de l'Allemagne occidentale, ils maintiennent néanmoins les droits des puissances occidentales à Berlin, en particulier l'occupation militaire.

Brutalement, le 10 novembre 1958, Khrouchtchev relance la question de Berlin en reprenant à son compte la thèse est-allemande dénonçant le statut quadripartite. La note soviétique du 27 novembre déclare que Berlin-Ouest doit être rattachée à la RDA ou internationalisée sous le contrôle des Nations Unies. Si dans un délai de six mois, l'Union soviétique n'a pas obtenu satisfaction, elle menace de signer un traité de paix séparé avec l'Allemagne de l'Est, qui détiendrait ainsi le contrôle des voies d'accès à Berlin-Ouest. C'est une crise très sérieuse, car le problème est de savoir si les Américains accepteraient de risquer une guerre nucléaire pour la défense du petit territoire lointain mais symbolique de Berlin. Les Occidentaux refusent de traiter de la question de Berlin en dehors d'un règlement d'ensemble du problème allemand, qui n'aboutit pas lors de la conférence des ministres des Affaires étrangères à Genève (mai-juillet 1959). Le voyage de Khrouchtchev aux États-Unis (septembre 1959) permet d'apaiser la tension et de prévoir une conférence au sommet des quatre puissances. Celle-ci, organisée à Paris en mai 1960, est également un échec puisqu'elle achoppe sur la demande d'excuses de Khrouchtchev suite au survol du territoire soviétique par l'avion espion U2 américain. Malgré les efforts de conciliation, la conférence est interrompue aussitôt. Les quatre Grands se séparent. La tension réapparaît. L'atmosphère s'alourdit encore du fait des réquisitoires violents de Khrouchtchev lors de l'Assemblée générale des Nations Unies, en septembre 1960. Lors de l'entrevue Kennedy-Khrouchtchev à Vienne (3-4 juin 1961), le dirigeant soviétique réclame à nouveau la transformation de Berlin-Ouest en ville libre, dans le cadre d'un traité de paix avec les deux Allemagnes. La crise connaît son apogée lors de la construction, dans la nuit du 12 au 13 août 1961, du « mur de Berlin » par les autorités est-allemandes. La limite entre les secteurs Est et Ouest de Berlin est hermétiquement barrée. L'hémorragie de la population est stoppée, mais le prix politique du « mur de la honte » est considérable. Au lendemain de la crise, le rôle de Berlin comme enjeu politique dans les rapports Est-Ouest semble perdre de son acuité.

• *Cuba : le bras de fer des deux superpuissances.* L'île de Cuba, ancienne possession espagnole, est, depuis la guerre hispano-américaine de 1898, indépendante sur le plan politique. Mais située à 150 kilomètres de la côte de Floride, elle vit sous la tutelle économique des États-Unis, qui y possèdent aussi la base militaire de Guantanamo. La prépondérance du sucre dans les exportations cubaines (80 % du total des exportations) renforce cette dépendance : si les États-Unis arrêtent leurs importations de sucre cubain, c'est la ruine. Une révolte larvée règne dans l'île, dirigée par le dictateur Batista, contre lequel un jeune avocat, Fidel Castro, anime depuis 1952 une lutte armée qui se transforme en guérilla de partisans. Le 26 juillet 1953, il lance une attaque qui échoue contre la caserne de Moncada et doit quitter le pays. De retour en 1956, réfugié dans ses bases de la Sierra Maestra, Fidel Castro entreprend, fin 1958, une offensive victorieuse. Le 31 décembre 1958, Batista, abandonné par les Américains, s'enfuit, laissant le pouvoir à Fidel Castro et à ses « *Barbudos* ».

Les relations entre le nouveau régime cubain et les États-Unis ne se détériorent pas immédiatement. Mais au fur et à mesure que Castro veut dégager Cuba de l'emprise des États-Unis, il noue des liens de plus en plus étroits avec l'Union soviétique sur le plan diplomatique et sur le plan économique. En juillet 1960, l'annonce par un proche de Castro, Che Guevara, que Cuba fait partie du camp socialiste, est ressentie comme une atteinte inadmissible à la doctrine de Monroe, qui récuse toute intervention de pays non américains dans les affaires américaines. En octobre 1960, les États-Unis suspendent toute aide financière, arrêtent toute importation de sucre dans l'espoir d'asphyxier Cuba et rompent enfin les relations diplomatiques.

La tension s'accroît aussi du fait des activités des réfugiés cubains et des effets de la réforme agraire sur les grandes compagnies américaines propriétaires de terres. Des exilés cubains, hostiles au régime de Fidel Castro, préparent une intervention militaire, avec le soutien américain. Mais leur débarquement dans la baie des Cochons échoue (15 avril 1961), ce qui porte un coup très dur au prestige du nouveau président et accroît le raidissement du castrisme. Dans le but de renforcer les régimes anticommunistes en Amérique latine et d'enrayer ainsi la contagion anticastriste, Kennedy propose en août 1961 à l'Organisation des États américains (OEA) un vaste programme d'aide, l'« Alliance pour le progrès » et, en janvier 1962, l'exclusion de Cuba de l'OEA. De leur côté les Cubains demandent et obtiennent des armes de l'URSS.

En octobre 1962, les services américains ont la certitude qu'en fait les Soviétiques installent à Cuba des rampes de lancement de fusées de portée intermédiaire, susceptibles d'atteindre le territoire américain. Apprenant en outre l'arrivée imminente de cargos soviétiques transportant fusées et bombes, le président Kennedy est confronté à un défi d'autant plus grave qu'il dépasse l'enjeu cubain. Les Soviétiques cherchent-ils à mesurer la volonté de riposte des Américains ? Ou veulent-ils contraindre les Américains à des concessions sur Berlin ? Résolu à une politique de fermeté, Kennedy va négocier « au bord du gouffre ». Il annonce, le 22 octobre, que la marine américaine établit un blocus autour de l'île pour intercepter les navires soviétiques et il demande à l'Union soviétique de démonter les installations existantes et de cesser d'armer Cuba. On paraît être au bord d'une troisième guerre mondiale. Le 26 octobre, à la faveur de discrètes tractations, Khrouchtchev cède : il donne l'ordre à ses navires de faire demi-tour et il propose de monnayer son acceptation des conditions américaines contre la promesse que les États-Unis renonceront à envahir Cuba et qu'eux-mêmes retireront leurs fusées installées en Turquie. Le 28 octobre, les

Soviétiques acceptent de démonter et de ramener en URSS l'armement offensif installé à Cuba. Mais le règlement définitif du conflit tarde en raison de la mauvaise volonté et de la méfiance de Fidel Castro.

La crise de Cuba est une date importante dans l'histoire des relations internationales. Elle constitue d'abord une vérification de la théorie de la dissuasion, avec l'escalade nucléaire suivie par un règlement pacifique. Elle confère un prestige exceptionnel au président Kennedy qui a pu réagir à la provocation soviétique. Et elle révèle la supériorité américaine dans le domaine des armes stratégiques.

En outre, la crise prouve que le dialogue des deux superpuissances est non seulement nécessaire, mais possible : ainsi ont-elles réglé la crise cubaine, sans se préoccuper du gouvernement cubain qui proteste et tente de poser ses conditions. La conscience de leur responsabilité nucléaire commune les incite à rationaliser leurs rapports. En 1962, la coexistence pacifique n'apparaît plus comme un thème de discours ou un argument de propagande, mais comme une nécessité, qui a pour nom la « détente ».

3 La détente (1962-1973)

L'année 1962 ouvre une ère nouvelle de rapprochement et de coopération. Le règlement de l'affaire des fusées de Cuba, qui correspond aussi à la fin de la crise de Berlin, fonde la détente et met un terme à la guerre froide. Les conséquences en sont immenses.

Au cours des années 1960, on constate à la fois une bipolarisation croissante de la vie internationale et une érosion du monolithisme des deux blocs. La cohésion du pacte Atlantique, comme celle du pacte de Varsovie, s'affaiblit et un schisme se développe entre l'Union soviétique et la Chine populaire. Les super-grands amorcent un dialogue visant à limiter la course aux armements : c'est l'ère de la détente. Cet accommodement fait d'eux des « adversaires-partenaires ». La confrontation n'en continue pas moins à travers les conflits localisés en Asie, en Afrique et au Proche-Orient. Déjà contesté à partir de la conférence de Bandoeng par les nations du Tiers Monde, l'ordre bipolaire apparaît à la fois consolidé par la convergence relative des intérêts des deux Grands et menacé par les nouvelles forces qui émergent au sein des deux blocs et dans le Tiers Monde. Quelle que soit leur faiblesse militaire et économique, les pays du Tiers Monde exercent une influence croissante : de simples enjeux de la confrontation Est-Ouest, ils deviennent peu à peu des agents de la politique mondiale.

LE DUOPOLE AMÉRICANO-SOVIÉTIQUE

L'évolution la plus spectaculaire de cette période est la volonté d'apaisement des deux Grands qui renoncent à une stratégie de tension et s'engagent sur la voie de la détente.

• **Du côté américain**, au démocrate John F. Kennedy, assassiné le 22 novembre 1963, succèdent son vice-président Lyndon B. Johnson (1963-1968), puis le républicain Richard Nixon (1968-1974). Cette période correspond à la fois à l'apogée de la puissance américaine, sur le plan stratégique et sur le plan économique, mais aussi aux limites de cette puissance, avec l'intrusion d'un satellite soviétique dans l'hémisphère occidental et le bourbier vietnamien qui va paralyser sa politique étrangère et ternir son prestige.

• **Du côté soviétique**, après la chute de Khrouchchev (1964), critiqué pour ses échecs en politique agricole mais aussi en politique extérieure, commence le long règne de Leonid Brejnev, décédé le 10 novembre 1982. L'équipe Brejnev enregistre ses plus grands succès sur le terrain de la politique extérieure. Faisant preuve d'un dynamisme contrastant avec l'immobilisme à l'intérieur, l'Union soviétique pénètre largement dans le Tiers Monde, renforce l'intégration des « pays frères » et surtout obtient un dialogue privilégié avec les États-Unis, ce qui donne une assise à la diplomatie soviétique et signifie que Washington a renoncé à refouler l'influence de Moscou. Les dirigeants soviétiques voient dans le duopole que leur consentent les États-Unis la consécration de leur puissance. Ce que Khrouchtchev n'avait pas réussi, eux l'ont obtenu.

• *La détente ne signifie pas le désarmement.* La période correspond à une augmentation considérable des armements, en particulier dans le camp soviétique, qui fait un énorme effort pour rattraper son retard dans le domaine des armements stratégiques, car, en 1962, Washington dispose d'une nette supériorité. On assiste donc à une course aux armements, notamment dans le domaine des missiles à moyenne portée (2 000 à 4 000 km) IRBM (*Intermediate Range Ballistic Missile*), des missiles à grande portée (10 000 km) ICBM (*Intercontinental Ballistic Missile*) ou des missiles lancés à partir d'un sous-marin SLBM (*Submarine Launched Ballistic Missile*). Les deux grandes puissances parviennent, au début des années 70, à l'accumulation d'un arsenal impressionnant et, probablement, à une parité de fait.

Bien que les deux superpuissances accroissent sans cesse leur potentiel militaire, elles évitent soigneusement tout affrontement direct et elles se ménagent; elles éprouvent d'ailleurs l'une et l'autre des difficultés internes qui les contraignent à rechercher un *modus vivendi*.

• *L'avance américaine dans le domaine technologique.* Après avoir pris une avance scientifique et militaire (Spoutnik, 1957; Gagarine, 1961), l'Union soviétique accumule les retards sur le plan des technologies de pointe. Ce sont en effet des Américains qui, les premiers, marchent sur la Lune (le 21 juillet 1969) et eux encore qui lancent, en 1973, le premier laboratoire spatial. En matière d'ordinateurs, l'avance américaine est considérable. Dans la compétition mondiale voulue par les dirigeants de l'URSS eux-mêmes, les mérites du socialisme soviétique ne triomphent pas aisément. Du côté américain, alors que l'expansion économique se poursuit, le doute remplace la confiance en raison du maintien de zones de pauvreté, de la ségrégation raciale, de la guerre du Viêt-nam et des scandales politiques.

• *La convergence d'intérêts pour la réduction des tensions internationales.* Aussi les années 60 sont-elles marquées par la recherche d'accords entre les États-Unis et l'Union soviétique. Mais c'est surtout la période 1969-1973 qui est la phase la plus féconde de la détente. Elle correspond au passage au pouvoir à Washington de l'équipe formée par le président Richard Nixon et son conseiller pour les affaires de sécurité nationale, Henry Kissinger, et à leur commune conviction du nécessaire désengagement américain. Les États-Unis se considèrent toujours comme la première puissance mondiale, mais ils ne veulent plus régner sans partage. Ils acceptent la parité nucléaire avec l'URSS et vont bientôt jouer d'une diplomatie triangulaire Washington-Pékin-Moscou. Kissinger considère que tous les problèmes doivent être liés dans une négociation (*linkage*), ce qui explique que les accords concernent tout autant le domaine scientifique et commercial que le domaine militaire. Une sorte de connivence entre Américains et Soviétiques s'instaure qui établit une cogestion des affaires internationales : chaque Grand se reconnaît le droit de faire régner l'ordre dans son propre camp et évite soigneusement tout affrontement direct. La guerre du Viêt-nam est l'exemple remarquable d'un conflit au temps de la détente qui concerne un pays du camp socialiste, le Viêt-nam soutenu par Moscou, en butte à l'immense appareil militaire américain. Aux pires moments de l'engagement américain, Moscou maintient et renforce ses rapports avec Washington. Quant à l'intervention soviétique en Tchécoslovaquie, elle ne trouble pas non plus le processus de la détente.

LES ACCORDS DE LIMITATION DES ARMEMENTS

Dès le 1er décembre 1959, les deux principales puissances avaient convenu de la démilitarisation de l'Antarctique. Après la crise de 1962, la convergence des intérêts soviéto-américains apparaît plus nettement.

La politique de l'« *arms control* »

Différents accords sont négociés au sein de comités *ad hoc* ou à la faveur d'un dialogue bilatéral. D'abord, Américains et Soviétiques conviennent d'établir un contact direct pour éviter une escalade fatale. D'où la création, annoncée le 20 juin 1963, d'une liaison permanente entre Washington et Moscou, le télétype rouge.

• *Le traité de Moscou.* L'autre mesure est symbolique, même s'il ne s'agit pas d'une mesure de désarmement proprement dite. Depuis 1958, il était question d'interdire les essais nucléaires dans l'atmosphère, essais qui avaient déjà fait l'objet d'un moratoire interrompu en septembre 1961. Une conférence de 18 nations se tenait régulièrement à Genève sur le désarmement. À la suite de la crise de Cuba, les États-Unis et l'URSS mettent un point final à des années de négociations. Ils sont les initiateurs du traité de Moscou (5 août 1963), signé par plus de 100 pays, qui interdit les expériences nucléaires dans l'atmosphère, dans l'espace extra-atmosphérique et sous la mer. La France et la Chine, qui mettent alors au point leurs forces atomiques et ont besoin d'expérimenter pour parfaire leur équipement, refusent d'y adhérer. Le traité de Moscou ne limite pas en effet l'arsenal nucléaire des grands (États-Unis, Grande-Bretagne, URSS) qui conservent, et sans le moindre contrôle, des stocks énormes et peuvent les accroître. Ces puissances atomiques ne s'interdisent pas grand-chose ; en revanche, elles invitent les autres pays, en y adhérant, à se priver des moyens de posséder eux-mêmes des armes nucléaires. La portée militaire du traité de Moscou est donc nulle. Mais sa portée politique est immense. Il concrétise un changement de climat entre les deux Grands, qui concluent un accord que rejettent avec indignation la Chine dans le camp oriental, la France dans le camp occidental.

• *Le traité sur la non-prolifération des armes atomiques.* La rencontre du président Johnson et du président du Conseil Kossyguine à Glassboro (New Jersey), les 23-25 juin 1967, permet la conclusion en juillet 1968 d'un traité sur la non-prolifération des armes atomiques (TNP), signé par les États-Unis, l'URSS, la Grande-Bretagne, et rejeté une nouvelle fois par la Chine et la France qui expérimentent d'ailleurs leur bombe à hydrogène en 1967 et 1968 et refusent d'adhérer à un traité consistant à leur interdire l'accès au club atomique. L'impact de ce traité est considérable car il s'agit pour Américains et Soviétiques d'éviter que les armes atomiques ne tombent dans n'importe quelles mains et, pour les Soviétiques en particulier, d'empêcher l'Allemagne de posséder des armes nucléaires.

• *D'autres traités sont moins directement significatifs.* Le 27 janvier 1967, celui sur l'espace prévoit la non-militarisation de la Lune et des corps célestes ainsi que l'interdiction de la mise sur orbite d'armes nucléaires. Le 14 février 1967 est signé le traité de Tlatelolco qui doit aboutir à la création d'une zone exempte d'armes nucléaires en Amérique latine. Le Comité du désarmement siégeant dans le sein de l'ONU et comprenant 18 membres sert de cadre à l'élaboration du traité de dénucléarisation des fonds marins (11 février 1971) et de la convention prohibant les armes biologiques (10 avril 1972).

Pour la plupart, ces accords sont conclus selon la philosophie de l'*arms control*. Il ne s'agit pas de désarmer, mais de placer des limites au surarmement. Les accords suivants affectent directement le potentiel militaire des grandes puissances et leur équilibre nucléaire.

La limitation des armes stratégiques

Les États-Unis et l'URSS sont en train d'accumuler des armes de plus en plus perfectionnées et se préoccupent du coût croissant des systèmes de missiles anti-missiles (*Anti Ballistic Missile* ou ABM). Les ABM, dont le coût est considérable, sont capables d'arrêter en vol les missiles ennemis avant qu'ils n'atteignent leur objectif. Les Soviétiques en construisent un autour de Moscou et les Américains un autour de Washington. En mettant ainsi à l'abri une partie de la population civile, il s'agit, on le constate, d'une remise en question de l'équilibre de la terreur : le risque réapparaît d'une première frappe et donc d'une guerre nucléaire. Le second progrès, c'est l'apparition du missile à tête multiple, le MIRV (*Multiple Independently Targeted Return Vehicle*) qui permettrait d'atteindre plusieurs objectifs à la fois.

• *Les accords SALT 1.* En juin 1968, s'amorce en effet une négociation sur la limitation des armes stratégiques. Ces SALT (*Strategic Arms Limitation Talks*), menés par le conseiller spécial du président Nixon, Kissinger, s'ouvrent à Helsinki en novembre 1969 et, à la suite d'innombrables réunions, permettent à Nixon et à Brejnev de signer à Moscou le 26 mai 1972 les accords SALT. Les SALT comprennent deux parties : un accord provisoire et un traité. L'accord consiste en un gel pour cinq ans des armements stratégiques, l'arrêt de la construction de rampes de lancement fixe pour ICBM, les missiles intercontinentaux, et de lanceurs balistiques installés sur sous-marins (SLBM).

Le plafond pour les ICBM est de 1 054 pour les Américains, 1 409 pour les Soviétiques ; pour les SLBM, de 650 pour les Américains et de 950 pour les Soviétiques. Le traité limite à deux sites, ceux existant autour de Moscou et de Washington et un autre pour une zone d'ICBM, les systèmes de défense antimissiles (ABM). La logique de l'équilibre de la terreur est telle que, pour que la dissuasion aboutisse à empêcher la guerre, il faut qu'au feu nucléaire de l'autre chacun livre sa population en otage.

C'est la première fois que les deux grandes puissances, surmontant le problème du contrôle, concluent un accord relatif aux armements qui ne demande rien à d'autres pays. Pour la première fois aussi, elles limitent effectivement la production de certains types d'armements. C'est enfin la première fois qu'un accord reconnaît l'accession à la parité de l'URSS, ce qui constitue une grande victoire pour elle. L'Union soviétique se voit même concéder une supériorité numérique, sous prétexte d'un retard technologique.

• *Les rencontres des deux Grands.* À l'occasion de la visite de Nixon à Moscou (mai 1972), qui est la première visite officielle d'un président américain en URSS, une déclaration commune en douze points définit « les bases des rapports mutuels entre les États-Unis et l'Union soviétique », un véritable code de conduite. Cet accord renforce le duopole américano-soviétique et rapproche deux systèmes politiques où la raison d'État l'emporte sur les exigences de l'idéologie. En moins de trois ans, les dirigeants des deux pays se rencontrent quatre fois.

À l'automne 1972, une commission consultative permanente institutionnalise le dialogue soviéto-américain. Il s'agit de transformer l'accord provisoire en traité définitif. C'est chose faite à l'occasion du voyage de Brejnev aux États-Unis (18-25 juin 1973). Neuf accords, conventions ou déclarations sont signés, dont l'engagement des deux puissances de prévenir la guerre nucléaire, non seulement entre elles, mais encore entre l'une d'elles et des pays tiers. Par là, les deux Grands s'octroient un rôle d'arbitres pour contrôler les crises qui risquent de dégénérer. Le troisième sommet (27 juin-3 juillet 1974) permet à Nixon et à Brejnev de signer divers accords dont la limitation des expériences nucléaires souterraines. La rencontre de Leonid Brejnev et du nouveau président Ford à Vladivostock les 23 et 24 novembre 1974 est le dernier sommet de la détente. L'accord, qui prévoit pour tous les lanceurs d'engins (ICBM, SLBM) un plafond de 2 400, doit servir de cadre au futur traité SALT 2. Mais les négociations destinées à préparer l'accord définitif s'enlisent par la suite.

Le développement des échanges pacifiques avec l'Est

Les échanges Est-Ouest profitent aussi de l'atmosphère de détente. Au temps de la guerre froide, les relations commerciales avaient été pratiquement interrompues entre l'URSS et les États occidentaux. Aussi le principe de l'embargo, concrétisé par l'institution en 1949 du COCOM (*Coordination Committee for Multilateral Export Controls* — Comité de coordination pour le contrôle multilatéral des échanges Est-Ouest) et l'établissement de listes de produits interdits à l'exportation vers l'Est, prévalut longtemps. Tout transfert technologique était jugé dangereux dans la mesure où il pouvait être utilisé à des fins stratégiques.

• *Au terme de l'Export Administration Act (1969), le Congrès des États-Unis se prononce pour la croissance des transactions pacifiques avec l'Est.* Le développement des échanges n'est pas limité au commerce. La coopération dans le domaine de l'espace est couronnée dans l'été 1975 par la rencontre dans le cosmos de deux capsules, l'une soviétique, Soiouz, l'autre américaine, Apollo.

• *Les échanges commerciaux progressent nettement après 1965.* En cinq ans (1970-1975), les exportations occidentales à destination de l'Union soviétique quadruplent. Les Soviétiques souhaitent se procurer à l'Ouest les produits agricoles et industriels qui leur font défaut. Les partisans de la détente — comme l'avocat Samuel Pisar — soutiennent que la multiplication des liens économiques et commerciaux entre l'Est et l'Ouest favorise la paix et accélère la libéralisation interne du système communiste. Depuis le début des années 60, l'URSS achète en quantités de plus en plus massives du blé occidental. Elle commence aussi à acquérir de nombreuses usines clé en main, en particulier dans les domaines de la construction automobile et de la chimie. Dans le sillage de la rencontre de mai 1972, l'accord commercial américano-soviétique, signé en octobre 1972, concède à l'URSS la clause de la nation la plus favorisée (remise en question par l'amendement Jackson de décembre 1974) et prévoit la fourniture de produits agricoles et industriels, y compris des ordinateurs ; le volume du commerce américano-soviétique passe de moins de 200 millions de roubles en 1971 à plus de 3 milliards en 1979 ! L'ouverture au commerce occidental concerne aussi les autres États du camp socialiste, en particulier la Pologne.

LA DÉTENTE EN EUROPE ET L'« *OSTPOLITIK* »

Toute détente reposait sur le règlement du problème allemand et sur l'amélioration des relations de l'Allemagne de l'Ouest avec les États de l'Europe de l'Est.

Trois questions n'avaient guère trouvé de solution pendant la période de la guerre froide : la situation territoriale héritée de la guerre, le statut de Berlin et l'existence de deux entités politiques allemandes, symbole de la division du monde : la RFA et la RDA.

Le règlement du problème territorial

Jusqu'en 1969, la politique étrangère de la RFA menée par les trois chanceliers chrétiens-démocrates (Konrad Adenauer 1949-1963, Ludwig Erhard 1963-1966, Kurt Kiesinger 1966-1969) est celle qu'avait défini le chancelier Adenauer, qui l'avait fondée sur le choix de l'Occident. Il noue, certes, dès 1955 des relations diplomatiques avec l'Union soviétique et amorce un rapprochement prudent avec la Pologne, mais le poids politique des réfugiés et rapatriés le contraint à une grande prudence et imprime une certaine raideur à la politique étrangère ouest-allemande. Cette politique est fondée sur deux principes en partie contradictoires : la volonté d'ancrer l'Allemagne fédérale à l'Occident et en particulier à la construction européenne et en même temps la revendication d'une Allemagne réunifiée, c'est-à-dire le refus de reconnaître l'Allemagne de l'Est, considérée comme zone d'occupation soviétique, et la prétention de la RFA à représenter tous les Allemands. La doctrine Hallstein (du nom du secrétaire d'État aux Affaires étrangères) consiste à menacer de rompre les relations diplomatiques avec tout État qui reconnaîtrait le régime de Pankow (Berlin-Est).

• *L'Ostpolitik.* À la suite des efforts de détente américano-soviétique et de la politique à l'Est du général de Gaulle, la RFA qui profite des marchés de l'Europe orientale s'ouvre à l'Est. L'*Ostpolitik*, esquissée dès 1966 par les gouvernements de « la Grande Coalition » (comprenant à la fois des chrétiens-démocrates, des sociaux-démocrates et des libéraux), est développée à partir de 1969 par W. Brandt, qui sort vainqueur des élections, à la tête d'une coalition restreinte aux sociaux-démocrates et aux libéraux. C'est lui qui va mener la politique de rapprochement avec l'Est, à l'imitation de ce qu'a fait le général de Gaulle et de ce que tente le président Nixon.

Le rapprochement des deux Allemagnes est préparé par les entrevues d'Erfurt, le 19 mars 1970, et de Kassel, le 21 mai 1970, entre Willy Brandt et le premier ministre de l'Allemagne de l'Est, Willi Stoph.

• *L'accord RFA-URSS.* Mais c'est avec les Soviétiques que les Allemands commencent des négociations qui aboutissent au traité de Moscou du 12 août 1970. Aux termes de cet accord, Allemands de l'Ouest et Soviétiques déclarent que l'objectif le plus important des deux parties est la paix et la détente, reconnaissent l'inviolabilité des frontières européennes et maintiennent explicitement les droits des quatre puissances à Berlin.

• *Le reconnaissance de la frontière germano-polonaise.* Les discussions avec la Pologne achoppaient sur la question de la ligne Oder-Neisse, que les Allemands de l'Ouest n'avaient jamais voulu reconnaître. Finalement, le traité signé le 7 décembre 1970 affirme l'intangibilité de cette frontière. L'image du chancelier W. Brandt agenouillé devant le monument élevé à la mémoire des victimes du

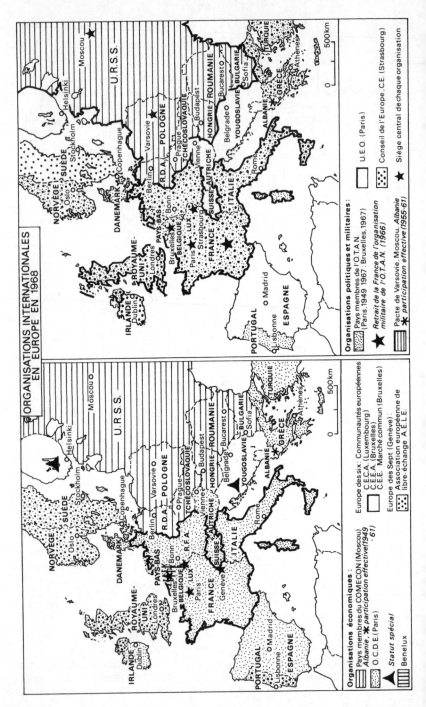

ORGANISATIONS INTERNATIONALES EN EUROPE EN 1968

Organisations économiques :

Pays membres du COMECON (Moscou)
Albanie, ★ participation effective/1949-61)

O.C.D.E. (Paris)

▲ Statut spécial

Benelux

Europe des six : Communautés européennes
C.E.C.A. (Luxembourg)
C.E.E. (Bruxelles)
C.E.E. Marché commun (Bruxelles)

Europe des Sept (Genève) :
Association européenne de
libre-échange A.E.L.E.

Organisations politiques et militaires :

Pays membres de l'O.T.A.N.
Paris, 1949 1967 : Bruxelles, 1967)

★ Retrait de la France de l'organisation
militaire de l'O.T.A.N. (1966)

Pacte de Varsovie. Moscou, Albanie
★ participation effective (1955-61)

U.E.O. (Paris)

Conseil de l'Europe. CE. (Strasbourg)

★ Siège central de chaque organisation

Source : *Histoire contemporaine depuis 1945,*
R. Aron, Larousse.

ghetto de Varsovie donne une dimension humaine à la réconciliation germano-polonaise.

• *Le statut de Berlin.* Entre les deux Allemagnes, la difficulté essentielle reste le problème de Berlin, en particulier la liberté d'accès à Berlin-Ouest. De longues négociations permettent la conclusion le 3 septembre 1971 d'un accord quadripartite sur Berlin, stipulant le maintien des droits des quatre puissances occupantes et la mise en place d'un statut spécial. Les Occidentaux acceptent que la ville ne soit plus considérée comme un *Land* de la RFA; les voies d'accès sont réglementées avec minutie. De son côté, l'Union soviétique s'engage à ne plus entraver la circulation et à améliorer la situation résultant de l'existence du « mur ». Cet accord permet enfin d'entamer la réconciliation entre la RFA et la RDA.

• *La reconnaissance des deux Allemagnes.* Les conversations aboutissent à un texte aux termes duquel les deux États se reconnaissent et vont échanger des représentants diplomatiques. Jusqu'alors, la RFA s'était considérée comme représentante de droit de l'ensemble de l'Allemagne. Le traité avec l'Allemagne de l'Est reconnaît explicitement qu'aucun des deux États n'a de souveraineté en dehors de ses frontières actuelles.

Encore faut-il que le *Bundestag*, où le parti chrétien-démocrate est majoritaire, approuve le traité. Les traités de Moscou et de Varsovie ne sont votés le 17 mai 1972 que de justesse. Après une dissolution du *Bundestag* et de nouvelles élections qui donnent une majorité plus confortable au gouvernement de Willy Brandt, le traité fondamental entre les deux Allemagnes est finalement ratifié le 21 décembre 1972.

L'une des conséquences essentielles de ce traité est la reconnaissance de la RDA par de nombreux États occidentaux et l'admission des deux Allemagnes aux Nations Unies en septembre 1973. La consécration de la séparation juridique des deux États allemands et l'*Ostpolitik* ont le mérite d'humaniser la condition des populations allemandes séparées; mais le fait d'accéder à la vie internationale consolide les structures de l'État est-allemand.

La conférence d'Helsinki

La même ambiguïté préside à l'Acte final de la conférence d'Helsinki, point d'orgue de la détente. Dès 1954, l'URSS, soucieuse de garantir les frontières européennes nées de la guerre, réclame une conférence sur la sécurité européenne. Les Occidentaux, qui n'avaient pas accepté formellement la situation de fait que l'Europe connaissait depuis Yalta et le rideau de fer, posent leurs conditions, en particulier la conclusion d'un accord sur Berlin et la participation des États-Unis et du Canada. La détente donne l'occasion d'ouvrir des pourparlers préparatoires à Helsinki du 22 novembre 1972 au 8 juin 1973, puis de véritables négociations du 3 au 7 juillet 1973, enfin de septembre 1973 à juillet 1975.

Cette Conférence sur la sécurité et la coopération en Europe (CSCE), à laquelle sont représentés 35 États européens, adopte le 1er août 1975, un acte final signé par de nombreux chefs d'État et de gouvernement, dont Leonid Brejnev et Gerald Ford (qui a succédé à Nixon en 1974). Subdivisé en trois chapitres ou « corbeilles », l'Acte final consacre de grands principes : égalité des États, non-ingérence dans les affaires intérieures d'un autre État, autodétermination des peuples, inviolabilité des frontières européennes et renonciation au recours à la force pour régler les conflits. Il prévoit le développement de la coopération économique, scientifique et technique.

1945   – 4/11 février : Conférence de Yalta : accord sur l'occupation et le désarmement de l'Allemagne.
       – 7/9 mai : Capitulation de l'armée allemande, signée à Reims et à Berlin.
       – 17 juillet/2 août : Conférence de Potsdam : accord sur les quatre zones d'occupation, sur la dénazification, les réparations.
       – 20 novembre : Procès de Nuremberg (jusqu'au 1er octobre 1946).

1947   – 10 mars/25 avril : Conférence des Quatre à Moscou : échec sur l'Allemagne.

1948   – Février : Bizone anglo-américaine.
       – 23 février : À Londres, conférence anglo-franco-américaine pour l'organisation de l'Allemagne occidentale, son intégration à l'Europe occidentale et l'autorité internationale de la Ruhr.
       – 23 juin : Début du blocus de Berlin.

1949   – 23 mai : Entrée en vigueur de la « Loi fondamentale ».
       – 15 septembre : K. Adenauer est élu chancelier de la RFA.
       – 7 octobre : La RDA est proclamée.
       – 22 novembre : Accords de Petersberg entre la RFA et les Trois occidentaux.

1950   – 23 juillet : W. Ulbricht est élu secrétaire général du SED (parti communiste est-allemand).

1951   – 18 avril : La RFA adhère à la CECA.

1952   – 10 mars : Staline propose la réunification d'une Allemagne qui serait indépendante des deux blocs.
       – 26 mai : Accords de Bonn qui abrogent le statut d'occupation.

1954   – 25 janvier/18 février : Conférence des Quatre à Berlin : échec sur la question allemande.
       – 25 mars : L'Allemagne de l'Est devient un « État souverain ».
       – 21/23 octobre : Accords de Paris : les alliés occidentaux affirment leurs droits et obligations sur l'Allemagne dans son ensemble.

1955   – 9 mai : La RFA adhère à l'OTAN.
       – 14 mai : Création du pacte de Varsovie. La RDA y adhère.
       – 18/23 juillet : À Genève, conférence au sommet des Quatre grands : échec sur l'Allemagne.
       – 9/13 septembre : Visite d'Adenauer à Moscou.
       – 8 décembre : Bonn déclare que la reconnaissance de la RDA par des pays tiers constitue un acte inamical à l'égard de la RFA.

1957   – 1er janvier : Intégration de la Sarre à la RFA.

1958   – 14 septembre : Première rencontre entre K. Adenauer et le général de Gaulle à Colombey-les-Deux-Églises.
       – 9 novembre : Début de la seconde crise de Berlin.

1959   – 10 janvier : L'URSS propose la signature d'un traité de paix avec les deux Allemagne.

1960   – 16 mai : Échec de la conférence « au sommet » de Paris.

1961	– 13 août : Construction du mur de Berlin.
1963	– 22 janvier : Traité de coopération franco-allemand de l'Élysée.
	– 16 octobre : Erhardt succède à Adenauer.
1966	– 10 novembre : Kiesinger succède à Erhard.
1967	– 1er janvier : M. Ulbricht relance encore une fois son offre de confé-dération des deux États allemands.
1969	– De juillet à septembre : Le gouvernement fédéral renonce à la doctrine Hallstein. Willy Brandt devient chancelier de RFA.
1970	– 19 mars-21 mai : Rencontres d'Erfurt et de Kassel entre Willy Brandt et Willi Stoph.
	– 12 août : Signature du traité de Moscou entre la RFA et l'URSS.
	– 7 décembre : Traité germano-polonais : reconnaissance de la ligne Oder-Neisse.
1972	– 21 décembre : Signature à Berlin-Est du « traité fondamental » entre les deux États allemands.
1973	– 19 juin : Traité Bonn-Prague qui annule les accords de Munich.
	– 18 septembre : La RFA et la RDA entrent à l'ONU.
1974	– 7 mai : Helmut Schmidt succède à W. Brandt.
1975	– 30 juillet/1er août : Acte final de la conférence d'Helsinki.
1982	– Octobre : Accession de H. Kohl à la chancellerie.
1983	– 23 octobre : Arrivée des Pershing en RFA.
1984	– Mars/avril : Afflux à l'Ouest des Allemands de l'Est.
1987	– 7/11 septembre : Première visite d'Erich Honecker, chef de l'État est-allemand, en RFA.
1988	– 7/9 janvier : Visite officielle d'E. Honecker à Paris.
	– Août : Exode des Allemands de l'Est via la Hongrie.
1989	– 10 septembre : Budapest laisse les Allemands de l'Est se trouvant en Hongrie gagner « le pays de leur choix ».
	– 25 septembre : Manifestations à Leipzig.
	– 9 novembre : Les autorités est-allemandes décident l'ouverture des frontières. Des milliers de Berlinois franchissent le mur.
	– 28 novembre : Le chancelier H. Kohl présente au Bundestag un plan de réunification.
1990	– Janvier : Manifestations en RDA.
	– 10 février : M. Gorbatchev accepte l'idée de la réunification.
	– 14 mars : Les quatre puissances alliées et les deux États alle-mands entament des pourparlers.
	– 18 mars : Élections en RDA : victoire de l'« Alliance pour l'Allemagne », favorable à une réunification rapide.
	– 1er juillet : Le deutsche mark devient la monnaie de la RDA.
	– 16 juillet : Gorbatchev accepte le maintien d'une Allemagne unie dans l'OTAN.
	– 31 août : RFA et RDA signent à Berlin le traité d'union.
	– 12 septembre : Traité de Moscou portant règlement de la question allemande.
	– 3 octobre : Unification de l'Allemagne.

Enfin, il garantit la défense des droits de l'homme et en particulier la notion de libre circulation des personnes et des idées.

LA CRISE DES BLOCS

LA CRISE DANS LE BLOC OCCIDENTAL

Plusieurs phénomènes concourent à modifier la physionomie du monde occidental : l'évolution stratégique, la nouvelle puissance économique des États européens qui s'organisent au sein de la CEE, la volonté française d'indépendance nationale et la crise du système monétaire international.

La croissance, qui avait connu un essor remarquable depuis les années 1950, est particulièrement nette dans les années 1960. Elle profite aux États-Unis dont l'activité économique et financière est omniprésente. Mais c'est aussi le temps des miracles économiques et de la montée en puissance de l'Europe et du Japon.

La crainte d'une suprématie américaine

L'évolution de la pensée stratégique aux États-Unis introduit à partir de 1961-1962 une contradiction au sein de l'Alliance atlantique entre les nécessités techniques et politiques. Comment associer les alliés à la décision dans une stratégie de dissuasion ? Techniquement, la nécessité d'une unité de volonté en temps de crise est indéniable. Pourtant si chaque décision doit être concertée, la crédibilité de la dissuasion est affaiblie, et c'est alors consacrer le monopole absolu de la décision au profit de la principale puissance de l'Alliance et confiner les alliés dans une situation de subordination. Dans une stratégie de représailles massives, les intérêts collectifs des alliés étaient protégés. Avec la stratégie des représailles graduées, les alliés peuvent toujours craindre que seuls les intérêts de la puissance dominante soient pris en compte. Dès le début de son mandat, le président Kennedy fait un important voyage en Europe, où il évoque son souhait de transformer les relations transatlantiques.

• *La proposition américaine d'une Communauté atlantique.* Le 4 juillet 1962 à Philadelphie, le président des États-Unis, John F. Kennedy, propose une redéfinition des rapports de force entre les États-Unis et ses alliés par la formule du « partnership ». La Communauté atlantique, qu'il souhaite instaurer, reposerait sur deux piliers, les États-Unis d'Amérique et les « États-Unis d'Europe ». En matière stratégique, la contrepartie au monopole américain de décision d'emploi, « un seul doigt sur la gâchette », serait la constitution d'une force multilatérale.

Cela consisterait à faire de l'OTAN une nouvelle puissance nucléaire par la création d'une force atlantique intégrée. Cette force serait composée de 25 navires de surface, portant chacun 8 missiles Polaris A 3 d'une portée de 4 600 km : l'équipage de chaque bâtiment serait au moins de trois nationalités différentes. Ainsi seraient absorbées la petite force atomique britannique et la force française, alors embryonnaire. Mais ce projet, de portée limitée puisque son potentiel aurait correspondu à 3 % de celui de la force nucléaire des États-Unis, ne résout pas les contradictions politiques. L'emploi de la force ne peut être décidé que par le consentement unanime des États participants (parmi lesquels les États-Unis) qui ont tous un droit de veto, les États-Unis conservant leur liberté d'action sur leur propre force. En décembre 1962, à Nassau, le président Kennedy propose aux Britanniques de leur livrer des fusées Polaris, en échange des fusées Skybolt commandées aux Américains. C'est un premier pas vers l'absorption de la petite force stratégique britannique dans la force américaine.

Le Royaume-Uni accepte de n'utiliser sa force nucléaire qu'en accord avec les Américains, la France gaullienne n'entend pas renoncer à la constitution de sa propre force de frappe nucléaire et fait échouer le projet de force multilatérale.

La politique française d'indépendance nationale

• *Le défi gaullien s'oppose, en effet, au grand dessein de Communauté atlantique.* Dès son retour au pouvoir, le général de Gaulle proclame son intention d'obtenir une nouvelle répartition des responsabilités au sein de l'Alliance atlantique. Par un mémorandum adressé au président Eisenhower et au premier ministre MacMillan, le 14 septembre 1958, de Gaulle propose de créer un directoire à trois, habilité à prendre des décisions conjointes sur les problèmes qui intéressent le monde entier et non pas seulement le territoire concerné par l'OTAN. Le refus opposé par le président Eisenhower en octobre 1958 est fondé à la fois sur l'idée que les autres alliés ne peuvent être tenus en marge des décisions du directoire et la volonté de ne pas avoir les mains liées lors de l'emploi éventuel de l'arme atomique. Le général de Gaulle, qui tient à disposer d'une force de frappe, instrument d'une politique d'indépendance nationale, ordonne la poursuite du programme atomique français, malgré les discrètes pressions des États-Unis. Des lois-programmes vont peu à peu donner à cette force les structures indispensables. Aussi bien de Gaulle s'oppose-t-il, dans sa conférence de presse du 14 janvier 1963, à la fois à l'entrée de la Grande-Bretagne dans le Marché commun et à l'intégration des forces atomiques nationales dans l'OTAN.

Face aux présidents des États-Unis, Eisenhower, Kennedy puis Johnson, de Gaulle pratique une politique d'indépendance nationale. Placé devant le refus américain de son idée de directoire, il commence à distendre les liens de la France avec l'OTAN. De Gaulle poursuit l'effort de la IVe République pour doter la France d'un armement atomique indépendant. Refusant de se plier aux pressions des deux grands pour arrêter la prolifération des armes nucléaires, la France accède au club très fermé des puissances qui possèdent l'arme atomique le 13 février 1960 et au Club thermonucléaire en août 1968.

• *Sur le plan de la politique étrangère, la France prend de plus en plus de ses distances vis-à-vis des États-Unis.* En 1964, de Gaulle accomplit un périple en Amérique latine et il reconnaît la même année la Chine populaire, contrairement aux souhaits américains. Il prend ses distances avec l'OTASE. Favorable à la détente, il développe des contacts avec l'Est. Il observe le 23 juillet 1964 que « la répartition du monde en deux camps répond de moins en moins à la situation réelle » et il accepte en février 1965 la proposition soviétique de concertation entre Paris et Moscou sur l'Asie du Sud-Est : « L'Europe de l'Atlantique à l'Oural » lui paraît le seul cadre possible du règlement des problèmes européens. Une longue série de décisions et de gestes semblables aboutissent au retrait français de l'organisation intégrée de l'OTAN annoncé lors de la conférence de presse du 21 février 1966.

La thèse française est fondée sur la distinction de l'Alliance et de l'Organisation. Celle-ci, progressivement mise en place depuis les années 1951-52, est selon de Gaulle le fruit d'une véritable déviation de l'esprit atlantique. La France refuse l'intégration tout en acceptant le maintien de l'Alliance. La décision française pose de nombreux problèmes. Elle implique l'évacuation des bases américaines et canadiennes établies en France. Elle crée une difficulté avec l'Allemagne où 60 000 soldats français font partie des unités de l'OTAN. Y seraient-ils maintenus et sous quel statut ? En avril 1967, les bases de l'OTAN en France sont évacuées. Plus de 20 000 soldats américains, plus de 80 000 tonnes de matériel, neuf bases, une trentaine de dépôts américains sont transférés hors de France. Le SHAPE, commandé par le général Lemnitzer, qui se trouvait à Rocquencourt, et l'État-Major américain, qui stationnait à Saint Germain-en-Laye, sont déplacés en Belgique. Le Conseil de l'OTAN, installé place Dauphine à Paris, est transféré à Bruxelles.

C'est aussi un affaiblissement de l'Alliance. La France continue de participer au Conseil atlantique dans la mesure où il traite de questions politiques et de collaborer à certains éléments d'infrastructure de l'Alliance atlantique, comme le réseau radar NADGE, système d'alerte couvrant l'ensemble de l'Europe occidentale. Les 14 partenaires de la France — 13, après le retrait du gouvernement grec en 1974 — sont associés dans une organisation militaire intégrée dirigée par un conseil rebaptisé Comité des plans de défense. Le remplacement du chancelier Erhard par Kurt Georg Kiesinger, en novembre 1966, contribue à faciliter l'accord sur le stationnement et le statut des forces françaises d'Allemagne, réalisé le 21 décembre 1966.

Le rapprochement franco-soviétique illustré par le voyage en URSS en juillet 1966 est perçu par les Américains comme la préface à un véritable renversement des alliances. Le voyage au Cambodge en septembre 1966 est l'occasion de critiquer ouvertement la politique américaine au Viêt-nam. De même que dans le conflit du Viêt-nam de Gaulle s'écarte de la position américaine, dans la guerre des Six Jours (juin 1967), il prend délibérément parti contre Israël et donc contre les États-Unis. Son « Vive le Québec libre ! », lancé à Montréal en juillet 1967, fait scandale en Amérique du Nord. Le gouvernement canadien y voit une intervention dans les affaires intérieures du Canada, puisque le général de Gaulle paraît défendre les partisans de l'indépendance d'une des provinces de l'État fédéral canadien.

Fort du rétablissement monétaire réalisé depuis 1958 par la France, le général de Gaulle n'hésite pas dans une conférence de presse retentissante en février 1965 à prôner le retour à un système fondé sur l'or et l'abandon de l'étalon-dollar, dont il dénonce les abus et les dangers. À ses yeux, le déficit continu de la balance des paiements des États-Unis depuis la fin des années 1950 donne à cette puissance un privilège anormal, nourrit l'inflation mondiale et mine tout le système monétaire international.

La crise du système monétaire international

La crise du système monétaire oppose les Européens, qui veulent à la fois le maintien de la protection américaine et la jouissance d'une totale autonomie politique et économique, aux États-Unis, qui de leur côté entendent alléger leurs charges financières sans renoncer à leurs prérogatives.

• *Le déficit commercial américain.* À la fin des années 1950, le système monétaire international est le *Gold Exchange Standard* selon lequel le dollar, dont le taux de change est absolument fixe (35 dollars pour une once d'or), est considéré comme l'équivalent de l'or pour toutes les transactions. Mais la situation économique évolue au profit des pays européens et aux dépens de l'économie américaine. Les investissements massifs des firmes multinationales, les dépenses des États-Unis à l'étranger (guerre du Viêt-nam) aboutissent à déséquilibrer la balance commerciale jusqu'alors bénéficiaire. Du fait de ce déficit trop de dollars circulent dans le monde et le marché libre qui s'instaure auprès du marché officiel rend tout à fait impossible le maintien de la parité du dollar car l'once d'or coûte de 40 à 43 dollars sur le marché libre. D'ailleurs, le stock d'or des États-Unis diminue, et en 1967, la France décide d'échanger ses dollars contre de l'or. La RFA voit ses ressources augmenter grâce à ses exportations. Sa balance commerciale et sa balance des comptes sont excédentaires. Elle refuse de réévaluer le mark, solution que préconisaient les Américains. En 1968, à la suite des secousses internes, le franc est attaqué en juillet et en novembre, mais il résiste grâce à la solidarité des gouverneurs des banques centrales des dix pays les plus riches du monde. Si le général de Gaulle décide, le 24 novembre, de ne pas le dévaluer, son successeur Georges Pompidou doit s'y résigner dès août 1969.

Tout au long des années 1960, les États-Unis doivent donc défendre le dollar. La baisse de leurs réserves en or les accule même en 1968 à réserver la convertibilité du dollar en or aux seules banques centrales étrangères. Mais la balance commerciale des États-Unis devient déficitaire en 1971, pour la première fois depuis 1893.

• *La suspension du Gold Exchange Standard.* Pour couper court à la fuite spéculative des capitaux déclenchée dans l'été par l'annonce des mauvais résultats du commerce extérieur américain, le président Nixon suspend brutalement le 15 août 1971 toute convertibilité du dollar en or, y compris pour les banques centrales, ce qui revient à laisser flotter le dollar. Il prend par ailleurs des mesures protectionnistes (en particulier une surtaxe de 10 % sur les importations) et annonce que les États-Unis n'assoupliront leur attitude que si leurs alliés occidentaux acceptent de partager « le fardeau commun ». Nixon exige des concessions commerciales et monétaires en contrepartie de la protection militaire américaine. Le flottement du dollar aboutit à un marasme monétaire et commercial, facteur d'inflation et de crise généralisée.

• *La dévaluation du dollar.* En décembre 1971 (accord de la *Smithsonian Institution*) et en février 1973, les États-Unis acceptent de dévaluer le dollar et obtiennent une série de réévaluations des monnaies les plus performantes, en particulier le yen et le mark. Ces mesures ont pour effet de casser en deux l'Europe monétaire : d'un côté les États à monnaie forte, de l'autre les États à monnaie faible. Le fonctionnement de la CEE s'en trouve perturbé d'autant plus que la crise correspond à l'entrée dans le Marché commun, en 1972, du Royaume-Uni, de l'Irlande et du Danemark.

La constitution de l'Europe des Neuf

Les traités de Rome avaient prévu une période transitoire de douze ans pour l'abolition progressive des barrières douanières entre les États membres de la CEE et la mise en place d'un tarif extérieur commun.

Au cours de la première étape (1959-1962), la libération des échanges intracommunautaires portant sur les produits industriels se fait plus rapidement que prévu, mais le passage à la seconde étape est plus délicat en raison du démarrage du Marché commun agricole.

• *Les succès de l'Europe des Six.* De longues négociations (« marathons » agricoles de janvier 1962, décembre 1963 et décembre 1964) permettent au Marché commun de poursuivre ses progrès. Celui-ci ne comporte pas seulement des aspects douaniers, mais il implique aussi une politique agricole commune, comprenant l'organisation de plusieurs marchés importants (céréales, lait, viande), la fixation de prix communs et la création d'un Fonds européen d'Orientation et de Garantie agricole (FEOGA) chargé du financement de cette politique à laquelle la France tient beaucoup en raison de l'importance du secteur agricole dans son économie.

L'Europe des Six se révèle être une réussite, même si sur le plan politique les oppositions entre deux conceptions européennes, celle des partenaires de la France (une Europe fédérale, à caractère supranational) et celle du général de Gaulle (l'Europe des patries), empêchent l'organisation d'une Europe politique en 1961-62, au moment des projets de plan Fouchet. On se borne en avril 1965 à décider la fusion des exécutifs des trois communautés (CECA, CEE, Euratom). Un Conseil des communautés et une Commission unique entrent en fonctions en juillet 1967.

• *Les mesures douanières.* En octobre 1962, Kennedy avait obtenu du Congrès le vote d'une loi douanière, le *Trade Expansion Act*, aux termes de laquelle les Américains négocieraient avec les Européens dans le cadre du GATT une baisse réciproque de 50 % de leurs droits de douane de façon à stimuler le commerce transatlantique. Ces négociations, dites du *Kennedy Round*, se terminent le 16 mai 1967 à Genève; la CEE s'y affirme comme le partenaire principal des États-Unis, capable de tenir tête à la première puissance économique du monde, en vue d'appliquer à partir de 1968 un désarmement douanier réciproque.

• *La crise de 1965*, provoquée par le refus de la France d'accepter une extension du rôle du FEOGA et le remplacement de la règle d'unanimité par celle de majorité, est un reflet du différend entre les deux conceptions de l'Europe. Pendant six mois, la France s'abstient de participer aux réunions du Conseil des ministres de la CEE et pratique la « politique de la chaise vide ». En janvier 1966, le compromis de Luxembourg permet à la France de reprendre sa place au Conseil en contrepartie du maintien de la règle de l'unanimité lorsque des « intérêts très importants » sont en jeu. Le redémarrage effectif du Marché commun au mois de mai permet d'achever l'union douanière le 1er juillet 1968 (un an et demi avant la date prévue).

• *La mise en place du « serpent monétaire » européen.* En revanche, l'union monétaire envisagée à la conférence de La Haye en décembre 1969 et définie à Bruxelles en février 1971 sur la base du « rapport Werner » va rapidement se trouver bloquée par les difficultés du système monétaire international de 1969 à 1971 et par la crise économique mondiale qui commence en 1973. Pour échapper aux variations du cours du dollar, qui continue à fluctuer au gré de la spéculation, les pays de la CEE organisent en avril 1972 le « serpent monétaire » européen qui fixe les parités entre leurs monnaies et limite les marges de fluctuation afin de préserver la régularité de leurs échanges. Pour corriger les disparités de concurrence qui apparaissent au sein de la Communauté quand les parités des monnaies sont modifiées, on crée un système de taxes et de subventions, les « montants compensatoires monétaires » (MCM).

• *Les nouvelles demandes d'adhésion.* Séduits par l'attrait du Marché commun, plusieurs pays sollicitent leur adhésion ou une formule d'association. La CEE conclut ainsi des accords avec la Grèce (1961), la Turquie (1963), Malte (1970) et surtout, par les accords de Yaoundé (1963 et 1969), avec dix-huit pays d'Afrique francophone.

La demande de conversations exploratoires du Royaume-Uni, en 1961, suivie de celle d'autres pays de l'Association européenne de Libre Échange (AELE), se heurte en 1963 à l'analyse du général de Gaulle qui estime « que la nature, la structure et la conjoncture propres à la Grande-Bretagne diffèrent profondément de celles du continent ». Une nouvelle demande d'adhésion britannique est posée par le Premier ministre travailliste Wilson en 1967, moins par conviction européenne que pour secourir une économie mal en point. Elle est rejetée une nouvelle fois par le général de Gaulle.

Les changements politiques en France et en Grande-Bretagne vont favoriser la solution de ces problèmes. En France, à la suite du référendum de 1969 qui entraîne la démission du général de Gaulle, Georges Pompidou accède à la présidence de la République. Il poursuit la même politique extérieure que celle de son prédécesseur, sauf sur la question de l'admission de l'Angleterre dans le Marché commun, où lors de la conférence de La Haye, en décembre 1969, il propose le triptyque : achèvement de l'Europe agricole, élargissement à la Grande-Bretagne, approfondissement par la relance de la construction communautaire. Aux élections générales du 18 juin 1970, en Grande-Bretagne, les travaillistes sont battus et le pouvoir passe au conservateur Edward Heath. L'arrivée des conservateurs facilite beaucoup la négociation déjà entreprise à l'époque d'Harold Wilson. Les difficultés n'en demeurent pas moins, ce sont la contribution de la Grande-Bretagne au budget communautaire, le rôle de la livre comme monnaie de réserve et les liens économiques préférentiels avec le *Commonwealth* (sur le sucre et le beurre en particulier) que la Grande-Bretagne voudrait préserver tout en refusant de respecter le traité de Rome qui implique, en cas d'importations extérieures, de payer au budget de la Communauté un certain pourcentage. La négociation aboutit à un compromis en juin 1971, consistant pour la Grande-Bretagne à verser au budget communautaire un peu plus de 8 % en 1973 et presque 19 % au bout de huit ans. Le cas des exportations de beurre de Nouvelle-Zélande vers l'Angleterre est réglé par un statut spécial. L'intégration de la livre dans le futur système monétaire européen est laissée dans l'ombre.

Le 22 janvier 1972, est signé à Bruxelles le traité d'adhésion non seulement de la Grande-Bretagne mais aussi du Danemark, de l'Irlande et de la Norvège. Par la suite, les Norvégiens refusent par référendum d'entrer dans le Marché commun. L'Europe des Six devient le 1er janvier 1973 l'Europe des Neuf.

LA CRISE DANS LE MONDE COMMUNISTE

Les années 1960 se traduisent par un ralentissement du développement économique en URSS, qui ne peut surmonter ses problèmes agricoles et ne parvient pas à rattraper son retard pour la production de biens de consommation. Malgré les promesses de Khrouchtchev, pour qui le niveau de vie de l'Union soviétique devrait rejoindre et dépasser celui de l'Ouest, il y a en URSS non seulement un retard sur ce plan, mais un décalage technologique grandissant. L'intelligentsia soviétique met en cause la bureaucratie, c'est-à-dire, en dernier ressort, l'appareil du Parti. Ces difficultés sont la cause directe de la chute de Nikita Khrouchtchev, qui cumulait les fonctions de Premier secrétaire du Comité central du Parti communiste et de président du Conseil des ministres, victime d'une révolution de palais le 15 octobre 1964.

Ses successeurs, Leonid Brejnev, secrétaire général du parti communiste de l'Union soviétique et Kossyguine, premier ministre, sont confrontés au même problème de la modernisation de l'économie et de la société soviétiques. La ligne

Brejnev, qui refuse de libéraliser la vie des Soviétiques, l'emporte et a aussitôt des répercussions tant à l'intérieur qu'à l'extérieur du pays. En février 1966, le procès intenté aux intellectuels Siniavski et Daniel et leur condamnation prouvent la volonté des idéologues du parti, soutenus par l'armée rouge, de mettre au pas l'intelligentsia afin qu'elle soit dans la ligne et serve la cause du parti. C'est le début du « regel culturel » et de l'exil intérieur d'Alexandre Soljenitsyne.

Le modèle soviétique, terni par les révélations sur le Goulag, est contesté par la Chine populaire et par les démocraties populaires où se font jour à la fois des aspirations nationales et libérales.

Le schisme sino-soviétique

La naissance de l'antagonisme entre la Chine et l'Union soviétique remonte aux années 1950, alors que des accords de coopération lient étroitement ces deux pays. Le conflit est à la fois un classique conflit d'intérêt de puissance et de territoire, mais aussi une opposition idéologique, qui éclate au moment du XXe Congrès du parti communiste de l'Union soviétique, en 1956.

Dès 1957, face à un renforcement des liens entre les États-Unis et la Chine nationaliste, l'Union soviétique ne réagit pas. Le gouvernement de Pékin reproche aux Soviétiques de chercher la paix à tout prix et d'abandonner la stratégie révolutionnaire pour s'engager dans le révisionnisme. Après un voyage à Moscou, Mao Tsê-Tung lance en 1958 le « Grand Bond en avant » et les communes populaires et, dans le même temps, il fait bombarder les îlots de Matsu et Quemoy et renforce les liens de la Chine avec les éléments les plus révolutionnaires du Tiers Monde. C'est un double défi chinois à l'Union soviétique et aux États-Unis. Khrouchtchev condamne l'expérience des communes chinoises et il en vient finalement à suspendre son aide économique et technique et à rapatrier les milliers d'experts et stagiaires que l'Union soviétique entretenait sur le territoire chinois. Désormais, à la rivalité des partis, à l'affrontement idéologique, se superpose la lutte implacable de deux États qui éclate au grand jour en 1962. Éprouvée par les erreurs du « grand bond en avant », isolée du bloc socialiste, la Chine resserre ses liens avec l'Albanie (accords de janvier 1962). C'est dire l'isolement chinois.

• *En avril 1962, Moscou fomente des émeutes à la frontière du Sinkiang* et soutient l'Inde dans le conflit qui l'oppose à la Chine à propos du Tibet. Il s'agit d'un conflit frontalier aggravé par la persistance du nationalisme tibétain, personnifié dans le Dalaï Lama qui se réfugie en Inde. En septembre et octobre 1962, la Chine lance une offensive victorieuse contre cette dernière. Les Chinois saisissent l'occasion de la crise de Cuba pour accuser les Soviétiques d'avoir capitulé devant l'impérialisme américain. Le 12 décembre 1962, lors d'une réunion des représentants des partis communistes à Moscou, Khrouchtchev estime que « le danger principal est le dogmatisme des dirigeants chinois » et il ironise sur la passivité du régime de Pékin face aux « empiétements impérialistes » à Hong Kong, Macao et Formose.

• *À partir de 1963, à la cassure doctrinale entre Moscou et Pékin s'ajoute un litige territorial*, auquel l'accession de la Chine au club atomique, le 1er octobre 1964, donne tout son éclat. Les dirigeants chinois ripostent, le 8 mars 1963, en déterrant le problème des « traités inégaux » imposés au XIXe siècle par la Russie qui aurait conquis sur la Chine d'importants territoires, auxquels il faut ajouter un contentieux portant sur 600 îles sur les fleuves Amour et Oussouri. Les Soviétiques répliquent que les acquisitions faites au XIXe siècle sont inaliénables et que les frontières de l'URSS sont intangibles.

• *Cette revendication territoriale n'atténue pas la confrontation idéologique.* Le 15 juin 1963, Mao Tsê-Tung adresse à Khrouchtchev une lettre par laquelle, en vingt-cinq points, il récuse la prééminence du parti communiste de l'Union soviétique. Aux yeux des Chinois, « les tsars du Kremlin » sont des révisionnistes devenus un allié objectif des États-Unis. Une lutte s'engage entre les deux États pour le leadership du communisme mondial, malgré une courte trêve à la suite de la chute de Khrouchtchev.

Lorsqu'éclate en 1966 la révolution culturelle en Chine, les Soviétiques prennent parti contre Mao Tsê-Tung et tentent de dresser contre le pouvoir central les minorités nationales du Sinkiang. Après avoir fait exploser sa première bombe A le 16 octobre 1964, la Chine expérimente la bombe H le 17 juin 1967. L'accession de la Chine au rang de puissance thermonucléaire pourrait avoir incité les Soviétiques à envisager une attaque nucléaire « préventive » sur l'arsenal atomique chinois au Sinkiang. En 1969, l'affrontement semble imminent. Des combats ont lieu sur le fleuve Oussouri; et la Chine, qui prend au sérieux la menace soviétique, se prépare à une volte-face diplomatique.

La contestation en Europe orientale

La contestation idéologique entreprise par Pékin altère, dans les années 60, le prestige soviétique et a d'importantes répercussions sur les rapports entre l'Union soviétique et les démocraties populaires. Si l'Union soviétique tolère que la Roumanie prenne quelques initiatives, elle n'hésite pas à réprimer la révolution tchécoslovaque.

• *En Yougoslavie*, le problème fondamental, qui est celui de la coexistence de plusieurs communautés nationales, se complique de la perspective de la succession de Tito et de la contestation étudiante importée d'Occident.

Tito réussit à apaiser les tensions entre Serbes et Croates et à désamorcer la contestation générale qui se développe en 1963, relayée en Yougoslavie par l'opposition libérale de Milovan Djilas. Mais à la suite de l'intervention soviétique en Tchécoslovaquie, la Yougoslavie — qui la désapprouve — est plus que jamais isolée.

• *En Pologne*, W. Gomulka au pouvoir depuis quatorze ans réprime vigoureusement les émeutes de Gdansk (14-15 décembre 1970); les troubles qui s'étendent aboutissent au remplacement de Gomulka par Édouard Gierek au poste de Premier secrétaire.

• *La Roumanie* manifeste d'abord une relative autonomie au sein du Conseil d'assistance économique mutuelle (COMECON); elle refuse la spécialisation économique que veut lui imposer l'URSS, puis garde une certaine neutralité dans le conflit qui oppose Moscou et Pékin et publie en 1964 une véritable déclaration d'indépendance. À partir du printemps 1966, les dirigeants roumains affectent de considérer que le pacte de Varsovie est bien une alliance comme les autres, que l'indépendance de ses membres n'est pas une fiction. Ils adoptent une politique extérieure originale, développant une attitude de neutralité active dans le conflit du Proche-Orient, établissant des relations diplomatiques avec l'Allemagne fédérale dès le 31 janvier 1967, au moment où la Hongrie, la Bulgarie et la Tchécoslovaquie se rallient à la « doctrine Ulbricht » qui pose la reconnaissance de la RDA et l'inviolabilité de ses frontières comme condition préalable à l'établissement de rapports normaux avec le gouvernement de Bonn. Lors de l'intervention du pacte de Varsovie en Tchécoslovaquie, le 21 août 1968, Bucarest ne participe pas à l'opération et blâme même l'URSS de l'avoir réalisée. En août 1969, la Roumanie est le premier pays socialiste — en dehors de l'URSS — à accueillir un président américain en la personne de Richard Nixon.

• *La Tchécoslovaquie et le « printemps de Prague »*. À la différence de la Roumanie qui conserve un régime intérieur très rigoureux, la Tchécoslovaquie connaît depuis 1963 une certaine libéralisation. Lors du Congrès du parti communiste tchécoslovaque, en 1962, la déstalinisation se développe malgré le maintien au pouvoir du stalinien Novotny. L'aspiration à la réforme économique s'ajoute à l'aspiration à plus d'autonomie de la Slovaquie par rapport à la Bohême et à la volonté clairement exprimée à la suite de la guerre israélo-arabe de juin 1967 d'une politique plus ouverte. Une aile « libérale » menée par le secrétaire du parti slovaque, Alexandre Dubcek, conteste ouvertement Novotny, abandonné par les Soviétiques. Le 4 janvier 1968, il démissionne de son poste de secrétaire général du parti communiste. Le communiste modéré Dubcek lui succède, tandis que le général Ludvik Svoboda est élu en mars chef de l'État. De plus en plus populaire parmi les intellectuels et parmi les ouvriers, Dubcek croit pouvoir concilier le système socialiste et le respect des libertés. Le programme d'action du parti communiste tchèque, adopté en avril 1968, admet la création d'autres partis politiques et la libéralisation de l'information. C'est « le printemps de Prague ».

Une nouvelle loi constitutionnelle est préparée; un nouveau gouvernement se met en place, dirigé par Cernik, partisan de la libéralisation et l'économiste Ota Sik. L'Assemblée nationale élit comme président le plus « libéral » des communistes tchécoslovaques, Smrkovsky. La préparation du Congrès du parti communiste tchécoslovaque est l'occasion d'une confrontation passionnée entre Novotnistes et partisans des réformes.

Les Soviétiques considèrent le « printemps de Prague » avec méfiance. Les milieux dirigeants des démocraties populaires craignent la contagion qui est déjà sensible en Pologne et ils poussent les dirigeants soviétiques à intervenir. En juillet 1968, Dubcek refuse une concertation proposée par les dirigeants du pacte de Varsovie. Bien que le projet de révision des statuts du parti tchécoslovaque, adopté à l'unanimité le 9 août 1968 par le Présidium, rétablisse un certain nombre de libertés (vote secret et droit d'expression), les réformes ne vont pas aussi loin qu'en Hongrie : le parti communiste doit garder une situation prééminente, même si l'on parle d'un retour à un système multiparti, et loin de prétendre à un statut de neutralité formelle, on ne cesse de réaffirmer l'appartenance au pacte de Varsovie. Ce gouvernement communiste tchécoslovaque bénéficie d'un large soutien populaire.

Le 21 août, les troupes du pacte de Varsovie appartenant à cinq pays (URSS, Allemagne de l'Est, Pologne, Hongrie et Bulgarie) pénètrent sur le sol tchécoslovaque et se précipitent vers les objectifs les plus importants de Prague.

L'ambassadeur soviétique à Prague, Tchervonenko, et les Tchèques prosoviétiques font arrêter les dirigeants du « printemps de Prague ». Mais la résistance s'organise autour du président de la république, Svoboda, avec une grève de protestation décidée par le Congrès du parti réuni clandestinement.

Les dirigeants tchèques libérés et réintégrés dans leurs fonctions sont convoqués au Kremlin et signent le 26 août les accords de Moscou, qui marquent une limitation sérieuse à la libéralisation et aux réformes entreprises. Dès le 16 octobre, les Soviétiques imposent un nouveau traité impliquant le stationnement « temporaire » de leurs troupes sur le territoire tchécoslovaque. L'agitation antisoviétique n'en continue pas moins. En mars et avril 1969, à la suite d'un véritable ultimatum du maréchal Gretchko, ministre soviétique de la Défense, des incidents aboutissent à l'éviction de Dubcek de son poste de secrétaire général du parti et à son remplacement par Gustav Husak; la normalisation suit son cours. Une vaste épuration du parti est organisée. La censure est rétablie.

L'URSS préserve ainsi de la contagion les autres satellites et fait triompher une interprétation nouvelle du pacte de Varsovie connue sous le nom de « doctrine Brejnev ». La souveraineté nationale de l'État socialiste est limitée. Elle doit s'effacer au profit de l'intérêt général de la Communauté des États socialistes. Mais l'intervention en Tchécoslovaquie a soulevé une réprobation générale en Occident, y compris de la part des partis communistes italien, français et espagnol. Au sein du pacte de Varsovie, la Roumanie s'est prononcée contre cette action, tandis que l'Albanie s'en est même retirée en septembre 1968.

Lorsque la conférence des soixante-quinze partis communistes se réunit à Moscou du 5 au 17 juin 1969, c'est à la fois la reconnaissance pour l'Union soviétique de son rôle de direction du mouvement communiste international, mais aussi la fin du monolithisme, car la conférence proclame le principe des voies différentes vers le socialisme.

LE TIERS MONDE À L'ÈRE DE LA DÉTENTE (1962-1973)

C'est dans le contexte des crises (de celle de Suez à celle de Cuba) que naît le rôle international des pays du Tiers Monde. Mais il prend tout à fait son essor à l'ère de la détente.

• *L'affaiblissement du rôle moral de l'ONU.* L'affirmation des pays nouvellement indépendants se fait par l'intermédiaire de l'entrée à l'Organisation des Nations Unies qui voit s'accroître le nombre de ses membres et s'alourdir ses problèmes. En 1973, les Nations Unies comprennent 135 membres. Les seuls États qui n'en font pas alors partie sont la Suisse, les deux Corée, les deux Viêt-nam, Formose, la Rhodésie du Sud et le Bangladesh. Sur ce total, 25 États se rattachent au camp occidental, 12 au camp oriental, la plupart des autres se disent et se veulent non engagés Les pays du Tiers Monde sont donc majoritaires et ils disposent même de la majorité des deux tiers nécessaire pour faire passer les résolutions au sein de l'Assemblée générale. L'ONU devient ainsi la caisse de résonance du Tiers Monde et en subit aussi les contre-coups. L'héritage de la décolonisation est lourd. L'ONU est engagée dans une guerre au Congo, sans avoir les ressources nécessaires en troupes et en argent. Elle est menacée d'une faillite financière énorme. Le secrétaire général des Nations Unies, Dag Hammarskjöld, qui considère son rôle comme celui d'un arbitre, entre en conflit ouvert avec plusieurs chefs de gouvernement. Au début de son mandat (1961-1971), le Birman U Thant, qui représente précisément le monde afro-asiatique, réussit à dégager les Nations Unies du Congo et à affirmer à plusieurs reprises l'indépendance de l'Organisation. Mais la période voit aussi l'affaiblissement des Nations Unies. Sous l'influence du groupe afro-asiatique, l'ONU passe son temps à protester contre le régime d'apartheid en République sud-africaine, le régime raciste en Rhodésie du Sud et le colonialisme sous toutes ses formes. Plusieurs dizaines de résolutions très fermes se révèlent sans portée réelle. Le secrétaire général subit l'érosion du rôle moral des Nations Unies.

• *Les premières rencontres des pays non engagés.* La plupart des pays du Tiers Monde s'affirment aussi non engagés et disent rejeter l'alignement aussi bien sur le camp occidental que sur le camp soviétique. La première conférence des pays non engagés se tient à Belgrade, du 1er au 6 septembre 1961, à l'invitation du président yougoslave Tito, du président égyptien Nasser et du président indien Nehru. Il s'agit pour les 25 États participants de manifester leur réprobation de la politique des blocs, du néo-colonialisme, qui substitue les contraintes économiques aux liens politiques, et du surarmement des grandes puissances. Les non-engagés poursuivent leur combat en réunissant de nouvelles conférences, au Caire (1964), puis à Lusaka (1970), au cours desquelles ils insistent de plus en plus sur l'indépendance économique. La conférence d'Alger, en septembre 1973, est la confirmation d'une nouvelle stratégie de concertation entre pays producteurs de matières premières.

Les non-alignés n'ont pas alors de cohésion véritable. Ils connaissent aussi des querelles internes. En définitive, l'entente se résume à condamner l'impérialisme des Occidentaux tout en s'efforçant de tenir la balance égale entre les deux Grands et à affecter un neutralisme de façade. Mais des divisions apparaissent entre les tenants d'un strict neutralisme et les partisans d'une action résolue contre le néo-colonialisme. Les tensions internationales dans le camp oriental révèlent au grand jour les divergences idéologiques entre Moscou et Pékin, entre lesquels le choix n'est pas simple. Néanmoins des regroupements s'opèrent dans un cadre régional.

LES REGROUPEMENTS DES ÉTATS DU TIERS MONDE

Issus des frontières héritées de la colonisation, les territoires de ces États sont souvent hétérogènes et constituent des entités artificielles. À partir de l'indépendance, deux tendances contraires apparaissent : l'une tend à l'émiettement, l'autre au regroupement. L'union du Sénégal et du Soudan à l'intérieur du Mali n'a duré que quelques mois. L'union de l'Égypte et de la Syrie au sein de la République arabe unie a duré de 1958 à 1961. Le plus souvent, des États du Tiers Monde ont préféré des regroupements plus vagues. Le Conseil de l'Entente comprend la Côte-d'Ivoire, la Haute-Volta, le Dahomey et le Niger. Le panafricanisme, lui, ambitionne de réaliser l'unité économique et politique du continent noir.

En décembre 1960, tous les États francophones à l'exception du Togo, du Mali et de la Guinée constituent le « groupe de Brazzaville », favorable à la coopération avec la France, qui se transforme en Union africaine et malgache (UAM) au printemps 1961 et en Organisation commune africaine et malgache (OCAM) en février 1964. Le nouveau président de l'ex-Congo belge (devenu Congo-Léopoldville puis Congo-Kinshasa, enfin Zaïre) y adhère. Le conflit du Biafra contribue à diviser l'OCAM.

À l'encontre des modérés du « groupe de Brazzaville » et du « groupe de Monrovia », réunissant les douze pays du groupe de Brazzaville et d'autres pays africains, notamment anglophones, se constitue en janvier 1961 le « groupe de Casablanca » qui comprend le Maroc, le Ghana, la Guinée, le Mali et la République arabe unie, groupe hostile au néo-colonialisme et aux essais nucléaires français au Sahara. L'Afrique apparaît bien divisée.

7 — LES PAYS MEMBRES DE L'ORGANISATION DE L'UNITÉ AFRICAINE (mars 1993)

Algérie
Angola
Bénin
Botswana
Burkina Fasso
Burundi
Cameroun
Cap-Vert
Comores
Congo
Côte d'Ivoire
Djibouti
Égypte
Érythrée
Éthiopie
Gabon
Gambie
Ghana
Guinée
Guinée Bissau
Guinée équatoriale
Kenya
Lesotho
Liberia
Libye
Madagascar
Malawi

Mali
Maroc*
Maurice (île)
Mauritanie
Mozambique
Namibie
Niger
Nigeria
Ouganda
République arabe Sahraouie
République centre-africaine
Ruanda
Sao Tomé
Sénégal
Seychelles
Sierra Leone
Somalie
Soudan
Swaziland
Tanzanie
Tchad
Togo
Tunisie
Zaïre
Zambie
Zimbabwe

* À la suite de l'admission, en 1982, de la République Sahraouie, le Maroc a quitté l'OUA.

À la faveur de la fin de la guerre d'Algérie, les tensions entre les deux groupes de pays africains s'atténuent. À l'invitation de l'empereur d'Éthiopie, Haïlé Sélassié, la conférence d'Addis-Abeba groupant 30 chefs d'État africains adopte en mai 1963 la charte de l'Organisation de l'Unité africaine (OUA, voir encadré 7). Si l'OUA n'a pas fait progresser l'Afrique dans le sens d'une union plus étroite, en, revanche elle a joué un rôle non négligeable en promouvant les intérêts des États africains, en s'opposant au démembrement du Nigeria par exemple.

Au Moyen-Orient, la Ligue arabe tente de favoriser le regroupement des États arabes. Mais l'unité du monde arabe est également revendiquée par différents leaders, comme Nasser, et par des forces politiques, comme le parti Baas.

En Amérique latine, l'Organisation des États américains est confrontée au problème de Cuba, exclu en 1962 et réadmis en 1973, et à la question des guérillas fomentées par les Cubains, en Bolivie, en Colombie et au Venezuela. En janvier 1966, une conférence réunissant des délégués de gouvernements ou de mouvements révolutionnaires d'Afrique, d'Asie et d'Amérique latine choisit La Havane comme siège de l'Organisation «tricontinentale» censée organiser partout la lutte anti-impérialiste.

LE DÉVELOPPEMENT ÉCONOMIQUE ET L'AIDE AU TIERS MONDE

• *Le fossé entre le niveau de vie des pays développés et celui des pays sous-développés se creuse tout au long des années 1960*, si bien que la différence entre le produit national brut par habitant chez les uns et chez les autres est énorme : 3 320 dollars pour les États-Unis, 60 dollars pour Haïti en 1964. Le taux d'accroissement de la population, beaucoup plus fort dans les pays pauvres que dans les pays riches, constitue un obstacle supplémentaire à des changements en profondeur de l'économie de ces pays.

Le décollage économique est limité à quelques pays qui ont créé des foyers industriels. Malgré un gros effort d'industrialisation, les pays sous-développés restent d'abord des pays exportateurs de matières premières. Or les termes de l'échange (rapport entre la valeur des exportations et celle des importations) sont défavorables aux pays en voie de développement. Tandis que les prix de produits industriels en provenance du Nord augmentent sans cesse, en raison de l'inflation, les prix des matières premières vendues par le Sud baissent nettement. On assiste en fait à un «échange inégal» qui déstabilise le Tiers Monde, rendant impossible sa croissance. Face aux nations «nanties», se dressent des nations «prolétaires», qui réclament de l'aide.

• *Les formes de l'aide aux pays sous-développés*. L'aide est soit privée, soit publique. Elle peut prendre la forme d'investissements, de prêts ou de dons. L'aide occidentale est prépondérante. De 1945 à 1970, sur une aide totale au Tiers Monde de 165 milliards de dollars, les Occidentaux en ont fourni 90 %.

L'aide américaine est surtout économique et militaire tout en comprenant aussi l'envoi de techniciens ou de missions, en particulier dans le cadre du *Peace corps*. L'aide financière, qui peut être directe par le biais de *l'Agency for International Development* (AID), passe le plus souvent par le canal de firmes privées ou d'organisations internationales, comme la Banque mondiale. Cette aide s'adresse surtout à l'Asie (Chine nationaliste, Corée du sud, Thaïlande, Pakistan, Viêt-nam du Sud), en second lieu au Moyen-Orient, enfin à l'Amérique latine et à l'Afrique. L'affaire de Cuba amène les dirigeants américains à concentrer leurs efforts sur l'Amérique latine, avec un programme d'aide décidé en août 1961 à la conférence de Punta del Este. Mais l'Alliance pour le progrès ne remporte pas les succès escomptés, en raison des réticences à la fois des entreprises privées et du Congrès. Après 1963, l'aide américaine tend à diminuer en raison du coût de la guerre du Viêt-nam.

L'assistance soviétique, destinée à favoriser l'indépendance économique des pays sous-développés, est sélective. Elle intervient dans le cadre de projets de développement planifié et elle accorde la priorité à l'électrification et à l'industrie lourde. Comme l'Égypte, où l'URSS finance la construction du barrage d'Assouan de 1958 à 1960, et l'Inde, où elle finance des aciéries, les bénéficiaires de cette aide sont presque tous des pays neutralistes : Éthiopie, Guinée, Ghana, Égypte, Syrie, Inde, Afghanistan, Indonésie, Yémen, Ceylan, Irak. Les dons sont limités à des cas exceptionnels. Les prêts sont conclus pour douze ans à un faible taux d'intérêt et les remboursements prévus en monnaie locale ou en produits locaux. Cette aide est subordonnée au recours au matériel et aux techniciens soviétiques. L'assistance technique est loin d'être négligeable, surtout en Égypte, Yémen, Afghanistan, Inde, Indonésie.

L'assistance britannique est surtout économique et financière, organisée autour de l'unité monétaire qui donne son nom à l'ensemble des pays, la zone sterling.

La France consacre une part importante de son produit national brut (près de 2 % en 1960) à l'aide aux pays d'Afrique du Nord, d'Afrique noire et de l'océan Indien. La coopération (instituts, lycées, école, journaux, sociétés savantes, fouilles archéologiques) y est importante. Plus de 30 000 enseignants français exercent à l'étranger, dont la plupart en Afrique du Nord.

• *La diminution et les limites de l'aide.* Depuis 1960, la masse de l'aide aux pays sous-développés a tendance à diminuer en raison des réticences de l'opinion publique et du scepticisme croissant à l'égard de l'efficacité de cette aide. De près de 2 %, la part du PNB français qui lui est consacrée tombe à la fin des années 60 à 0,68 %. Seule la coopération culturelle et technique se développe. La France est en tête avec 52 300 coopérants, en 1970, dont 25 500 enseignants. Le Royaume-Uni envoie 29 000 personnes, la République fédérale d'Allemagne 27 000.

De leur côté, les pays du Tiers Monde, conscients des limites et des contraintes de ces politiques d'aide, préféreraient une organisation des marchés des matières premières qui leur permettrait d'écouler leur production.

De fait le commerce entre États développés et États sous-développés devient le problème prépondérant. En effet, pour les seconds, qui exportent des produits agricoles ou des matières premières, l'influence des cours mondiaux de ces produits est déterminante.

• *L'échec des CNUCED.* C'est l'objet des conférences des Nations Unies pour le commerce et le développement (CNUCED) d'essayer de résoudre ces problèmes. Lors de la première CNUCED, qui se tient à Genève du 23 mars au 15 juin 1964, 120 États sont représentés, dont 77 en voie de développement. Deux thèses s'affrontent : la thèse française, qui propose un accord international pour fixer les prix (alors déterminés par le libre jeu du marché mondial) et alimenter un fonds d'aide aux pays sous-développés, et la thèse anglo-saxonne, hostile à toute tentative pour relever le cours des matières premières et favorable à l'octroi de facilités pour l'exportation de produits manufacturés des pays sous-développés. C'est l'impasse. La seule résolution de la conférence consiste à recommander de consacrer au moins 1 % du revenu des pays industrialisés à l'aide au Tiers Monde. Les 77 pays en voie de développement participant aux travaux de la CNUCED décident de créer une structure spécifique, lors d'une conférence à Alger en octobre 1967, afin de parler d'une seule voie. Mais l'unanimité de façade ne doit pas faire illusion ; elle cache beaucoup de situations variées et laisse la place aux divisions.

La seconde CNUCED (UNCTAD en anglais), qui a lieu à New Delhi du 1er février au 29 mars 1968, se prononce, à la suite des résolutions de la conférence d'Alger, pour le système des préférences tarifaires à accorder aux pays sous-développés.

La troisième CNUCED, qui se déroule à Santiago du Chili du 13 avril au 21 mai 1972, fait d'abord un constat d'échec : alors que les pays développés occidentaux ont en 1970 un PNB par habitant de 3 200 dollars en moyenne, le chiffre correspondant est de 750 pour l'Amérique latine, 270 pour l'Afrique, 260 pour l'Asie. La seule résolution importante consiste en une aide spéciale aux 25 pays les moins développés ayant un PNB *per capita* de moins de 100 dollars par an et dont le PNB provenant de l'industrie est inférieur à 10 %.

Force est de constater que ni l'aide, ni le commerce mondial ne permettent aux pays sous-développés de surmonter leur sous-développement. Certains pays producteurs de pétrole vont alors choisir la voie de l'union pour imposer leur prix.

• *La création de l'OPEP.* À l'issue de la Deuxième Guerre mondiale, les royalties — sommes payées par les grandes compagnies pétrolières aux pays propriétaires des gisements — étaient faibles : 12,5 % au Moyen-Orient. Le Venezuela inaugure en 1948 le système dit *Fifty-Fifty*, soit des royalties de 50 %. Et une situation de conflit se développe entre les États et les grandes compagnies américaines (*Standard New Jersey, Socony Vacuum, Standard California, Texaco, Gulf*) et anglo-hollandaises (*British Petroleum, Royal Dutch Shell*), groupées en consortium. Celui-ci décide en août 1960 de réduire les prix du pétrole brut. Les pays producteurs réagissent en créant, le 15 septembre 1960, l'Organisation des pays exportateurs de pétrole (OPEP) comprenant d'abord le Venezuela, l'Iran, l'Irak, l'Arabie Saoudite, le Koweit, le Qatar, puis la Libye, l'Algérie, le Nigeria, Abu Dhabi. L'action de l'OPEP consiste en un accroissement des royalties puis en la nationalisation de la production. Ainsi l'Irak nationalise en 1972 *l'Irak Petroleum Cy.* Avant même la crise de 1973, les pays du Tiers Monde commencent à utiliser l'arme économique dont ils disposent.

LA MODIFICATION DES RAPPORTS INTERNATIONAUX DANS LE TIERS MONDE

Le Tiers Monde prend d'autant plus d'importance qu'il devient un enjeu entre l'Est et l'Ouest. La crise des deux blocs est à la fois cause et conséquence de profonds changements dans les rapports Nord-Sud. Tout se passe comme si, dans une atmosphère de détente, les affrontements continuaient par pions interposés dans des zones périphériques, en particulier en Asie et en Afrique, avec la guerre du Viêt-nam et la crise du Proche-Orient.

La carte de l'Asie du Sud-Est est bouleversée par la poursuite de la décolonisation, l'affirmation des nationalismes locaux et l'avancée du communisme. En 1954, les États-Unis tentent de fédérer les États pro-occidentaux, Pakistan, Philippines, Thaïlande, autour des trois grandes puissances occidentales. Mais cette organisation, l'OTASE, dépérit peu à peu. Le Pakistan prend ses distances, en concluant en 1963 un accord avec la Chine pour se prémunir contre la politique de son principal voisin, l'Inde, qui poursuit une politique d'amitié étroite avec l'URSS, inaugurée par la visite de Khrouchtchev et Boulganine en 1955. Quant à la Thaïlande, au fur et à mesure que les Américains s'engagent davantage au Viêt-nam, elle est transformée en une immense base militaire, au grand dam des Thaïlandais.

Les gouvernements philippins successifs, y compris celui dirigé par le président Marcos, ont également tendance à réclamer l'évacuation des bases américaines, mais ils ont besoin de l'appui américain dans leurs revendications sur la région du Sabah, au nord-est de l'île de Bornéo, donnée à la Malaisie. Dans cette région du monde, tout tourne autour de la guerre du Viêt-nam.

LA GUERRE DU VIÊT-NAM

Les accords de Genève de 1954 n'ont pas ramené la paix en Indochine. Deux États se constituent de part et d'autre du 17ᵉ parallèle, le Nord-Viêt-nam communiste et le Sud-Viêt-nam qui devient une république après avoir éliminé, par référendum, l'empereur Bao Dai. La clause, qui prévoyait un référendum sur l'unification du Viêt-nam dans un délai de deux ans, n'est pas respectée.

• *Les États-Unis soutiennent au Sud-Viêt-nam le régime du catholique Ngô Dinh Diêm*, le successeur de Bao Dai. Mais le mécontentement d'une population à majorité bouddhiste favorise au sud du 17e parallèle la propagande du Front national de Libération (FNL) et la subversion des Viêt-congs soutenus par le régime du Nord-Viêt-nam. Des unités nord-vietnamiennes s'infiltrent au Viêt-nam du Sud. L'engrenage de la guerre est enclenché. Les Américains estiment essentiel d'intervenir pour maintenir un Viêt-nam du Sud indépendant et libre de toute influence communiste. Des conseillers militaires américains assistent Saigon. En janvier 1961, le président Kennedy décide d'augmenter leur nombre, qui atteint 16 000 à l'automne 1963, au moment de la chute de Ngô Dinh Diêm (le 1er novembre 1963), devenu de plus en plus impopulaire. Le gouvernement américain est alors décidé à prendre directement en charge la guerre du Viêt-nam. L'incident du golfe du Tonkin (août 1964), lorsque des bâtiments de la marine américaine sont attaqués par des vedettes nord-vietnamiennes, lui en donne le prétexte.

• *L'intervention militaire américaine*. Le président Johnson choisit, en août 1964, avec l'accord du Congrès, d'intervenir massivement au Viêt-nam. Dès lors, les effectifs américains ne cessent de croître jusqu'à atteindre 543 000 hommes en 1968. Les bombardements au nord du 17e parallèle visent à partir de février 1965 les objectifs militaires et, en juillet 1966, les abords d'Hanoi et d'Haiphong.

L'aviation opère sans relâche au Nord comme au Sud. Malgré son énorme supériorité matérielle, l'armée américaine s'enlise dans une guerre faite à la fois de guérilla et de batailles de grande ampleur. Au Viêt-nam du Sud, la guerre bouleverse la société et déstabilise le pouvoir; la population aspire à la paix, les bouddhistes réclament l'ouverture de négociations. Hanoi intensifie, avec l'aide conjuguée de Pékin et de Moscou, son aide au FNL. À la fin de l'année 1967, d'ailleurs, l'opinion américaine évolue. Lors d'un sondage d'octobre 1967, il y a plus d'Américains hostiles à la guerre du Viêt-nam que d'Américains favorables. On voit se multiplier des marches pour la paix dans de nombreuses villes américaines, notamment le 22 octobre à Washington, pour faire cesser les bombardements au Viêt-nam du Nord.

• *L'offensive Viêt-cong*. Les responsables américains croient à une solution militaire jusqu'au 31 janvier 1968 où, à leur totale surprise, le Viêt-cong déclenche « l'offensive du *Têt* » (nom du Nouvel An vietnamien) : plus de cent villes et bases sont attaquées simultanément, y compris Hué et Saigon. La base américaine de Khesanh est assiégée pendant plusieurs semaines; la citadelle de Hué est conquise. Des commandos viêt-congs pénètrent jusque dans le centre de Saigon. Une telle offensive montre que la situation est beaucoup plus grave qu'on ne l'avait cru. Les troupes américaines ne peuvent espérer la victoire. Le malaise de l'armée et la résistance croissante d'une partie de l'opinion américaine à l'égard de la guerre du Viêt-nam obligent le président Johnson à annoncer, le 31 mars 1968, l'arrêt partiel des bombardements sur le Nord et le retrait des troupes américaines du Viêt-nam du Sud si le Nord-Viêt-nam en fait autant. Hanoi accepte d'ouvrir en mai des négociations à Paris.

• *Le retrait américain*. Jointe aux autres difficultés du monde occidental, l'affaire vietnamienne provoque aux États-Unis une crise morale d'autant plus profonde qu'ils encourent la réprobation mondiale. La crise souligne les limites de la puissance américaine ; elle soulève également une vive inquiétude dans les régimes anticommunistes de Corée du Sud et du Viêt-nam du Sud, car les Américains évoquent « la viêtnamisation de la guerre » et la nécessité accrue de trouver avec l'URSS un *modus vivendi*.

Tandis que les bombardements continuent entre le 17e et le 20e parallèle et que les manifestations hostiles se développent, les négociations, qui débutent le 13 mai 1968 à Paris, achoppent rapidement. Le 1er novembre 1968, Johnson annonce l'arrêt total des bombardements et l'élargissement de la conférence de Paris au Viêt-cong et au Viêt-nam du Sud, bien que ces deux belligérants refusent de siéger côte à côte.

Dès son entrée en fonction en janvier 1969, le nouveau président des États-Unis, Nixon, met en application ses objectifs : la paix dans l'honneur et la viêtnamisation du conflit qui permettrait de rapatrier progressivement les troupes américaines. Mais en même temps, les États-Unis sont amenés à intervenir contre les sanctuaires nord-vietnamiens du Cambodge et du Laos où Hanoi soutient les Khmers rouges et le Pathet Lao, mouvement nationaliste progressiste né en 1950 qui s'oppose au gouvernement laotien et qui a pris depuis le nom de Neo Lao Hak-sat. Le premier retrait de soldats américains — 25 000 hommes — a lieu dès juillet 1969. Au 1er mai 1971, il ne reste plus que 325 000 soldats américains.

• *La viêtnamisation du conflit* ne signifie pas forcément la fin des hostilités, parce que le Viêt-nam du Nord — dont le dirigeant Ho Chi Minh meurt le 3 septembre 1969 — tient à l'unification du pays et que la péninsule indochinoise est secouée par des bouleversements. Au Viêt-nam du Sud, le FNL crée un « gouvernement révolutionnaire provisoire » (GRP).

Au Cambodge, dont la neutralité avait été louée par le général de Gaulle en 1967, le prince Norodom Sihanouk est renversé le 18 mars 1970 par un coup d'État, fomenté par le général Lon Nol soutenu par les États-Unis. Dans un premier temps, ceux-ci franchissent la frontière et vont intervenir ensuite avec leur aviation pour bombarder des groupes de Khmers rouges qui entretiennent la guérilla.

Pendant ce temps, Norodom Sihanouk crée un gouvernement cambodgien en exil. Communistes cambodgiens et partisans de Sihanouk entament la lutte contre le gouvernement de Lon Nol et contre leurs alliés américains. Le 3 juin 1970, devant la pression de l'opinion américaine, Nixon annonce que les forces d'intervention américaines au Cambodge — soit à peu près 30 000 hommes — seront retirées avant le 1er juillet.

Quant au Laos, le régime neutraliste mis en place au début de 1960 avec l'accord américain, consacré par le traité de 1962 et dirigé par le prince Souvanna Phouma, il est sapé par les interventions de la CIA et attaqué par les révolutionnaires laotiens, groupés autour du Pathet Lao et commandés par le prince Souphanouvong, qui est le demi-frère de Souvanna Phouma.

• *La « fin » de la guerre et l'invasion khmer rouge.* Une offensive générale de l'armée nord-vietnamienne et de celle du Gouvernement révolutionnaire provisoire (GRP) déclenchée en mars 1972 amène les Américains à reprendre leurs bombardements sur le Nord-Viêt-nam. L'échec de cette offensive facilite la reprise des pourparlers secrets engagés à Paris entre Henry Kissinger, conseiller de Nixon, et le Nord-Vietnamien Le Duc Tho. Américains et Nord-Vietnamiens se mettent d'accord en octobre, mais le général Thieu, qui gouverne le Viêt-nam du Sud, ne veut rien entendre et les bombardements américains reprennent. Le

27 janvier 1973, enfin, est conclu à Paris un accord de cessez-le-feu assorti de dispositions complexes : retrait total des troupes étrangères (c'est-à-dire surtout américaines) du Sud, formation d'un Conseil national de la réconciliation comprenant des membres du FNL devenu GRP et prochaines élections libres. Un accord semblable est conclu au Laos, un gouvernement provisoire d'Union nationale rapidement contrôlé par le Pathet Lao est créé, et un régime communiste instauré. Les accords de janvier 1973, confirmés par la conférence de Paris (mars 1973), mettent théoriquement fin à la guerre du Viêt-nam.

Au Cambodge, le général Lon Nol, proaméricain, est de plus en plus menacé par les Khmers rouges. Au Viêt-nam même, les hostilités se poursuivent entre Sud-Vietnamiens, Nord-Vietnamiens et GRP. Mais les États-Unis ont récupéré une liberté d'action diplomatique. Le 29 mars 1973, les troupes américaines ont achevé d'évacuer le Viêt-nam.

En août 1973 l'aviation américaine cesse d'intervenir au Cambodge. La situation se détériore alors progressivement. L'affaiblissement puis le remplacement de Nixon, démissionnaire le 8 août 1974 en raison de l'affaire du Watergate, par Gerald Ford accentue le pourrissement de la situation. Soutenus par la Chine et l'URSS, les Khmers rouges s'emparent de Phnom Penh le 17 avril 1975. Sous couvert de créer un homme neuf, le nouveau régime se livre à un véritable génocide.

Parallèlement, les soldats de Hanoi et du GRP progressent au Sud-Viêt-nam. Pendant que les derniers Américains évacuent dans d'effroyables conditions, les assaillants rejettent toute négociation avec le général Duang Van Minh, nouveau chef du Viêt-nam du Sud, et le 30 avril 1975 Saigon est prise et rebaptisée Hô Chi Minh-Ville. C'est la faillite de la politique américaine d'intervention directe. Le prestige de l'Amérique, géant qui s'est acharné sur un petit sans en venir à bout, en ressort terni.

LE RAPPORT DES FORCES EN ASIE

Au début des années 1970, trois forces dominent l'Asie du Sud-Est : le Viêt-nam, l'Inde et la Chine. Fort de sa puissante armée, le Viêt-nam a de toute évidence les moyens et l'ambition de s'étendre largement en Asie du Sud-Est. Soutenu par l'Union soviétique, il défie à la fois les États-Unis, dont il met l'armée en échec, et la Chine populaire.

Certes l'Indonésie est sur le plan de la population le cinquième pays du monde (après la Chine, l'Inde, l'URSS et les États-Unis); mais constituée d'un chapelet d'îles, elle n'est pas une forte puissance militaire. En septembre 1965, un coup d'État amène l'élimination sanglante du parti communiste indonésien, l'éviction du président Soekarno et la prise du pouvoir par l'armée.

La suprématie de l'Inde dans le subcontinent indien

L'Inde est forte non seulement de son immense population, mais aussi d'une armée bien entraînée et du soutien sans faille de l'Union soviétique.

• *Un conflit de frontières l'oppose au Pakistan à propos du Cachemire* qu'elle avait progressivement annexé. À la suite des heurts entre communautés, en 1962, le Pakistan conclut en 1963 un accord de délimitation de frontières avec la Chine pour se prémunir contre la politique de son principal voisin, l'Inde. Une courte guerre éclate en août 1965, à laquelle la rencontre de Tachkent, organisée à l'initiative de l'Union soviétique en janvier 1966 entre les dirigeants pakistanais et indiens, met fin sans résoudre pour autant le problème du Cachemire.

• *Le Pakistan, État musulman, est en outre agité en raison des mauvaises relations existant entre ses deux provinces*, séparés par plus de 1 500 km, le Pakistan occidental où la langue principale est l'urdu, et le Pakistan oriental, composé du Bengale oriental, où la langue principale est le bengali. Leur seul point commun est l'appartenance à la religion musulmane. Les difficultés sont dues au fait que la richesse du Pakistan provient essentiellement des exportations de jute et d'autres produits agricoles cultivés au Bengale, pays surpeuplé et très pauvre, qui n'en profite pas.

Cela provoque, dès le début des années 60, la création d'un mouvement de protestation dirigé contre le Pakistan occidental et la dictature du général Ayub Khan, au pouvoir depuis 1958. Le chef du parti bengali, le cheikh Mujibur Rahman, est arrêté en 1968 sous prétexte d'avoir conspiré avec l'Inde contre le Pakistan. En 1969, le régime d'Ayub Khan s'effondre de toutes parts. Il est d'ailleurs renversé en 1970 par un autre général, Yahia Khan, qui organise des élections au suffrage universel.

L'Awami League revendique l'autonomie du Pakistan oriental dans un régime fédéral qui laisserait le pays maître de son économie et de ses finances. Aux élections de décembre 1970, il obtient la majorité loin devant le Parti du peuple dirigé par un adjoint de Yahia Khan, Ali Bhutto, mais sans pour autant accéder au pouvoir.

En même temps que la tension monte au début de l'année 1971 entre l'Inde et le Pakistan, l'un soutenu par l'URSS, l'autre par les États-Unis et la Chine, *l'Awami League* réclame l'indépendance du Bangladesh, qu'elle proclame d'ailleurs le 26 mars 1971 dans un climat de guerre civile et de tension internationale. L'URSS et l'Inde signent en effet le 9 août 1971 un traité de paix, d'amitié et de coopération qui modifie l'équilibre stratégique dans la zone et permet à l'Inde de tirer parti de la situation. Le 3 décembre 1971, l'Inde intervient au Pakistan oriental. Le Pakistan réagit en envahissant le Cachemire. Les combats, qui tournent à l'avantage de l'Inde, aboutissent en décembre 1971 au remplacement de Yahia Khan par Ali Bhutto à la tête du Pakistan occidental, à l'indépendance du Bangladesh et finalement à la toute-puissance stratégique de l'Inde dans le subcontinent indien.

L'entrée de la Chine dans le système international

Après vingt années d'isolement, dû à la fois à l'ostracisme des puissances occidentales et à la révolution permanente interne, la Chine entre dans le concert mondial à la fin des années 70. À vrai dire, la diplomatie chinoise avait fait des progrès décisifs en Asie du Sud-Est, en Afrique du Nord et au Proche-Orient, à la suite de la conférence de Genève (1954) et de celle de Bandoeng (1955).

Dix ans après sa proclamation, la République populaire de Chine est un pays qui compte, même s'il est proscrit de l'ONU par la volonté américaine. Mais la révolution culturelle et le schisme sino-soviétique provoquent un repli sur soi, qui se manifeste par un recul de son influence dans le monde, y compris en Asie du Sud-Est. La Chine s'enferme dans la dénonciation de la double hégémonie soviéto-américaine, et tente de nouer des relations avec des pays qui refusent l'alignement, comme la France qui reconnaît la Chine populaire le 27 janvier 1964. L'isolement et les échecs de sa politique extérieure amènent la Chine à transformer ses orientations, à se rapprocher de l'Occident et à s'ouvrir à l'étranger. Son potentiel démographique et économique, sa puissance militaire en font aussitôt un des acteurs de poids. Mais quels sont ses desseins en politique étrangère? Veut-elle s'affirmer au plan mondial comme la troisième superpuissance? Ou limite-t-elle ses ambitions à son rôle de puissance régionale asiatique? Passée du second rang dans le camp socialiste au troisième rang dans le concert mondial, la Chine veut-elle diffuser son propre message idéologique par un soutien aux mouvements de libération ou va-t-elle se convertir à la *Realpolitik*, en nouant des liens avec les États, quelles que soient leurs appartenances idéologiques?

• *Inaugurée en avril 1971, la nouvelle politique extérieure chinoise* a comme axes le refus de l'hégémonie soviétique et le rapprochement avec les États-Unis. Devant le congrès du parti communiste chinois, le 24 août 1973, Chou En-Lai met au défi Moscou de prouver sa volonté de détente : «Retirez vos troupes de Tchécoslovaquie, de la république populaire de Mongolie ou des quatre îles japonaises des Kouriles septentrionales! »

Préparé par la mission secrète d'Henry Kissinger à Pékin en juillet 1971 et diverses démarches comme la tournée en Chine de l'équipe américaine de ping-pong, le rapprochement sino-américain est une surprise de taille. Depuis 1949, les États-Unis contestent, avec une remarquable continuité, toute représentativité à la Chine populaire, et ont foi en Formose. De son côté, la Chine de Mao a toujours refusé énergiquement la théorie des deux Chines et voué aux gémonies l'impérialisme américain. Ce retournement, concrétisé par le voyage étonnant du président Nixon à Pékin du 21 au 28 février 1972, est dénoncé par Moscou, mais il permet à la Chine de sortir de son isolement, au moment où l'Inde renforce ses relations avec l'Union soviétique.

• *Lorsque la Chine entre le 26 octobre 1971 à l'ONU*, par substitution pure et simple de la Chine populaire à la Chine nationaliste, y compris pour le siège permanent et le droit de veto au Conseil de sécurité, l'événement a une portée mondiale. L'un des porte-parole du Tiers Monde accède au premier plan de la scène internationale.

La Chine qui entretient des relations, tant avec les pays proches de l'URSS qu'avec des États modérés, voire dictatoriaux, gagne du terrain sur l'Union soviétique. En Afrique, son aide aux jeunes États apparaît à la fois plus désintéressée que l'assistance soviétique et plus proche des besoins des pays sous-développés. Malgré l'insuffisance de ses moyens, elle s'engage dans des centaines d'actions de coopération : infrastructure routière et ferroviaire en Tanzanie et Somalie par exemple. Au Proche-Orient, elle accorde son appui aux mouvements palestiniens et elle tente de se démarquer aux yeux des pays arabes en dénonçant lors de la guerre de Kippour «la collusion» soviéto-américaine et en refusant de voter le projet de résolution de cessez-le-feu présenté par les deux grands le 22 octobre 1973. En Asie, la Chine voyant dans le traité soviéto-indien et le projet Brejnev de système de sécurité collective des manœuvres destinées à l'isoler, sabote le plan soviétique. En Amérique latine, la Chine accorde au Chili de Salvador Allende une aide financière supérieure à celle donnée par Moscou. Elle cherche — en vain — à s'opposer à l'influence prépondérante soviétique dans l'île de Cuba. Elle soutient les revendications des États latino-américains et elle souscrit au traité sur la dénucléarisation de l'Amérique latine. En septembre 1973, au sommet des pays non alignés, à Alger, l'Union soviétique est au banc des accusés. Le harcèlement chinois a porté ses fruits dans le Tiers Monde.

• *La Chine noue aussi des relations avec les États d'Europe occidentale et la Communauté européenne*, dans lesquels elle voit des «zones intermédiaires», propres à ruiner l'hégémonie des Grands. Le discours de bienvenue de Chou En-Lai lors du voyage du président Pompidou en septembre 1973 est clair : «Nous appuyons les peuples européens qui s'unissent pour préserver leur souveraineté et leur indépendance nationales. »

• *Le rôle du Japon*. Dans un continent en profonde mutation, la situation du Japon est originale : asiatique par sa géographie, il est radicalement différent de ses voisins et appartient en fait au monde occidental. Dirigé par des gouvernements conservateurs, lié étroitement aux États-Unis et à ses alliés, dont Formose, il se réconcilie avec la Corée du Sud (22 juin 1965). Désireux de sortir du tête-à-tête exclusif avec les États-Unis, et d'ailleurs engagé par le président Nixon (discours de Guam, 1969) à un effort adéquat en matière de défense, le Japon ne peut rester indifférent à la modification des rapports internationaux et en particulier à l'éveil de la Chine. Les deux pays concluent en mars 1971 un accord commercial. Le rapprochement se concrétise par le voyage du premier ministre Tanaka (25-30 septembre 1972). Le Japon reconnaît la République populaire comme le seul gouvernement chinois.

L'AMÉRIQUE LATINE, NOUVEL ENJEU ENTRE L'EST ET L'OUEST

On pourrait imaginer une Amérique latine pacifique, éloignée des tensions internationales. Effectivement, en 1967, par le traité de Tlatelolco, on convient de la dénucléarisation de l'Amérique latine. Et les États-Unis, à la suite de l'accession de Fidel Castro au pouvoir à Cuba, semblent vouloir se préoccuper davantage de leur continent, mais l'«Alliance pour le progrès», lancée par Kennedy en riposte au castrisme et aux risques de subversion en Amérique latine, échoue. Le Congrès des États-Unis, préoccupé par le déficit de la balance américaine des paiements, mesure chichement les crédits et les destine de préférence aux régimes les plus conservateurs.

• *De fait, l'Amérique latine est le théâtre de violents affrontements.* Des forces révolutionnaires, confrontées à la misère de leurs pays, poussées par l'exemple cubain et bénéficiant parfois du soutien de certaines fractions de l'Église catholique, se lancent dans la lutte, en ayant recours à la violence. Face à cette situation trouble, qui menace leur sphère d'influence traditionnelle, les États-Unis sont amenés à soutenir des dictatures comme celle de Duvalier à Haïti ou à intervenir, dans le but d'empêcher une subversion communiste. C'est ainsi qu'à la suite de graves incidents, les États-Unis interviennent en avril 1965 pour rétablir l'ordre en République dominicaine. Le président Johnson entend montrer la détermination des États-Unis à défendre la région contre les tentatives de subversion.

Contrairement à l'objectif recherché, les sentiments antiaméricains se développent, ce qui favorise les entreprises castristes. Dans plusieurs États (Colombie, Bolivie, Pérou, Chili) naissent des foyers révolutionnaires.

En 1966, Fidel Castro réunit à la Havane la conférence dite « tricontinentale », pour créer une organisation de solidarité des peuples d'Asie, d'Afrique et d'Amérique latine. Et des leaders cubains, en particulier Che Guevara (tué en Bolivie en octobre 1967), s'engagent dans la guérilla.

• *Les coups d'État se succèdent, le plus retentissant étant celui du Chili* en septembre 1973. L'avènement d'un régime socialiste, dont le président Salvador Allende, élu régulièrement en septembre 1970, perd rapidement l'appui des classes moyennes, aboutit à tendre les relations avec les États-Unis. Le 11 septembre 1973, un coup d'État militaire dirigé par le général Pinochet et soutenu par la CIA renverse le gouvernement de Salvador Allende et provoque sa mort.

LES SUITES DE LA DÉCOLONISATION EN AFRIQUE

Parce que leurs frontières sont un héritage de la colonisation, les États africains sont souvent des constructions artificielles, ne respectant pas l'unité des ethnies. Toute une série de conflits existent potentiellement. Ainsi la république de

Somalie, créée en 1960 par la réunion de la Somalie britannique et de la Somalie italienne, revendique un territoire situé au sud-est de l'Éthiopie, l'Ogaden et l'ex-côte française des Somalis, devenue le territoire des Afars et des Issas, convoitée également par l'Éthiopie en raison de l'importance stratégique de Djibouti. Un autre conflit a opposé le Maroc à la république islamique de Mauritanie, devenue indépendante en 1960, et que le royaume chérifien prétendait annexer. Le conflit s'est apaisé, et le Maroc a fini par reconnaître la Mauritanie en 1969, mais les deux États ont des prétentions sur le Sahara espagnol. Il y a également un conflit algéro-marocain, à propos du Sahara dont une partie est revendiquée par le Maroc. À la suite de l'indépendance de l'Algérie, qui se voit reconnaître par la France la souveraineté sur la totalité du Sahara, un bref conflit armé éclate en octobre 1963, sans aucun résultat. Mais depuis la crise du Congo, en 1961, se fait jour la conviction que toute modification des frontières risque d'avoir de graves répercussions dans l'Afrique entière et que la constitution d'États-nations, comme en Europe, pourrait être génératrice de graves troubles. Le principe d'intangibilité des frontières est donc adopté par l'Organisation de l'Unité africaine.

• *La guerre du Biafra est le plus grave conflit territorial de cette période en Afrique.* Le Nigeria (928 000 km^2, 55 millions d'habitants en 1963), territoire le plus riche d'Afrique occidentale, grâce notamment à ses ressources pétrolières, est devenu indépendant en 1961. C'est une Fédération dominée politiquement par les Haoussas et les Peuls, musulmans du Nord. Au Sud-Est, les Ibos, chrétiens qui habitent en majorité le Biafra, supportent mal cette domination et la répression exercée à la suite de l'assassinat du premier ministre, sir Abubakar Tafewa Balewa, le 17 janvier 1966, et de celui de son successeur le général Ironsi. La tension monte et aboutit à la proclamation, le 30 mai 1967, de l'indépendance du Biafra et à une guerre civile, puisque le gouvernement fédéral n'accepte pas la sécession de cette région riche en pétrole.

Le gouvernement nigerian, soutenu par la plupart des pays du Tiers Monde, soumet le Biafra à une guerre impitoyable. De son côté, le Biafra est isolé. Il ne réussit à obtenir la reconnaissance internationale que de quatre États africains et de Haïti. Les grandes puissances prennent elles aussi le parti du gouvernement fédéral. Invité à reconnaître le Biafra par certains États africains, le général de Gaulle se prononce pour le droit des peuples à disposer d'eux-mêmes ; et la France ne manque pas d'encourager la sécession biafraise, de même que la Chine populaire ; mais ces appuis limités sont insuffisants à aider efficacement le Biafra qui, vaincu, dépose les armes en janvier 1970.

LE PROCHE-ORIENT D'UNE GUERRE À L'AUTRE

Le Proche-Orient est la région du monde la plus enfiévrée. Elle connaît des retournements de situation politique et deux guerres.

LA GUERRE DES SIX JOURS

La guerre des Six Jours, en juin 1967, apporte à Israël le contrôle de la Cisjordanie et du Golan et crée des problèmes durables. Les Palestiniens affrontent l'État hébreu et certains États arabes et n'hésitent pas à recourir au terrorisme international. En 1973, la guerre du Kippour va, par ses conséquences en matière énergétique, contribuer à bouleverser le cours de l'économie mondiale.

• *À la suite de la crise de Suez (1956)*, les Casques bleus stationnent d'une part le long de la frontière israélo-égyptienne, du côté égyptien, d'autre part à Charm-el-Cheikh, position fortifiée à l'est du Sinaï dans le golfe d'Akaba proche du port israélien d'Eilat, le seul débouché d'Israël sur la mer Rouge. Cette paix instable voit se confirmer les positions des grandes puissances dans la région. L'Union soviétique renforce ses liens avec l'Égypte de Nasser, et les États-Unis remplacent la France dans son rôle de protecteur de l'État d'Israël.

• *Le 18 mai 1967, Nasser demande au secrétaire général de l'ONU, U Thant, de retirer les forces de l'ONU du territoire égyptien* — en particulier de Charm-el-Cheikh — et interdit aussitôt après le golfe d'Akaba à tout trafic israélien. Tandis que l'Égypte reçoit le soutien de l'URSS et des pays arabes (Syrie et Jordanie), le parti de la guerre l'emporte en Israël qui reçoit l'appui des États-Unis.

• *La guerre préventive, déclenchée le 5 juin par une attaque de l'aviation israé-lienne*, se solde par une éclatante victoire d'Israël. L'armée israélienne fonce vers le Sinaï, s'emparant de Gaza à l'ouest et de Charm-el-Cheikh à l'est, s'installe sur la rive est du canal de Suez et lève le blocus du golfe d'Akaba. Dès le 7 juin commence une offensive vers le nord-est, la Cisjordanie et la vieille ville de Jéru-salem, qui jusque-là faisait partie de la Jordanie. Les Israéliens prennent le plateau du Golan aux Syriens. Tant que le cessez-le-feu n'est pas accepté, les Israéliens continuent d'avancer ou de fortifier leurs positions le long du canal. L'Égypte se résigne au cessez-le-feu le 8 ; la Syrie, le 10. Au moment où se termine cette offen-sive, le territoire occupé par les Israéliens passe de 20 300 km^2 à 102 400 km^2. Dès le 23 juin, malgré l'opposition des Nations Unies et des grandes puissances, le Parlement israélien annexe la partie arabe de Jérusalem.

• *Les négociations au sein et en marge des Nations Unies aboutissent le 22 novembre 1967 au vote de la Résolution 242 des Nations Unies* qui stipule qu'Israël doit se retirer de tous les territoires occupés, selon le texte français, et de certains des territoires occupés, selon une interprétation de la version anglaise, et affirme le droit de chaque État de la région de vivre en paix à l'intérieur de fron-tières sûres et reconnues.

Du point de vue israélien, la guerre des Six Jours est ambiguë, car elle se solde par une victoire mais elle pose à Israël le problème de savoir que faire des territoires occupés. Elle est humiliante pour les Arabes, qui entendent bien les récupérer.

Différentes voies sont explorées pour rechercher un règlement. Le général de Gaulle, qui a pris parti d'emblée contre l'agression israélienne et décidé du coup l'embargo sur les avions, puis sur les pièces de rechange, propose une concertation des quatre grandes puissances, idée rejetée à la fois par les Israéliens et par les Arabes. Les Nations Unies décident d'envoyer un médiateur, l'ambassa-deur suédois Gunnar Jarring qui propose un plan comprenant le retrait des forces israéliennes, la fin de la belligérance, la liberté garantie de la navigation, y compris des navires israéliens sur le canal de Suez et dans le golfe d'Akaba, et enfin une solution apportée au problème des réfugiés palestiniens. En dépit de plusieurs années d'efforts, cette mission échoue en 1971.

• *Les Américains déploient une grande activité diplomatique* car ils estiment que le déséquilibre en faveur d'Israël créé par la guerre des Six Jours est mauvais. Le secrétaire d'État William Rogers mène une négociation limitée pour aboutir à un véritable cessez-le-feu. En effet, de part et d'autre du canal de Suez, Égyptiens et Israéliens continuent une guerre d'usure : fusillades et opérations limitées. La

1896	: Théodor Herzl publie l'État juif.
1916	: Accords Sykes-Picot.
Novembre 1917	: Déclaration Balfour.
1919	: Mandat britannique sur la Palestine.
1939	: Livre blanc britannique sur la Palestine.
Novembre 1947	: Plan de partage de la Palestine par l'ONU.
14 mai 1948	: Proclamation de l'État d'Israël.
Mai 1948-juin 1949	**: 1re guerre israélo-arabe.**
26 juillet 1956	: Nasser nationalise le canal de Suez.
22-24 octobre 1956	: Accords secrets de Sèvres.
29 oct-6 nov 1956	**: Guerre israélo-égyptienne.**
	L'armée israélienne fonce vers le Canal.
	Intervention franco-britannique sur le Canal.
15 novembre 1956	: Arrivée de forces de l'ONU.
19 mai 1967	: l'Égypte exige le départ des Casques bleus
	et bloque par la suite le détroit de Tiran.
5-10 juin 1967	**: 3e Guerre israélo-arabe.**
	L'armée israélienne conquiert la Cisjordanie et le
	Golan.
22 novembre 1967	: l'ONU vote la Résolution 242.
1969	: Yasser Arafat devient président de l'OLP.
28 septembre 1970	: Mort du colonel Nasser.
Juillet 1972	: Le président Sadate demande à l'URSS de
	retirer ses conseillers militaires d'Égypte.
6-22 octobre 1973	**: 4e guerre israélo-arabe** déclenchée
	par l'Égypte.
19-21 novembre 1977	: Visite de Sadate en Israël.
Septembre 1978	: Entretiens de Camp David
	entre Carter-Sadate-Begin.
26 mars 1979	: Traité de paix israélo-égyptien.
6 juin 1982	: Opération « Paix en Galilée » lancée
	par Israël au Liban.
Décembre 1987	: Début de l'*Intifada* dans les territoires occupés.
Novembre 1988	: l'OLP proclame l'État palestinien et accepte
	la Résolution 242.
Octobre 1991	: Ouverture de la conférence de Madrid.
Septembre 1993	: Reconnaissance mutuelle Israël-OLP.

mission Rogers permet la conclusion d'un accord de cessez-le-feu le 7 août 1970, prolongé jusqu'en mars 1971. Cet accord n'est pas renouvelé, mais les accrochages ont à peu près cessé. Il a fallu plus de trois ans pour qu'on aboutisse à un arrêt des combats après la guerre des Six Jours.

• *L'autre aspect de la politique américaine est la réglementation des ventes d'armes.* Les Américains s'efforcent d'obtenir que l'on cesse la livraison d'armes, dans un camp ou dans l'autre et que dans le cas contraire, cela soit dans une perspective d'équilibre. Mais c'est sans grand succès. Ainsi, la France qui prétend ne pas envoyer d'armes dans les pays du champ de bataille (c'est-à-dire

Israël
et les
« territoires
occupés »

les pays limitrophes d'Israël) vend cent avions Mirage à la Libye, provoquant les protestations des États-Unis et l'indignation d'Israël qui fait état de l'utilisation par les Égyptiens de ces Mirage.

Aussi les Israéliens sollicitent-ils des armes américaines très modernes, notamment les avions Phantom, que les Américains ne leur fournissent qu'au compte-gouttes.

LE PROBLÈME PALESTINIEN

Non seulement la guerre des Six Jours ne règle rien, mais elle déstabilise toute la région, désormais en proie à une violence plus ou moins contenue. En outre, elle accélère l'affirmation de la résistance palestinienne qui se développe depuis la création en mai-juin 1964, lors du premier Congrès national de l'Organisation de libération de la Palestine (OLP), dont la charte révisée en juin 1968 récuse le partage de la Palestine et la création de l'État d'Israël.

• *Le problème palestinien n'est pas né en 1967*, mais il s'exacerbe considérablement à partir de la guerre des Six Jours. Jusqu'à 1967, en effet, la Jordanie détenait une partie de la Palestine, la Cisjordanie. En 1967, la Jordanie la perd, ainsi que Jérusalem. Elle est ainsi limitée à une frontière longeant le lac de Tibériade, le Jourdain, et la mer Morte. Or c'est en Jordanie que s'étaient déjà réfugiés la plupart des Palestiniens ayant fui Israël. Les militants de la nation palestinienne s'organisent pour lutter contre Israël et instituer la subversion en Cisjordanie. Ils lancent des coups de main, préparent des attentats; ils finissent par constituer un État dans l'État et menacer l'autorité de la dynastie Hachémite (du nom de la famille qui a régné sur les lieux saints de l'Islam pendant un millénaire et dirige le royaume de Jordanie).

• *En septembre 1970, le roi Hussein décide d'utiliser l'armée pour rétablir l'ordre dans les camps palestiniens.* C'est l'opération « Septembre noir ». Les heurts sont sanglants et les arrestations nombreuses, malgré un début d'intervention de la Syrie. La répression est si forte que beaucoup de Palestiniens quittent la Jordanie pour le Liban, la Syrie et même Israël, et que le régime du roi Hussein est mis en quarantaine par les autres pays arabes.

Les Palestiniens chassés de Jordanie, étroitement surveillés en Israël, se réfugient au Liban et multiplient les actes de terrorisme dans les aéroports ou de piraterie aérienne. Un commando palestinien sème la terreur en s'attaquant à l'équipe israélienne aux Jeux olympiques de Munich, en septembre 1972.

LES BOULEVERSEMENTS INTERNES

De la guerre des Six Jours à celle du Kippour, le Proche-Orient est secoué par des coups de force qui bouleversent l'échiquier régional. Mettant à profit le désengagement américain dû au processus de la détente et à la guerre du Viêt-nam, l'Union soviétique y marque des points, même si elle n'enregistre pas uniquement des succès.

• *Au Soudan*, un coup d'État en mai 1969 amène au pouvoir le général Nemeiry qui met fin aux bonnes relations qui existaient avec l'URSS. Les 2 000 conseillers soviétiques sont chassés du pays et les communistes soudanais pourchassés. Malgré une tentative de coup de force de ceux-ci en juillet 1971, le général Nemeiry se maintient au pouvoir.

• *En Irak*, en juillet 1968, le général Aref est renversé par le général Bakr, à la grande satisfaction de l'Union soviétique. Le parti Baas, laïc, socialiste et nationaliste revient au pouvoir. D'ailleurs, l'un des dirigeants du Baas, Saddam Hussein, va négocier à Moscou un rapprochement important qui aboutit à la signature d'un véritable traité d'alliance entre l'Irak et l'URSS, le 9 avril 1972. Aux termes de cet accord, l'URSS s'engage à fournir à l'Irak des armes soviétiques et à lui acheter son pétrole pour faire pièce à la puissante *Irak Petroleum Company*, que le gouvernement irakien décide de nationaliser le 1er juin 1972.

• *En Syrie*, le coup d'État du 13 novembre 1970 amène au pouvoir Hafez el-Assad qui élimine des dirigeants prosoviétiques. Toutefois, les Soviétiques font tout pour maintenir de bonnes relations avec Damas en fournissant en quantité des armes à la Syrie, ainsi que des MIG 21 et des fusées SAM. Et les Soviétiques s'entremettent pour réconcilier les frères ennemis du Baas, l'Irak et la Syrie.

• *En Égypte*, le colonel Nasser, qui meurt le 28 septembre 1970, est remplacé par son adjoint, Anouar el-Sadate. Les bonnes relations soviéto-égyptiennes se poursuivent, grâce à la livraison de MIG 23 et d'engins SAM et à l'envoi de conseillers militaires qui atteignent le chiffre de 20 000. En 1971, le président Podgorny vient inaugurer le barrage d'Assouan. Et le 27 mai 1971, un traité d'amitié soviéto-égyptien est signé au Caire, aux termes duquel les deux pays s'engagent à une non-ingérence réciproque dans leurs affaires intérieures, à l'accroissement de leur coopération militaire et de l'aide économique soviétique, en échange de facilités de relâche pour la flotte soviétique de Méditerranée dans les ports syriens et égyptiens. Toutefois, l'Égypte s'inquiète d'une trop grande dépendance à l'égard de l'URSS. Elle soutient la lutte du général Nemeiry au Soudan contre le coup de force communiste. Le 18 juillet 1972, elle chasse les conseillers soviétiques et annonce une « fusion totale » avec la Libye et la Syrie.

• *En Libye*, l'armée fomente un coup d'état qui chasse du pouvoir le 1er septembre 1969 le roi Idris et proclame la République libyenne. Le colonel Kadhafi devient le chef du gouvernement. Cette révolution nationaliste de type pronassérienne est d'abord anticommuniste. Au sommet des pays non engagés à Alger en 1973, Kadhafi attaque violemment Fidel Castro, accusé d'être l'allié de l'URSS et de ne pas être en état de participer à une conférence de non-engagés.

L'Union des Républiques arabes entre l'Égypte et la Libye, amorcée en 1971 et confirmée en 1972, se heurte à de nombreux obstacles, dont la dissymétrie entre un pays de 3 millions d'habitants et un autre de 40 millions. En 1973, alors que Sadate fait savoir son manque d'enthousiasme, Kadhafi organise une marche de Libyens sur l'Égypte. Des incidents se produisent à la frontière, près de Marsa-Matrouk. L'affaire est sans suite.

LA GUERRE DU KIPPOUR

En 1973, l'occasion d'une guerre paraît propice au successeur de Nasser, Anouar el-Sadate. Israël est désapprouvé par plusieurs États européens, dont la France, en raison de son obstination à garder les territoires conquis en 1967. Son isolement diplomatique est croissant. Malgré les efforts du nouveau premier ministre israélien, Mme Golda Meir, qui voyage partout, les pays arabes réussissent à obtenir de nombreux pays, en particulier africains, qu'ils rompent leurs relations avec Israël.

• *Les efforts de l'ONU sont dans l'impasse*. Le Conseil de sécurité se prononce le 26 juillet 1973 sur un texte vague mentionnant l'évacuation des territoires occupés par Israël, voté par treize États, la Chine s'abstenant et les États-Unis mettant leur veto. Le monde arabe a retrouvé une certaine unité, voire une certaine puissance. Il a acquis le concours de l'URSS, qui soutient plus que jamais la cause arabe.

• *L'attaque égypto-syrienne est déclenchée le 6 octobre 1973*, en plein *Ramadan* (fête musulmane), le jour-même de *Kippour* (fête juive). La surprise est donc totale. Les Égyptiens bousculent la défense israélienne, franchissent le canal et avancent dans le Sinaï sur un front de 180 km, tandis que les Syriens pénètrent dans le Golan, s'emparent du mont Hermon et de la ville de Kuneitra. Les premières contre-attaques israéliennes sont infructueuses, car elles se heurtent à une forte résistance des Syriens et des Égyptiens, très bien équipés en armes modernes. Néanmoins, à partir du 12 octobre, les Israéliens regagnent du terrain. Le 19 octobre, non seulement ils ont reconquis tout le Golan, mais ils avancent jusqu'à 30 km de Damas. Le redressement israélien est plus lent au Sinaï, les forces égyptiennes étant plus nombreuses. Toutefois dès le 8 octobre, une division israélienne, commandée par le général Ariel Sharon, s'enfonce entre la deuxième et la troisième armée égyptienne, atteint le canal de Suez le 15 et établit même une tête de pont sur la rive ouest.

• *Chacune à son tour, les grandes puissances s'efforcent de parvenir à un cessez-le-feu.* Le 19 octobre, Brejnev invite Kissinger à Moscou et c'est dans la nuit du 21 au 22 que le Conseil de sécurité par 14 voix et une abstention (Chine) vote la Résolution 338 : cessez-le-feu dans les douze heures, application de la Résolution 242, négociations pour une paix juste et durable. Mais les Israéliens poursuivent les opérations jusqu'au 23 pour achever d'encercler la troisième armée égyptienne et avancent jusqu'à 70 km du Caire. Aussitôt, les Soviétiques menacent d'intervenir pour voler au secours de Sadate et les Américains mettent leurs forces stratégiques en alerte. La guerre atomique est évitée car la collaboration globale américano-soviétique découlant des accords SALT est plus importante que la confrontation régionale. De leur côté, les Américains poussent fortement les Israéliens à négocier directement avec les Égyptiens. Ces négociations du kilomètre 101 vont aboutir à un premier accord, le 11 novembre, puis à un second plus complet en janvier 1974.

• *La guerre du Kippour a plusieurs conséquences importantes.* En premier lieu, elle révèle une chose totalement nouvelle : l'égalité de valeur sur le champ de bataille entre Arabes et Israéliens. Même si Israël a remporté la victoire, les Arabes ont bien combattu, à la fois sur le plan humain et sur le plan technique. L'humiliation de juin 1967 est bien loin. La deuxième leçon de la guerre, c'est la vulnérabilité d'Israël, qui incite l'État hébreu à une prudence encore plus grande en ce qui concerne le sort des territoires occupés. La troisième leçon, c'est que la guerre ne résout rien. Elle incite donc à la négociation. L'initiative diplomatique revient aux États-Unis, seuls susceptibles de faire pression sur Israël. Mais les Arabes continuent de refuser la conclusion de toute paix séparée. La question palestinienne apparaît désormais comme le problème n° 1.

La portée essentielle de la guerre du Kippour est d'avoir poussé les États producteurs de pétrole riverains du golfe Persique à utiliser un formidable moyen de pression sur le monde occidental, l'augmentation du prix du pétrole, qui quadruple en trois mois. Cette décision est la cause immédiate de la crise économique dans laquelle le monde bascule en 1973, et qui change radicalement le contexte international. Alors que les deux Grands imposent aux belligérants un arbitrage qui met fin à la guerre et qu'ils confirment ainsi un véritable condominium américano-soviétique sur les affaires mondiales, sous le signe de la détente la déstabilisation gagne peu à peu pour aboutir à une « nouvelle guerre froide ».

Le bilan des années de détente est impressionnant. La question allemande paraît réglée. La Chine populaire entre dans le concert des nations. La paix revient au Viêt-nam. Et les deux Grands mettent fin de concert à la guerre du Kippour. La conférence d'Helsinki, qui consacre le triomphe de la détente, en est aussi la dernière manifestation, car depuis 1973, le monde est entré dans une ère d'instabilité et les Occidentaux constatent que les Soviétiques ont davantage qu'eux profité de la détente, en faisant reconnaître le *statu quo* territorial en Europe et en étendant leur influence en Asie et au Proche-Orient.

4 Un monde déstabilisé (1973-1985)

Si la césure de 1973 paraît justifiée, elle ne signifie pas que la détente s'efface tout à coup pour laisser la place à une « nouvelle guerre froide ». En fait, la dynamique de la détente continue jusqu'en 1975, point d'équilibre d'un monde en pleine évolution.

En 1975, la conférence d'Helsinki consacre le *statu quo* territorial de l'Europe et les participants affirment leur volonté. de poursuivre et d'approfondir la détente. Mais sous l'effet de la crise pétrolière, du désordre monétaire et de la multiplication des tensions, c'est la déstabilisation qui domine dans tous les domaines. La chute de Saigon, le 30 avril 1975, signifie la fin d'une guerre de trente ans, mais aussi l'écroulement de la politique d'endiguement menée par les États-Unis, dont c'est le premier grand revers depuis la fin de la Deuxième Guerre mondiale. La puissance américaine paraît condamnée au déclin. Elle perd toute influence en Indochine. Elle recule en Amérique Centrale. De cette perte de prestige, l'Union soviétique tire profit. Elle marque des points en Asie du Sud-Est, en Amérique Centrale, en Afrique.

Les difficultés du dialogue entre les deux superpuissances semblent substituer une nouvelle guerre froide à la détente dont on se demande si elle n'était pas illusoire. Les conflits locaux se multiplient à la fois sur d'anciens lieux et de nouveaux terrains d'affrontement, sans pour autant menacer la paix mondiale. La montée de l'intégrisme islamique, la révolution iranienne, l'aventurisme de la Libye de Kadhafi, l'expansionnisme du Viêt-nam, les troubles qui secouent l'Amérique latine et l'Afrique sont autant de manifestations de ce monde déstabilisé.

Est-ce la fin de la détente? Ou est-ce la fin du monde bipolaire et la manifestation de la réorientation des rapports internationaux, substituant une dimension Nord-Sud à la dimension Est-Ouest? Les caractéristiques de cette période sont l'accroissement des problèmes dans le Sud et la naissance de tensions dans des parties de la planète réputées pour leur calme : plus aucune terre ne semble à l'abri de conflits ayant une dimension planétaire. En outre, l'antagonisme entre le Nord et le Sud, fondé sur l'échange des matières premières et des produits industrialisés, s'exacerbe. L'accent se déplace des problèmes Est-Ouest aux problèmes Nord-Sud, en fait le plus souvent Ouest-Sud.

LA CRISE ÉCONOMIQUE ET SES EFFETS

La crise économique qui commence en 1973 met fin à la croissance qui avait prévalu au cours des « Trente glorieuses ». Les chocs pétroliers ne sont pas le seul facteur des dérèglements de la croissance des prix et de l'emploi.

LES DIFFÉRENTS ASPECTS DE LA CRISE

Le désordre du système monétaire international

La situation de désordre monétaire international, quoiqu'elle ne soit pas nouvelle, joue un rôle très important.

Ce désordre est dû à la chute du dollar, véritable étalon monétaire, miné par la décision prise sans aucune concertation par le président Nixon de détacher le dollar de l'or (15 août 1971), et la sanction de cette politique anarchique. Du coup, le déficit de la balance des paiements américaine se creuse et l'ampleur des liquidités internationales, provenant des bénéfices des exportations de capitaux américains en Europe (euro-dollars) ou de pétrole du Moyen-Orient (pétrodollars), s'accroît. Les principales monnaies flottent et le système imaginé à Bretton-Woods est bien mort. Mais c'est seulement à la conférence de la Jamaïque, en janvier 1976, que les pays occidentaux décident de le remplacer. Au terme de cette réunion, il n'y a plus de prix officiel de l'or, et les changes flottants sont légalisés à l'intérieur de certaines marges. Le véritable capital de réserve du système monétaire est assuré désormais par les Droits de tirages spéciaux (DTS) en fonction desquels sont définies les nouvelles parités.

• *Les DTS sont un nouvel étalon de change international* qui fonctionne dans le cadre du Fonds monétaire international (FMI). La valeur des DTS est définie par un ensemble de monnaies des différents pays industriels, en des proportions variables. La pondération du système donne 30 % de l'ensemble au dollar et maintient par conséquent la primauté financière des États-Unis. Il s'agit d'une démarche décisive vers une stabilité des taux de change et vers une stabilisation du commerce mondial, fortement perturbé par ailleurs par les effets des « chocs pétroliers » de 1973 et 1979-1980.

Les chocs pétroliers

Le détonateur du choc pétrolier de 1973 réside dans les décisions prises par les pays arabes producteurs de pétrole les 16 et 17 octobre 1973, alors que la guerre israélo-arabe n'est pas encore terminée, décisions qui portent sur l'embargo de vente du pétrole vers certains États, la réduction de la production et surtout l'augmentation des prix.

En fait, les facteurs d'une crise sont présents depuis longtemps. Ce sont, d'une part, l'accroissement énorme de l'utilisation du pétrole comme source d'énergie, d'autre part, la volonté des producteurs d'en tirer les plus forts bénéfices possibles.

• *La croissance de la part du pétrole dans la consommation d'énergie* est remarquable. En 1950, elle représentait 37,8 % contre 55,7 % pour le charbon. En 1972, pétrole et gaz représentent 64,4 % du total. Grosso modo, la part du pétrole est passée d'un tiers à deux tiers, au moment où la quantité d'énergie dépensée annuellement dans le monde triplait.

• *Le second facteur est la volonté croissante des États producteurs de pétrole d'en profiter eux-mêmes.* Jusque vers 1960, l'exploitation des gisements de pétrole était essentiellement le fait des grandes compagnies pétrolières qui, en échange de concessions d'exploitation, reversaient aux États des royalties. Divers États se sont efforcés de se débarrasser de cette emprise, comme le Mexique et l'Iran en 1951. Or, à l'exception des États-Unis et de l'Union soviétique, la plupart des pays industrialisés gros consommateurs de pétrole n'en produisent pas ou presque pas. C'est le cas de l'Europe occidentale, à l'exception de la Grande-Bretagne et de la Norvège (grâce au pétrole trouvé en mer du Nord), et du Japon.

La production est concentrée au Venezuela, au Nigeria, en Indonésie et surtout autour du golfe Persique, et notamment en Arabie Saoudite, en Iran, en Irak, au Bahreïn, au Koweït et au Qatar. La concentration a des implications stratégiques et politiques. L'essentiel de la production de pétrole passe par le détroit d'Ormuz, d'où l'importance du golfe Persique et de l'océan Indien, sur le plan de la géostratégie. Les producteurs peuvent se concerter plus facilement; cinq d'entre eux (Venezuela, Iran, Irak, Arabie Saoudite, Koweit) ont créé d'ailleurs, le 15 septembre 1960 à Bagdad, l'Organisation des pays exportateurs de pétrole (OPEP) à laquelle adhèrent peu à peu d'autres États. Désormais, chaque année, les pays de l'OPEP tentent d'obtenir d'abord davantage de royalties, ensuite la nationalisation totale de la production de pétrole. L'initiative revient dans ce domaine à l'Algérie et à la Libye. Le 24 février 1971, le président Houari Boumedienne annonce que l'Algérie nationalise à 51 % les compagnies pétrolières françaises. Ainsi l'Algérie s'assure à peu de frais le contrôle du pétrole produit sur son territoire. La Libye agit de même le 1er septembre 1973. Profitant, durant l'année 1972, d'un accroissement de la demande des États du Nord, les pays du Sud producteurs de matières premières autres que le pétrole agissent à la hausse des cours et prennent le contrôle de secteurs économiques détenus jusque-là par des compagnies étrangères. Les signes précurseurs d'un bouleversement de l'ordre mondial existent donc avant octobre 1973.

Le 16 octobre 1973, les pays de l'OPEP décident que le prix du baril de pétrole passe de 3 dollars à plus de 5 dollars. Le 17 octobre, les producteurs arabes envisagent un système d'embargo contre les pays qui paraissent soutenir Israël, en particulier les États-Unis et les Pays-Bas. En fait ces embargos seront levés entre mars et juillet 1974. Ils décident aussi de réduire la production par rapport à celle de septembre de 15 à 20 %, ensuite de 5 % par mois, tant qu'Israël n'aura pas évacué les territoires occupés. Mais dès le début de l'année 1974, ce système — qui nuit d'abord aux producteurs — est pratiquement abandonné. En décembre 1973, les pays de l'OPEP décident de relever le prix du baril jusqu'à 11,65 dollars. En trois mois, le prix du pétrole a quadruplé.

Alors que les effets du premier choc pétrolier s'atténuent, l'effet de la demande provoque un second choc (marqué par le doublement des prix de décembre 1978 à décembre 1979) et la révolution iranienne et la guerre Iran-Irak, un troisième. Le prix du pétrole atteint 34 dollars le baril à la fin de 1981.

Les conséquences de la crise

• *Les conséquences, qui concernent d'abord les pays industrialisés, sont graves.* Elles remodèlent peu à peu la physionomie de la planète.

Menacés d'une pénurie, l'Europe occidentale et le Japon, dont toute l'économie repose sur le pétrole, sont saisis de panique. Partout, le renchérissement des prix aboutit à de graves perturbations. L'inflation, qui était de l'ordre de 4 à 5 % par an, s'accélère, particulièrement en Grande-Bretagne et en Italie. Aux États-Unis, en Allemagne et au Japon, l'inflation est combattue par des plans d'austérité qui provoquent une baisse réelle de la production et du niveau de vie. En France, le plan Barre de septembre 1976 a pour effet de ralentir la croissance. Dans tous les pays, la hausse des prix met un frein à l'expansion. Au cours de l'année 1975, par exemple, la croissance du PIB est négative aux États-Unis (– 0,7 %), au Royaume-Uni (– 0,7 %), en Allemagne (– 1,6 %), et très faible en France (0,2 %). Les effets en sont clairs : difficultés accrues pour les entreprises, faillites et développement du chômage. Cette crise est la combinaison d'une récession limitée et d'une certaine inflation : la « stagflation ».

• *Quant aux pays sous-développés, leurs disparités s'accusent,* car ils ne sont pas affectés de la même façon par la crise. D'un côté, on trouve les États producteurs de matières premières, en particulier exportateurs de pétrole, ou ceux qui bénéficient de la délocalisation d'activités et deviennent les nouveaux pays industriels, telle l'Arabie Saoudite dont le PNB augmente de 250 % en un an (1973-1974). De l'autre, les pays pauvres qui ne sont pas producteurs de pétrole et pour lesquels les frais d'importation du pétrole sont tout à fait insupportables. Même au sein de l'OPEP, on assiste à une division entre les États soucieux de ménager les économies occidentales en n'augmentant pas inconsidérément les prix de l'or noir, comme l'Arabie Saoudite, et ceux qui, comme l'Iran et la Libye, sont décidés à profiter au maximum de la manne pétrolière.

LES TENTATIVES DE RÉPONSE À LA CRISE

Pour répondre aux décisions de l'OPEP, la diplomatie américaine suggère de créer, face au syndicat des producteurs, un syndicat de consommateurs dans le cadre de l'Organisation de Coopération et de Développement économique (OCDE). C'est l'Agence internationale de l'énergie, qui comprend les pays de la CEE (excepté la France), les États-Unis, le Japon, le Canada, l'Espagne, la Suède, l'Autriche et la Turquie. La France, qui rejette cette formule contraire à sa politique d'amitié avec les pays en voie de développement, tente d'instaurer un dialogue Nord-Sud en invitant à Paris des pays du Nord (les États-Unis, le Japon, la CEE) et des pays du Sud (Algérie, Arabie Saoudite, Iran, Venezuela, Inde, Brésil, Zaïre) dans deux conférences préparatoires, l'une en avril 1975, qui achoppe sur l'ordre du jour (les uns veulent le restreindre au pétrole, les autres l'étendre à l'ensemble des matières premières), l'autre en septembre 1975, qui décide la tenue d'une conférence élargie et non restreinte au pétrole. Celle-ci se tient à Paris du 16 au 18 décembre 1975 et réunit 7 membres de l'OPEP, 12 pays sous-développés et 8 pays industrialisés. Elle bute de nouveau sur la question du pétrole. La négociation est réouverte à Paris de mai 1977 au début 1978, mais elle n'aboutit qu'à réaffirmer les grands principes d'un nouvel ordre économique international et prévoit la création d'un fonds spécial d'aide au Tiers Monde de 1 milliard de dollars.

• *À la conférence au sommet de Cancun* (*Mexique*), le 22 octobre 1981, 22 chefs d'État occidentaux et du Tiers Monde conviennent d'ouvrir des négociations globales dans le cadre des CNUCED. Dans cette tentative de dialogue Nord-Sud, la CEE fait preuve d'originalité en établissant des relations privilégiées avec 35, puis 46, puis 58 pays d'Afrique, des Caraïbes et du Pacifique (ACP) par les accords de Lomé I (28 février 1975) et Lomé II (31 octobre 1979) qui comprennent, outre des facilités commerciales et des offres d'aide financière, des garanties des recettes d'exportation. Cette convention prévoit une aide financière quadruple de celle qui était prévue par celle de Yaoundé. Elle met en application une stabilisation des prix des matières premières agricoles. Il s'agit d'une politique de coopération multilatérale, qui a l'avantage de ne pouvoir être accusée de néocolonialiste.

Entre les grands pays industrialisés, on constate un début de concertation, mais les résultats en sont limités. Les 6 membres d'origine du club (États-Unis, France, Grande-Bretagne, Allemagne, Japon, Italie) qui se réunissent à Rambouillet en novembre 1975 à l'initiative de V. Giscard d'Estaing deviennent 7 (d'où le nom de « Groupe des sept » ou G7) par l'adjonction du Canada en 1976, et même 8, l'année suivante avec la participation du président de la Communauté économique européenne. Ils se rencontrent chaque année au niveau le plus élevé.

9 — LES SOMMETS DES PAYS INDUSTRIALISÉS (G7)

1975	– du 15 au 17 novembre :	Rambouillet
1976	– du 27 au 28 juin :	Porto-Rico
1977	– du 7 au 8 mai :	Londres
1978	– du 16 au 17 juillet :	Bonn
	– du 28 au 29 décembre :	Jamaïque (entretiens non officiels)
1979	– du 5 au 6 janvier :	Guadeloupe (sommet informel)
	– du 28 au 29 juin :	Tokyo
1980	– du 22 au 23 juin :	Venise
1981	– du 19 au 21 juillet :	Ottawa
1982	– du 4 au 6 juin :	Versailles
1983	– du 28 au 30 mai :	Williamsburg
1984	– du 7 au 9 juin :	Londres
1985	– du 2 au 3 mai :	Bonn
1986	– du 5 au 6 mai :	Tokyo
1987	– du 8 au 10 juin :	Venise
1988	– du 19 au 21 juin :	Toronto
1989	– du 14 au 15 juillet :	Paris « sommet de l'Arche »
1990	– du 9 au 11 juillet :	Houston
1991	– du 15 au 17 juillet :	Londres
1992	– du 6 au 8 juillet :	Munich
1993	– du 7 au 9 juillet :	Tokyo
1994	– du 8 au 10 juillet :	Naples
1995	– du 16 au 17 juin :	Halifax
1996	– du 27 au 28 juin :	Lyon

• *De même, sur le plan commercial, les négociations du GATT connues sous le nom de Tokyo Round* (1973-1979) aboutissent à un accord prévoyant de nouvelles réductions tarifaires et l'adoption de codes destinés à combattre les entraves aux échanges. Mais ces accords n'empêchent pas la multiplication de mesures protectionnistes. Les souhaits de coopération internationale passent souvent après les exigences de l'intérêt national. En fait, le changement le plus important vient des États-Unis quand, en 1979, sous l'influence du directeur du *Federal Reserve Board*, Paul Volcker, les Américains font le choix de s'attaquer à l'inflation en limitant la croissance de la masse monétaire grâce à une augmentation sans précédent des taux d'intérêt. Les capitaux affluent aux États-Unis et font monter le cours du dollar. Le prix de plus en plus élevé de celui-ci accentue partout le repli déflationniste et contraint tous les pays à une politique d'austérité. Du coup, les économies occidentales touchent le fond de la dépression : croissance nulle, taux record de chômage. Les pays du Tiers Monde, fortement endettés en dollars, voient monter le poids de leur charge financière à cause de la hausse du prix du dollar. Pour éviter la banqueroute, ils recourent à l'emprunt auprès des institutions financières internationales qui les contraignent à une politique d'austérité souvent dramatique.

Bref, la crise rend plus intense la compétition économique y compris entre pays alliés. Elle provoque une détérioration profonde des paiements extérieurs. Elle donne aux relations internationales une âpreté due à la crainte d'une pénurie des produits de base nécessaire pour la sauvegarde du niveau de vie. La lutte pour le contrôle des produits de base et des grandes voies de communication devient elle aussi plus âpre.

LA CRISE DES RAPPORTS SOVIÉTO-AMÉRICAINS

Du milieu des années 1970 au milieu des années 1980, le monde traverse une nouvelle phase de tension internationale. Les raisons en sont nombreuses et complexes. La crise économique et ses effets rendent plus difficiles les rapports internationaux. La conjoncture politique et le rôle des dirigeants à la tête de l'URSS et de l'Amérique ont aussi leur importance.

LA REMISE EN CAUSE DU DUOPOLE

L'érosion de l'influence américaine

À la suite de l'affaire du Watergate, s'ajoutant au traumatisme profond provoqué par la guerre du Viêt-nam, la démission de Nixon (8 août 1974) aboutit à la fois à une perte d'influence et à une crise de conscience de la politique étrangère américaine. En 1973-1974, obsédés par l'idée d'éviter toute nouvelle intervention (*no more Vietnam*), les Américains semblent renoncer à l'exercice de leurs responsabilités dans le monde. Ils éprouvent l'érosion de leurs moyens d'influence. Ils n'ont plus ni la supériorité économique, ni la supériorité stratégique. Le repli diplomatique est général, sauf au Proche-Orient, où le président Carter signe les accords de Camp David le 17 septembre 1978.

Face aux désordres de l'Iran et à la prise d'otages des membres de l'ambassade américaine à Téhéran le 4 novembre 1979, face à l'invasion de l'Afghanistan, les États-Unis paraissent impuissants. L'échec d'un raid américain pour tenter de récupérer les otages (25 avril 1980) porte un coup sérieux à la crédibilité de l'outil militaire américain et de l'exécutif paralysé par cette affaire. Les divergences de l'équipe au pouvoir et la volonté moralisatrice du président Carter, qui met au premier plan la défense des Droits de l'homme et renonce à fabriquer l'arme neutronique, renforcent l'impression d'une Amérique incertaine et déclinante. À vrai dire, le changement d'orientation a lieu du temps de Carter qui prévient en janvier 1980 que toute tentative pour s'assurer le contrôle du golfe Persique sera considérée comme une attaque lancée contre les intérêts vitaux des États-Unis.

Avec l'élection de Ronald Reagan (1980-1988), l'Amérique s'affirme à nouveau comme leader du monde libre, décidée au redressement, pour réarmer massivement et restaurer l'autorité des États-Unis dans le monde face à une Union soviétique menaçante, l'« empire du mal ».

Les zones d'expansion de l'influence soviétique

En Union soviétique, c'est la fin du règne de Brejnev, fort malade et qui meurt en novembre 1982, et un interrègne sous ses éphémères et âgés successeurs Iouri Andropov (novembre 1982-février 1984) et Constantin Tchernenko (février 1984-mars 1985). L'interruption du dialogue entre les deux superpuissances est aussi la conséquence de cette absence de relations et de ce manque de confiance entre les dirigeants américains et l'équipe soviétique. Or cette période correspond à une grande offensive soviétique dans le Tiers Monde où, tout en combattant l'influence chinoise, l'Union soviétique se taille un empire étendu. Entre autres, elle intervient militairement en Afrique (Angola, Éthiopie) par Cubains interposés et envahit l'Afghanistan. Elle agit souvent en se servant des États ou des forces déléguées que sont Cuba, la RDA, la Libye, le Viêt-nam. Les Soviétiques n'utilisent pas toujours la force ouverte, mais le plus souvent l'assistance économique et militaire, et surtout ils multiplient les traités avec les États les plus lointains. Tout se passe comme si Moscou avait exploité le désengagement américain pour avancer partout ses pions.

Le duopole en question

Cette crise des rapports soviéto-américains ne met pas un terme à la concertation mutuelle afin d'éviter toute confrontation armée, mais elle remet en cause la cogestion des affaires internationales par les deux superpuissances. Les signes visibles de la crise sont la dénonciation des accords commerciaux, la diminution du nombre des accords militaires, et surtout la raréfaction des rencontres américano-soviétiques. En décembre 1974, le Congrès lie l'octroi à l'URSS de la clause de la nation la plus favorisée à un relâchement des contraintes pesant sur les Juifs soviétiques désireux d'immigrer. Il n'y a pas de rencontre au sommet entre la réunion (Carter-Brejnev) de Vienne en juin 1979 et celle de Genève en novembre 1985 (Gorbatchev-Reagan). Les Américains ne participent pas aux jeux Olympiques de Moscou en 1980; par rétorsion, l'Union soviétique, suivie par treize autres pays, ne participe pas aux Jeux olympiques de Los Angeles de 1984. Un nouvel esprit de « guerre froide » gagne les relations internationales. Avant même la conférence d'Helsinki, Alexandre Soljenitsyne estimait que la détente était un leurre. Les lendemains d'Helsinki confirment les prévisions pessimistes. La conférence de Belgrade (octobre 1977) qui doit prendre le relais d'Heksinki s'achève par un échec total, en raison de l'antagonisme des positions occidentale et soviétique sur les Droits de l'homme…

Les Américains reprochent aux Soviétiques de tirer parti de la détente pour obtenir des avantages unilatéraux, comme la reconnaissance sans contrepartie du *statu quo* hérité de la guerre, la progression du camp socialiste en Asie du sud-est et en Afrique, des accords de coopération leur permettant de recevoir des produits de la technologie occidentale et des céréales. Enfin les Occidentaux font grief aux Soviétiques d'avoir profité de la détente pour continuer leur effort d'armement.

LA COURSE AUX ARMEMENTS

Alors qu'Américains et Russes s'étaient mis d'accord pour limiter le nombre de leurs missiles intercontinentaux (accord SALT de 1972), l'URSS se lance dans une modernisation forcenée de son arsenal et réussit, sans violer la lettre des accords, à tripler le nombre de ses ogives, en adaptant des têtes multiples aux lanceurs de la nouvelle génération. De fait, depuis 1973, les Soviétiques ont expérimenté avec succès des engins à têtes multiples (MIRV). En outre, les Soviétiques mettent au point un missile de portée intermédiaire (4 000 à 5 000 km) échappant aux limitations de l'accord SALT : c'est le SS 20, qui peut atteindre toute l'Europe occidentale et dont le premier essai a lieu en 1975, l'année même de la conférence d'Helsinki.

• *Au début des années 1980, le bilan des forces,* selon l'Institut international d'études stratégiques de Londres, fait apparaître l'URSS comme la première puissance militaire du globe sur le plan des forces nucléaires. Non seulement la supériorité des forces conventionnelles du pacte de Varsovie est écrasante, mais l'URSS installe en Europe orientale à partir de 1977 un réseau de 330 fusées SS 20. Cet arsenal gigantesque s'accroît au prix d'un effort financier considérable : 5 % du PNB pour les États-Unis, autour de 15 % du PNB pour l'URSS autant qu'on puisse le savoir. La force de frappe ainsi obtenue serait susceptible d'anéantir plusieurs dizaines de fois toute vie sur la planète. C'est dire que la conception qui prévalait du temps de Nixon d'une détente fondée sur la parité nucléaire et le gel des tensions a fait long feu.

• *Dès lors, les négociations sur la limitation des armements sont plus difficiles.* Les discours soviétiques sur le désarmement reflètent-ils le souci des dirigeants de consacrer davantage d'énergie à l'économie soviétique ou un trompe l'œil destiné à endormir la vigilance de l'adversaire, alors que l'URSS comble son retard stratégique? Malgré tout, les négociations SALT II aboutissent à Vienne (15-18 juin 1979) à la signature par Brejnev et Carter d'un accord succinct. Il limite le nombre (2 250) et le type (1 320 missiles à têtes multiples maximum, dont 820 pour les engins ICBM sol-sol) des lanceurs nucléaires intercontinentaux pour chacun des deux pays. Le traité ne réduit pas la course aux armements, il se contente d'en freiner la progression. Et d'ailleurs, le Sénat américain refuse de le ratifier, car les accords sont jugés trop favorables à l'Union soviétique. Des négociations sur la réduction des forces en Europe, les MBFR (*Mutual Balanced Forces Reduction*) entamées à Vienne en octobre 1973 avec la participation de 12 pays de l'OTAN et de 7 pays du pacte de Varsovie, piétinent. Leurs interminables rencontres ne permettent ni d'évaluer le poids respectif des effectifs et des armements dans les deux blocs ni de proposer des réductions et de mettre au point un système de contrôle acceptable par tous. Surtout les entretiens sur les forces nucléaires à portée intermédiaire (FNI) qui s'engagent à Genève le 30 novembre 1981 ne débouchent sur aucun résultat positif. Des négociations START (*Strategic Arms Reduction Talks*) commencent le 29 juin 1982 à Genève, mais aboutissent rapidement à l'impasse. C'est l'affaire des euromissiles qui est la plus grave.

• *Les euromissiles.* L'installation progressive en Europe orientale des SS 20, fusées soviétiques à trois têtes nucléaires de 150 kilotonnes chacune, de portée intermédiaire (5 000 km), dirigées vers l'Europe occidentale, et des bombardiers Backfire provoque l'alarme des Européens. Si ces fusées soviétiques sont incapables d'atteindre l'Amérique, elles menacent directement l'Europe et n'entrent pas dans les calculs de limitation des armes stratégiques (+ de 5 500 km) concernées par les SALT II.

À la suite du discours alarmiste du chancelier allemand H. Schmidt (octobre 1977) et de la rencontre au sommet informelle de la Guadeloupe (janvier 1979), l'OTAN dénonce l'installation des SS 20 et prend en décembre 1979 la « double décision» d'offrir la négociation à l'URSS ou, en son absence, de moderniser et de renforcer les armements de l'OTAN en Europe. Jusqu'alors, les armes nucléaires tactiques américaines entreposées dans les États européens n'étaient pas susceptibles d'atteindre le territoire de l'Union soviétique. L'installation de missiles intermédiaires américains en Europe de l'Ouest, 108 fusées Pershing II à une seule ogive et d'une portée de 1 800 km et 464 missiles de croisière de 2 500 km de portée expose donc le territoire soviétique à une frappe nucléaire rapprochée et renforcée. Aussi l'URSS tente-t-elle de s'opposer à la mise en œuvre de cette décision par des propositions de gel et de réduction des armements et par une campagne de propagande. Les États-Unis lancent l'idée de l'« option zéro» proposée par Reagan le 18 novembre 1981 (démantèlement des fusées soviétiques en contrepartie de l'abandon du déploiement des Pershing et des Cruise). De 1981 à 1983, une vague de pacifisme s'affirme en Europe, surtout en Allemagne et en Angleterre. Mais à la suite de la victoire de la coalition CDU-FDP aux élections allemandes de mars 1983, les premières fusées Pershing II sont installées en Allemagne de l'Ouest à la fin de 1983. C'est un succès inespéré pour l'Alliance atlantique, un grave échec pour l'URSS. Du coup, celle-ci se retire de toutes les négociations de désarmement et annonce un fort accroissement de son arsenal nucléaire. La confrontation succède à la concertation et la course aux armements reprend de plus belle. Présentée comme le moyen de mettre fin à l'équilibre de la terreur, elle est relancée par les États-Unis, sous le nom de « guerre des étoiles ».

L'Initiative de défense stratégique (IDS) annoncée le 23 mars 1983 par le président Reagan consiste en un projet d'installation d'un bouclier spatial de protection contre les missiles balistiques. Dans l'esprit du président Reagan, il s'agit de libérer les États-Unis de la peur du nucléaire et peut-être d'affranchir l'humanité du risque atomique. L'idée est de créer un système défensif qui devrait, à l'horizon 2 000, rendre obsolètes les armes offensives nucléaires en les interceptant et en les détruisant avant qu'elles n'atteignent le sol des États-Unis. L'ampleur du programme (26 milliards de dollars), l'innovation technologique qu'il suppose ont un caractère déstabilisant qui remet en question le principe de la dissuasion mutuelle, constitue un risque supplémentaire de découplage entre la défense de l'Amérique et celle de l'Europe, et enfin apparaît comme un défi à l'Union soviétique. Ses dirigeants vont sans cesse réclamer la renonciation des États-Unis à l'IDS, en même temps qu'une reprise des négociations sur le désarmement.

• *La course aux armements n'est d'ailleurs pas limitée aux deux Grands.* Les dépenses militaires ont en 1981 dépassé le cap des 450 milliards de dollars, soit une dépense moyenne supérieure à 2 millions de dollars par minute. Les ventes d'armes constituent l'un des poste-clés du commerce mondial. Les États-Unis et l'URSS représentent à eux seuls plus de 72 % des ventes. Derrière eux, la France et la Grande-Bretagne comptent pour 18 %. Du côté des pays acheteurs, les pays du Moyen-Orient effectuent à eux seuls environ 57 % des achats mondiaux d'armements contre 13 % à l'Afrique et 12 % à l'Amérique latine.

Les difficultés du dialogue américano-soviétique s'accompagnent de la remise en cause de la cogestion des relations internationales. Le principe de non-ingérence dans les affaires du bloc opposé est enfreint par exemple lorsque les États-Unis soutiennent les dissidents des pays de l'Est ou lorsque l'URSS intervient au Nicaragua, situé dans la sphère d'influence américaine. Cette crise des rapports américano-soviétiques marque aussi la fin d'un certain condominium des deux superpuissances. Leur influence décroît au moment même où émergent de nouvelles puissances avides de responsabilité : Chine, Japon, Communauté européenne, pays de l'OPEP, pays non alignés. Du coup, les grandes puissances ont du mal à contrôler les conflits périphériques et encore davantage à avoir prise sur des acteurs régionaux et sur le terrorisme international.

INCERTITUDES EUROPÉENNES

Engagés dans la construction européenne et perturbés par la crise économique, les pays de l'Europe de l'Ouest sont avant tout préoccupés par leurs propres problèmes. En 1983, il y a plus de 12 millions de chômeurs dans la CEE, soit plus de 10 % de la population active. Les tentatives de déstabilisation par des groupes terroristes en Allemagne et en Italie (enlèvement et assassinat d'Aldo Moro mars-mai 1978) échouent. En revanche, la démocratie marque des points, en Espagne, après la mort de Franco (20 novembre 1975), en Grèce, après la chute des colonels (24 juillet 1974) qui avaient instauré leur dictature en avril 1967, et au Portugal après la révolution des Œillets (25 avril 1974) qui met un terme au régime dictatorial qui survivait à la mort de Salazar (27 juillet 1970) et surtout la victoire des modérés sur les extrémistes aux élections de 1976.

UNE CONSTRUCTION DE L'EUROPE PLUS LENTE

La construction européenne progresse moins vite que dans la période précédente. Avec 252 millions d'habitants, l'«Europe des Neuf», qui entre en vigueur le 1er janvier 1973, apparaît comme la seconde puissance économique du monde après les États-Unis. On envisage l'achèvement de l'union douanière, déjà réalisée entre les six anciens pays membres, pour le 1er janvier 1978 et même la création d'une véritable union économique et monétaire.

Les difficultés de l'union économique et monétaire

En présence des difficultés, la Communauté européenne réagit en ordre dispersé. Face au désordre du système monétaire international, on constate un manque de coopération et de solidarité entre les pays membres de la CEE; face au choc pétrolier et au bloc de l'OPEP, c'est l'absence de politique énergétique commune.

L'attitude de certains États, désireux de protéger leur économie nationale, remet également en question les dispositions et l'esprit communautaires. L'Italie et le Danemark prennent des mesures protectionnistes. Surtout le Royaume-Uni, où les travaillistes sont de retour au pouvoir en février 1974, demande une renégociation du traité d'adhésion, à la fois dans le domaine de la politique agricole commune et la contribution britannique au budget communautaire. On se met finalement d'accord sur des mécanismes correcteurs qui prolongent la période transitoire.

• *La Communauté se concentre sur l'achèvement de l'Union douanière*, car en raison de conceptions politiques trop divergentes, le projet d'union économique et monétaire doit être ajourné. Le maintien de la politique agricole commune se heurte d'ailleurs au mécontentement des agriculteurs (manifestations à Strasbourg et à Bruxelles en 1980) et aux aléas des fluctuations monétaires entre les pays membres. La production laitière de plus en plus excédentaire et l'augmentation des dépenses agricoles contraignent les institutions communautaires à décider de plafonner l'une et de freiner l'autre.

• *La création d'un système monétaire européen*. Le mécanisme du «serpent monétaire» établi en 1972 pour limiter les variations entre les devises européennes elles-mêmes maintenues proches du dollar («Le serpent dans le tunnel») est remis en cause à plusieurs reprises, impliquant plusieurs réévaluations du mark et l'affaiblissement d'autres monnaies communautaires. La mise en place d'un système monétaire européen (SME) qui entre en vigueur le 13 mars 1979 permet une relative stabilisation des taux de change grâce à l'institution d'une monnaie de référence l'ECU (*European Currency Unit*), défini par un «panier» de monnaies européennes dont la composition reflète la part de chaque pays dans l'économie communautaire.

• *La communauté européenne a, d'autre part, du mal à adopter une attitude commune sur le plan énergétique,* et en particulier pétrolier, ou pour lutter contre l'inflation et le chômage et dans le domaine technologique; face à l'IDS, la Communauté tente de faire une Europe de la technologie, sous la forme du projet « Eurêka ». Une crise grave éclate en 1984 à propos de la contribution britannique aux ressources de la Communauté, trop élevée aux yeux du Premier ministre, Mme Thatcher, qui réclame et obtient finalement une compensation financière.

L'Europe en panne

L'Europe ne progresse pas non plus sur le plan politique. En octobre 1972, la conférence au sommet de Paris envisage pour 1980 la transformation de la CEE en une Union européenne susceptible de parler d'une seule voix en matière de politique extérieure. Mais le chemin est plus long que prévu. Les 9-10 décembre 1974, à l'initiative du président Giscard d'Estaing, les chefs d'État et de gouvernement décident d'institutionnaliser leurs réunions périodiques, qui se transforment en un nouvel organisme communautaire, le Conseil européen, siégeant trois fois par an. Celui-ci s'affirme vite comme un organe essentiel. Pour relancer la construction de l'Europe, on confie au premier ministre belge, Léo Tindemans, un rapport sur l'Union européenne.

• *À la suite de nombreuses discussions, le Conseil européen du 15 juillet 1976 prend la décision de faire élire un Parlement européen au suffrage universel.* Cette élection doit se faire selon des modalités différentes dans chaque pays et se présente en fait comme une juxtaposition d'élections nationales, où les clivages de politique intérieure prédominent. En juin 1979, la première élection du Parlement européen au suffrage universel aboutit à porter à la présidence la Française Simone Veil qui cède son fauteuil en janvier 1982 au socialiste néerlandais Piet Dankert. Après les élections européennes de juin 1984, c'est le Français Pierre Pflimlin qui est élu à la présidence, à laquelle accèdent à leur tour sir Henry Plumb (1987) et Enrique Baron Crespo (1989), Egon Klepsch (1992) et Klaus Hansch (1994). Malgré sa meilleure représentativité, le Parlement européen n'a pas encore un rôle politique incontestable mais il s'efforce constamment d'élargir ses compétences et son contrôle.

• *L'élargissement de la Communauté européenne aux États du sud de l'Europe* (*Grèce, Espagne, Portugal*) représente un autre défi, dans la mesure où les économies de ces États sont moins avancées que celles de l'Europe du Nord et de l'Ouest. L'adhésion de la Grèce, déjà associée à la CEE depuis 1961, intervient en 1981. Quant à l'Espagne et au Portugal, qui ont posé leur candidature en 1977, l'accord est difficile à réaliser en raison des réticences françaises face à la concurrence qu'ils pourraient représenter. Il se fait les 29-30 mars 1985. Les deux États entrent dans le Marché commun le 1er janvier 1986. La Communauté européenne regroupe alors 315 millions d'habitants.

Le pas décisif est franchi en décembre 1985 grâce à un accord entre les Dix pour réviser le traité de Rome et établir d'ici au 31 décembre 1992 un espace économique sans frontières en éliminant les barrières qui limitent les quatre libertés (circulation des personnes, des marchandises, des services et des capitaux). Le 17 décembre 1985 est adopté l'Acte unique européen (regroupant en un seul instrument les textes du traité de Rome révisé, le traité sur la coopération politique et un préambule sur l'Union européenne). La création du grand marché intérieur aura des conséquences considérables pour les producteurs comme pour les consommateurs.

1930   – mai : Plan Briand d'Union européenne.

1944   – 5 septembre : Signature du traité d'Union douanière Benelux.

1947   – 5 juin : Le général Marshall propose un plan d'aide économique à l'Europe.

1948   – 17 mars : Pacte de Bruxelles instituant l'Union occidentale.
       – 16 avril : Création de l'OECE.
       – 7/10 mai : Congrès du mouvement européen à la Haye.

1949   – 4 avril : Signature du traité de l'Atlantique Nord.
       – 5 mai : Création du Conseil de l'Europe.

1950   – 9 mai : Robert Schuman propose de mettre en commun les ressources en charbon et acier des pays de l'Europe occidentale.

1951   – 18 avril : Signature du traité instituant la CECA.

1952   – 27 mai : Signature du traité instituant la CED.

1954   – 30 août : Rejet du traité CED par l'Assemblée nationale française.
       – 23 octobre : Accords de Paris, création de l'Union de l'Europe occidentale, ouverte à l'Italie et à l'Allemagne occidentale.

1955   – 1/2 juin : Conférence de Messine : la « relance européenne ».

1956   – 29/30 mai : Conférence de Venise, début des négociations en vue de l'institution de la CEE et de l'EURATOM.

1957   – 13 février : Ouverture à l'OECE des négociations sur une zone de libre-échange.
       – 25 mars : Signature des traités de Rome.

1959   – 1er janvier : Première étape du Marché commun.

1960   – 4 janvier : Convention de Stockholm créant l'AELE.
       – 14 décembre : l'OECE se transforme en OCDE.

1961   – 10/11 février : Les Six se prononcent pour une union politique européenne.
       – 9 août : Harold Macmillan demande l'adhésion du Royaume-Uni à la CEE.

1962   – 14 janvier : Premier « Marathon » à Bruxelles. Le Conseil décide de passer à la deuxième étape du Marché commun et adopte les grands principes de la politique agricole commune.
       – 17 avril : Échec du plan Fouchet.

1963   – 14 janvier : Veto français à l'entrée du Royaume-Uni dans la CEE.
       – 20 juillet : Signature, à Yaoundé, de la convention d'association entre la CEE et dix-huit pays africains et Madagascar.

1965   – 8 avril : Traité de fusion des exécutifs des trois communautés.
       – 30 juin/1er juillet : Rupture des négociations sur le financement de la politique agricole commune.

1966   – 28/29 janvier : Compromis dit « de Luxembourg ».
       – 10 novembre : Nouvelle candidature britannique.

1967   – 3 juin : Entrée en fonction de la Commission unique.
       – 27 novembre : Nouveau veto français à l'adhésion du Royaume-Uni au Marché commun.

1968   – 1er juillet : Achèvement de l'Union douanière entre les Six.
       – 11 décembre : Plan Mansholt de modernisation agricole.

1969	– 29 juillet : Yaoundé II.
	– 1/2 décembre : Sommet de La Haye. Accord sur le triptyque : achèvement, approfondissement, élargissement.
1972	– 22 janvier : Signature à Bruxelles des traités d'adhésion des nouveaux membres de la CEE (Danemark, Royaume-Uni, Irlande, Norvège).
	– 26 septembre : Les Norvégiens se prononcent, par référendum, contre l'adhésion à la CEE.
1973	– 1er janvier : Naissance officielle de la Communauté des Neuf.
1974	– 9/10 décembre : Les Neuf décident de se réunir régulièrement en Conseil européen et proposent d'élire l'Assemblée européenne au suffrage universel.
1975	– 28 février : Signature à Lomé d'une convention entre la Communauté et les quarante-six États d'Afrique, des Caraïbes et du Pacifique.
1979	– 13 mars : Entrée en vigueur du SME et de l'ÉCU.
	– 7/10 juin : Première élection au suffrage universel de l'Assemblée européenne.
1980	– avril/mai : Les Neuf confrontés aux problèmes de la contribution britannique et de la fixation des prix agricoles.
1981	– 1er janvier : Entrée de la Grèce dans la communauté.
1985	– 5/6 novembre : À Hanovre (RFA), accord sur le projet Eurêka.
1986	– 1er janvier : Adhésion de l'Espagne et du Portugal.
1987	– 1er juillet : Entrée en vigueur de l'Acte unique européen.
1989	– 9 décembre : Le Conseil européen adopte un plan d'Union économique et monétaire.
1990	– 28 mai : Réunion constitutive de la BERD.
	– 1er juillet : Entrée en vigueur de la libération des mouvements de capitaux.
1991	9-10 décembre : Accords de Maastricht (Pays-Bas) sur l'union politique et l'union économique et monétaire.
1992	– 7 février : Signature du traité de Maastricht qui institue l'Union européenne.
	– 2 mai : Signature à Porto par les États-membres de la CEE et de l'AELE du traité donnant naissance à l'espace économique européen (EEE).
	– 21 mai : Réforme de la PAC.
	– 20 septembre : Par référendum, la France approuve le traité d'Union européenne par 51,04 % contre 48,95 %.
1993	– 1er janvier : Entrée en vigueur du « marché unique » de l'Europe des Douze.
	– 1er novembre : la CEE devient l'Union européenne (UE).
1995	– 1er janvier : Entrée de l'Autriche, la Finlande, la Suède dans l'UE.

LES MALENTENDUS TRANSATLANTIQUES

Entre les puissances industrialisées qui appartiennent au monde libéral et capitaliste, les relations sont plus tendues, à la fois sur le plan économique et sur le plan stratégique.

Les malentendus économiques

Des conflits économiques divisent de plus en plus les États-Unis, l'Europe occidentale et le Japon. La crise crée des divisions, les accentue et révèle une résistance inégale à la conjoncture difficile. Les États-Unis évitent le pire au prix d'une politique du chacun pour soi. Le Japon accède alors au premier rang en maintenant le meilleur taux de croissance annuel des pays industrialisés. De 1975 à 1986, le total de ses exportations quadruple, ce qui suscite de vives tensions avec les pays concurrents, États-Unis et États de la CEE. Chaque État est tenté par le protectionnisme et accuse de déloyauté ses partenaires commerciaux dans les domaines sensibles de la sidérurgie, de l'automobile et de l'électronique. Des querelles éclatent en 1981 et 1982 à propos du commerce Est-Ouest, en particulier des contrats signés avec l'Union soviétique et des sanctions américaines appliquées aux firmes européennes travaillant sous licence pour la construction du gazoduc soviétique en Sibérie. En 1982, la CEE adresse une mise en garde aux États-Unis, accusés d'entraver par différents moyens le commerce international et de le déstabiliser par les fluctuations du dollar. Un affrontement oppose en 1985 la France et l'Amérique à propos de l'ouverture au GATT de négociations commerciales multilatérales à la suite du *Tokyo Round* (1973-1979). Dans le cadre de *l'Uruguay Round*, les États-Unis tentent d'obtenir que la CEE renonce aux subventions qu'elle accorde à son agriculture (5-9 décembre 1988).

Les malentendus politiques

Des événements de politique intérieure affectent le flanc sud de l'OTAN et les alliés sont divisés face au renouveau de la tension Est-Ouest.

• *La détérioration des relations atlantiques.* L'Alliance atlantique, fondée sur un partage des responsabilités et charges financières, laisse la part la plus lourde aux États-Unis, qui — il est vrai — assument aussi le commandement. Cette situation héritée de l'après-guerre, lorsque l'Europe occidentale en était à sa reconstruction, se modifie dans les années 70, où les Américains veulent réduire leur effort de défense et demandent aux Européens de prendre une part plus importante des frais de défense à leur charge. Certains sénateurs proposent même un retrait des forces américaines d'Europe. En 1971, la rupture avec le système monétaire est un autre coup asséné à l'Europe. Afin d'améliorer les relations atlantiques, Kissinger lance en 1973 l'idée d'une « année de l'Europe », qui aboutit à la déclaration d'Ottawa, adoptée en juin 1974. Ce texte rappelle les fondements et les idéaux de l'Alliance atlantique et reconnaît la valeur des forces nucléaires françaises et anglaises pour la dissuasion globale de l'Alliance.

Mais la crise a déjà commencé et pose des problèmes d'une tout autre gravité. Secouées par le premier choc pétrolier, les démocraties libérales prennent conscience de leur interdépendance. L'arrivée au pouvoir en Europe de dirigeants plus soucieux de rechercher un compromis avec les Américains, tels que le travailliste Harold Wilson en Grande-Bretagne (1964-1970 et 1974-1976), le social-démocrate Helmut Schmidt en RFA (1974-1982), le libéral Giscard d'Estaing en France (1974-1981), facilite l'institution de conférences au sommet dans le sillage de la Commission trilatérale qui regroupait des personnalités d'Europe, des États-Unis et du Japon. Les sommets scandent l'évolution des relations occidentales (Rambouillet, novembre 1975; Jamaïque, 1976). À partir du sommet de Versailles (1982), un rôle particulier en matière monétaire est assigné aux ministres des

Finances des Cinq (États-Unis, Royaume-Uni, RFA, Japon, France) auxquels se joignent parfois ceux du Canada et de l'Italie, dit « groupe G7 ». La concertation trilatérale est à la fois originale et importante, mais elle atteint vite ses limites. Les réunions discrètes font place à des rassemblements à grand spectacle, faussés par la médiatisation. Surtout, la coopération est très incomplète et se heurte à des divergences d'intérêts, en particulier sur le plan des relations Est-Ouest.

• *Même sur le plan de la Défense, les alliés sont divisés et envisagent de façon très différente le problème de l'avenir de la détente.* À l'exception du Royaume-Uni, désireux de préserver et renforcer ses liens avec les Américains, l'Europe occidentale, dont les mouvements pacifistes dénoncent l'installation des euromissiles, est en effet plus attachée que les États-Unis à préserver le dialogue avec l'Est. À la faveur de la vague pacifiste, un véritable national-neutralisme se développe en RFA qui refuse de sacrifier l'*Ostpolitik* à la nouvelle guerre froide américano-soviétique. Mais par les élections de 1983, l'Allemagne de l'Ouest réaffirme sa fidélité atlantique, tout en revendiquant — à l'occasion de l'année Luther — son identité nationale allemande. Les États-Unis voient dans le comportement européen un risque de neutralisation, d'autant plus que les contrats d'achat massif de gaz sibérien sont interprétés comme le signe d'une dépendance des économies européennes à l'égard du fournisseur soviétique.

L'Initiative de défense stratégique elle-même divise les Européens qui perçoivent ainsi la menace d'un découplage de la défense américaine d'avec celle de l'Europe, et la question d'une participation des alliés au programme de l'IDS, proposée par les Américains, suscite les réticences des Européens; mais Anglais, Allemands et Italiens traitent avec Washington en 1985 et 1986. De son côté, la France propose aux pays européens le projet Eurêka « pour mettre en place l'Europe de la technologie ».

Américains et Européens sont aussi divisés face au conflit israélo-arabe : politique proarabe de la part des gouvernements français et italiens; politique pro-israélienne des autres gouvernements. Des remous de politique intérieure ou des conflits bilatéraux menacent aussi la cohésion de l'Alliance.

• *Les tensions au sein de l'OTAN.* Le conflit de Chypre amène la Grèce à quitter de 1974 à 1980 l'organisation intégrée et provoque une crise durable entre elle et la Turquie, pourtant partenaires au sein de l'Alliance atlantique. L'arrivée au pouvoir des socialistes grecs en octobre 1981 suscite un nouveau refroidissement des relations avec l'OTAN. La révolution portugaise d'avril 1974, qui met fin à quarante ans de dictature, amène au pouvoir une équipe gouvernementale comprenant dans un premier temps des ministres communistes. L'accession au pouvoir à Malte en 1971 d'un gouvernement travailliste pousse l'OTAN à déménager en 1974 son quartier général installé dans l'île, qui accepte d'ailleurs en janvier 1981 un arrangement avec l'URSS. En revanche, l'Espagne fait son entrée dans l'OTAN en juin 1982, tout en gardant ses distances avec l'organisation militaire intégrée.

LA CRISE DU LEADERSHIP SOVIÉTIQUE

La séduction opérée en Occident par le communisme est beaucoup moins vive qu'auparavant. Cet affaiblissement est évident si l'on se réfère aux résultats électoraux des partis communistes occidentaux. Malgré l'abandon du principe de la dictature du prolétariat et la volonté de réaliser désormais « le socialisme dans la démocratie et la liberté », leur audience stagne ou décline.

L'Eurocommunisme

Dans les États d'Europe orientale, l'URSS se heurte de plus en plus à un refus d'une direction du Parti communiste soviétique, dénommée « internationalisme prolétarien ».

C'est par le biais de conférences européennes communistes que les Soviétiques ont tenté de maintenir leur influence sur les partis communistes européens. La première conférence européenne a eu lieu à Karlovy Vary, en Tchécoslovaquie, en avril 1967. La deuxième conférence se réunit les 29 et 30 juin 1976 à Berlin-Est, après de longues négociations, mais elle ne consacre, comme l'aurait souhaité Brejnev, ni la suprématie du parti communiste de l'Union soviétique, ni l'internationalisme prolétarien. Les partis tchécoslovaque, allemand, hongrois, bulgare, polonais et portugais sont prêts à accepter, mais d'autres n'hésitent pas à le refuser.

Parmi les partis communistes qui veulent manifester leur indépendance à l'égard de l'organe soviétique, le parti communiste italien joue un rôle de leader, avec son Premier secrétaire, Enrico Berlinguer, tout auréolé de son succès aux élections générales italiennes du 20 juin 1976 (33,7 % des voix). En fait, le parti communiste italien, qui n'hésite pas à critiquer l'URSS, envisage l'éventualité d'un « compromis historique » avec la Démocratie chrétienne qui lui permettrait d'accéder au pouvoir. Il approuve le Marché commun et admet la présence de l'Italie dans le Pacte atlantique. Le parti communiste français adopte une position médiane. En 1968, il se distingue pour la première fois de la ligne soviétique en condamnant modérément l'URSS pour son intervention militaire en Tchécoslovaquie et en 1972, dans le cadre d'un « programme commun » avec le parti socialiste, il accepte l'OTAN et la Communauté européenne. Finalement le Congrès de 1976 affirme les principes d'indépendance et d'égalité souveraine de chaque parti et le libre choix des voies différentes vers le socialisme. Construit autour du parti communiste italien, qui y a attiré les partis communistes français et espagnol, l'« Eurocommunisme » rejette l'idée d'un parti-guide et d'un État-guide et a pour ambition de présenter une alternative à la fois à l'Ouest et à l'Est. Il se définit par la volonté d'établir un lien étroit entre le socialisme, la liberté et la démocratie — le contenu en est précisé lors d'une réunion à Rome du PCI et du PCF en novembre 1975. Mais, par la suite, les positions des partis divergent de plus en plus en raison des événements d'Afghanistan et de Pologne.

La crise polonaise

En Europe de l'Est, à l'exception de la Bulgarie et de l'Allemagne de l'Est, les démocraties populaires remettent en cause le modèle soviétique et l'hégémonie moscovite. La Roumanie, sous la direction du gouvernement de Nicolae Ceaucescu, se détache chaque jour davantage, tout en durcissant sa dictature interne. Son autonomie se manifeste à plusieurs reprises dans la crise du Proche-Orient. En Hongrie, Janos Kadar cherche à procurer un bien-être matériel aux populations. En Tchécoslovaquie, après la « normalisation » qui a suivi les événements de 1968, le mouvement protestataire est restreint à l'élite intellectuelle, les « signataires de la Charte 77 ».

Au contraire, en Pologne la révolte des intellectuels gagne, à la faveur de la crise économique, la plus grande partie du monde ouvrier et paysan en prenant appui sur un fort sentiment national et sur l'audience de l'Église catholique, encore accrue par l'élection au pontificat de l'archevêque de Cracovie, Carol Woytila, qui devient pape sous le nom de Jean-Paul II, le 16 octobre 1978. La visite de Jean-Paul II à Varsovie confirme le magistère d'influence de l'Église en Pologne. À la suite d'une hausse des prix, des vagues de grèves commencées en février 1980 aux chantiers navals de Gdansk contraignent le parti communiste polonais à reconnaître l'existence légale d'un syndicat indépendant « Solidarité », dirigé par Lech Walesa, et à signer les accords de Gdansk, le 31 août 1980. Le 6 septembre 1980, E. Gierek cède son poste de Premier secrétaire du PC polonais à S. Kanya, et le général Jaruzelski devient premier ministre en février 1981.

Au fil de l'année 1981, le fossé se creuse entre le parti communiste polonais, centre du pouvoir légal, et la masse des travailleurs, soutenus par l'Église catholique et surtout organisés dans le syndicat libre Solidarité, qui rassemble près de 10 millions d'adhérents. La persistance des troubles et l'inquiétude des pays du pacte de Varsovie devant l'évolution inclinent à l'épreuve de force. L'Union soviétique va-t-elle se lancer dans une intervention armée? Les Soviétiques finissent par pousser le général Jaruzelski, nouveau secrétaire général du parti polonais, à procéder, le 13 décembre 1981, à un véritable coup d'État militaire, destiné à rétablir l'autorité du parti.

Après une période de répression — état de siège, répression policière, mise hors la loi de Solidarité en octobre 1982 —, le pouvoir tente de collaborer avec la hiérarchie catholique. Malgré la libération du leader de Solidarité, Lech Walesa, en novembre 1982, couronné par le prix Nobel de la paix en 1983, la levée de l'état de guerre à la fin de la même année et les difficultés de la résistance intérieure, la stabilisation est longue à venir. La crise polonaise retentit dramatiquement sur les relations Est-Ouest : les Américains et les Français adoptent une politique de sanctions et suspendent toute relation avec la Pologne, jusqu'à « la visite de travail » du général Jaruzelski à Paris en novembre 1985.

LES TENSIONS EN ASIE DU SUD-EST, EN AMÉRIQUE LATINE ET AU PROCHE-ORIENT

À la faveur de la crise économique, ce n'est pas seulement le dialogue entre les grandes puissances qui est perturbé. Frappé par le surendettement et une croissance démographique non contrôlée, le Tiers Monde aussi s'enfonce dans la guerre et la pauvreté. Contrairement à la période précédente, qui avait vu un relatif regroupement et une certaine solidarité des pays du Tiers Monde, la règle de l'égoïsme national semble triompher. Le dialogue Nord-Sud déraille. Le monde arabe se déchire. L'Afrique craque de toutes parts. Et à la conférence des pays non alignés à la Havane (3-9 septembre 1979), le maréchal Tito s'oppose à Fidel Castro qui veut faire du mouvement une simple courroie de transmission des volontés soviétiques. Si l'Amérique a tendance à se replier sur elle-même, l'Union soviétique intervient partout soit directement, soit indirectement. Aux répercussions de leur confrontation s'ajoutent les conflits bilatéraux, que les grandes puissances n'arrivent plus à arrêter ni même à contrôler. Aux régions traditionnelles de tension : Proche-Orient, Asie du Sud-Est, Amérique latine, viennent s'ajouter de nouveaux terrains d'affrontement : océan Indien, Afrique et Pacifique.

LES TROUBLES EN MÉDITERRANÉE ET AU PROCHE-ORIENT

Permanence du rôle stratégique de la Méditerranée

Si, du fait des fermetures du canal de Suez et de la construction de superpétroliers, la Méditerranée a vu son rôle diminuer sur le plan économique, en revanche son rôle stratégique demeure très important, et l'Union soviétique y a réussi une percée recherchée depuis toujours.

La Méditerranée draine le sixième du trafic général et le tiers du trafic pétrolier mondial. Elle est devenue un des points d'affrontement potentiel où se côtoient les forces des superpuissances.

Face à la sixième flotte américaine qui peut faire relâche un peu partout, une flotte soviétique croise en Méditerranée et trouve des côtes accessibles en Algérie et en Syrie.

• *Pour compliquer les choses, les deux alliés orientaux de l'OTAN sont en conflit à propos de Chypre.* Peuplée surtout de Grecs (80 %) et d'une minorité turque (18 %) et relevant de la souveraineté de l'Empire ottoman qui en cède l'administration à la Grande-Bretagne en 1878, l'île de Chypre, lieu privilégié de transit entre les différents rivages de la Méditerranée, a acquis une valeur stratégique nouvelle depuis l'ouverture du canal de Suez (1869). La solution au problème de la cohabitation des populations grecque et turque dans l'île de Chypre ne pouvait être ni l'annexion du pays à la Grèce (l'Enosis), ni l'union à la Turquie. C'est un État indépendant et neutraliste, dirigé par Mgr Makarios, qui voit le jour le 16 août 1960, à la suite des accords de 1959. Sur fond de rivalité américano-soviétique en Méditerranée orientale, de graves conflits continuent à opposer les deux communautés (1963, 1965, 1967). Peu après les incidents de novembre 1973, qui ébranlent la dictature des colonels, le nouveau gouvernement grec téléguide un coup d'État contre Makarios le 15 juillet 1974 et y installe des dirigeants favorables à l'Enosis. La Turquie décide d'intervenir. En août, les forces turques occupent approximativement 40 % du territoire au nord de l'île, ce qui provoque l'exode d'une partie de la population grecque vers le sud. Une fois de plus, la Grèce et la Turquie sont en guerre ouverte, alors qu'elles sont toutes deux membres de l'Alliance atlantique, plaçant les États-Unis dans l'embarras de devoir choisir entre deux alliés. Sans sortir de l'Alliance, la Grèce quitte alors l'organisation militaire de l'OTAN, qu'elle réintègre en octobre 1980. Malgré les négociations, la partition de l'île en deux États entre peu à peu dans les faits. Les rencontres des chefs de gouvernement turc et grec en janvier et juin 1988 n'ont pas permis de faire évoluer le problème de Chypre.

• *Les incidents américano-libyens.* Après la chute en 1969 de la dynastie Senoussie qui était étroitement liée aux États-Unis, la Libye établit des liens privilégiés avec l'Union soviétique en 1974 ; elle s'engage dans une politique d'armement effrénée et commence sa politique de déstabilisation systématique en Afrique et au Proche-Orient. Les rapports d'hostilité entre la Libye du colonel Kadhafi et l'Amérique du président Reagan dégénèrent en plusieurs affrontements, dont le raid américain sur Benghazi et Tripoli le 15 avril 1986, à la suite d'actes terroristes libyens.

La guerre toujours présente au Proche-Orient

Au conflit israélo-arabe s'ajoutent des tensions nouvelles qui contribuent à faire du Proche-Orient une zone dangereuse pour la paix du monde. On assiste en effet au renouveau de l'Islam, à la progression de l'intégrisme musulman et à la volonté d'autonomie des acteurs régionaux. Les richesses considérables tirées des revenus pétroliers permettent à certains États (Libye, Arabie Saoudite, Irak, Émirats arabes unis, Koweit) d'acquérir un armement moderne. Sous l'influence toujours plus grande des musulmans chiites, l'Islam joue le rôle principal dans la révolution iranienne qui institue une « République islamique » (soumission du peuple au

Coran et au pouvoir de l'imam Khomeiny). Maître de la Syrie, principal allié des Soviétiques dans la région, le président Hafez el-Assad aspire à être l'unificateur des Arabes et le restaurateur de la Grande Syrie, groupant autour de Damas le Liban, la Jordanie et le futur État palestinien. Riche de ses pétrodollars, le colonel Kadhafi a aussi l'ambition de faire autour de la Libye l'unité du monde arabe. L'Arabie Saoudite, qui s'est taillée la part du lion du boom pétrolier, acquiert une situation prééminente.

• *Face à ces développements, les superpuissances ont peine à contrôler la situation.* L'Union soviétique dote la Syrie d'un matériel militaire considérable et elle soutient les États révolutionnaires, comme l'Éthiopie, la Libye et le Yémen du Sud. Surtout, elle marque par son intervention directe en Afghanistan sa volonté de participer au contrôle du golfe Persique. Les États-Unis s'efforcent de contrer les ambitions soviétiques dans la région par une politique mêlant les interventions directes (Liban, golfe Persique) et l'appui aux États modérés comme l'Arabie Saoudite et l'Égypte.

L'action des États-Unis, et en particulier du secrétaire au Département d'État, Kissinger, est décisive dans le rapprochement israélo-égyptien commencé par les contacts entre militaires dans le Sinaï au « kilomètre 101 ». La diplomatie des « petits pas » de Henry Kissinger permet aux États-Unis de retrouver leur influence dans la région. Mais le courage du président égyptien Anouar el-Sadate permet d'aller plus loin encore. Le rapprochement des positions israélienne et égyptienne se concrétise par le voyage étonnant du président Sadate à Jérusalem (19-21 novembre 1977), puis par les accords de Camp David (5-17 septembre 1978) négociés sous l'égide du président Carter par Begin et Sadate, enfin par le traité de paix signé à Washington entre Israël et l'Égypte (26 mars 1979). Grâce à la participation et à l'appui des États-Unis, c'est d'abord la fin de l'état de guerre qui existait depuis trente ans entre Israël et le plus puissant de ses voisins arabes. L'Égypte obtient la restitution de ses terres occupées depuis 1967 : en exécution de ce traité, l'évacuation du Sinaï par l'armée israélienne est chose faite en avril 1982. Mais toutes les tentatives ultérieures pour conduire à une paix générale dans la région se sont révélées vaines.

• *Cette politique aboutit à isoler complètement l'Égypte*, non seulement des pays arabes (Algérie, Libye, Irak, Sud-Yémen, OLP) qui constituent le « front du refus » (décembre 1977), mais aussi des pays modérés comme l'Arabie Saoudite et la Jordanie. Le neuvième sommet arabe de Bagdad exclut l'Égypte de la Ligue arabe et en transfère le siège à Tunis (novembre 1976). Sa politique audacieuse et la poussée des courants conservateurs coûtent la vie au président Sadate, assassiné le 6 octobre 1981 par des intégristes islamiques. Les facteurs religieux s'ajoutent aux causes politiques pour rompre l'unité du monde arabe, plus divisé que jamais par la guerre Iran-Irak. La religion islamique, avec les deux grands courants sunnite et chiite et avec ses nombreuses sectes, s'affirme comme un ferment de division, contribuant à dresser des États les uns contre les autres et à attiser les guerres civiles.

• *Non seulement la question palestinienne ne trouve pas de solution, mais la situation empire.* Depuis sa création en 1964, l'Organisation de libération de la Palestine (OLP) s'efforce d'obtenir une reconnaissance internationale. En septembre 1974, pour la première fois, l'ONU inscrit à son ordre du jour la question palestinienne et non plus « le problème des réfugiés ». Et le leader de l'OLP,

Yasser Arafat, invité à parler devant l'Assemblée générale, prône l'instauration d'un seul État démocratique de Palestine (13 novembre 1974).

La politique israélienne, menée par le chef du parti conservateur Menahem Begin (1977-1983), consiste à nier la nation palestinienne et ne veut pas entendre parler d'une reconnaissance de facto de l'OLP. Elle fait de Jérusalem sa capitale en juillet 1980, annexe le territoire syrien du Golan en décembre 1981 et encourage la colonisation juive en Cisjordanie. Les pays arabes reconnaissent l'OLP comme seul représentant des Palestiniens et la soutiennent moralement et matériellement. L'URSS la reconnaît à son tour et proclame son attachement au maintien d'un État palestinien. Les États-Unis préconisent la solution d'une patrie palestinienne dans le cadre de la Jordanie, comprenant la Cisjordanie. Lors du sommet de Venise (13 juin 1980), les membres de la Communauté européenne recommandant d'associer l'OLP au processus de paix. Et le président Mitterrand se fait l'avocat de la création d'un État palestinien dans son discours à Jérusalem le 4 mars 1982. Entre l'immobilisme israélien et le terrorisme palestinien, c'est l'impasse.

• *Ancien mandat français, indépendant depuis 1945, et cité comme modèle d'équilibre intercommunautaire, le Liban* n'est plus un havre de paix et de prospérité. Il est déchiré par les rivalités traditionnelles entre chrétiens maronites (catholiques de rite syrien) et musulmans (druzes et chiites), mais aussi directement concerné par le conflit israélo-arabe, puisque les organisations palestiniennes y sont implantées depuis leur éviction de Jordanie en septembre 1970. De fait, le Liban est en proie à la guerre civile, ouverte le 13 avril 1975 avec les affrontements entre militants des Phalanges chrétiennes et Palestiniens. Peu à peu l'État libanais se dissout une série de micro-communautés, d'autant plus que la Force intérimaire des Nations Unies (FINUL) est impuissante et que les États voisins interviennent. La Syrie d'abord s'efforce à partir de 1976 d'arbitrer la situation par un soutien alterné aux palestino-progressistes et aux forces chrétiennes. Israël ensuite, confronté aux raids de Palestiniens réfugiés dans les camps au sud du Liban (*Fathaland*) exerce des représailles, comme en mars 1978. Mais l'opération « Paix en Galilée » de juin 1982 est d'une autre ampleur. Israël espère chasser les forces de l'OLP et instaurer au Liban un pouvoir fort, qui établirait la paix avec Israël. Le siège de Beyrouth conduit bien à l'élimination de l'OLP du Liban, mais achève de désagréger le Liban dont le nouveau président de la république, chef des milices chrétiennes, Bechir Gemayel, est assassiné (14 septembre 1982). L'intervention israélienne, qui rencontre plus de résistance que prévu, se transforme en déroute et aboutit finalement au retrait des forces israéliennes (juillet 1983). L'état intérieur du Liban amène l'intervention d'une force multinationale « d'interposition » composée de contingents américain, français, italien et anglais. Cette force, qui contrarie les visées de la Syrie, est victime le 23 octobre 1983 d'un attentat qui coûte la vie à 58 soldats français et 241 soldats américains; elle se retire alors du Liban. La paix paraît plus lointaine que jamais dans un pays dont les structures étatiques se décomposent littéralement, où les grandes puissances n'osent plus intervenir, laissant la maîtrise du terrain à la Syrie.

LES LUTTES D'INFLUENCE EN ASIE DU SUD-EST

On assiste au redéploiement des grandes puissances dans cette région, redéploiement marqué par le désengagement des États-Unis de la péninsule indochinoise et relayé par une influence toujours plus grande de l'Union soviétique, l'expansionnisme vietnamien et le développement d'un axe Pékin-Tokyo-Washington, qui s'oppose à l'axe Moscou-Hanoi.

L'expansionnisme vietnamien

• *La fin de la guerre*. Le problème essentiel reste celui du Viêt-nam : les accords de Paris du 27 janvier 1973 n'ont pas mis fin à la guerre entre le Nord et le Sud, où les forces du GRP gagnent sans cesse du terrain aux dépens des soldats du général Thieu. Le processus de réunification du Viêt-nam, au profit du régime d'Hanoi, constitue une étape dans le projet stratégique consistant à unifier l'ancienne Indochine pour mieux la protéger des visées chinoises. C'est d'abord l'absorption du Sud par le Nord. En avril 1975, l'offensive communiste est irrésistible, d'autant plus que le président américain Gerald Ford ne peut apporter l'aide militaire d'urgence sollicitée par le gouvernement de Saigon, mais refusée par le Congrès. La résistance du Sud s'effondre brutalement.

À la chute de Saigon et de Phnom-Penh (avril 1975) succède la transformation du Laos en République populaire par la victoire du Pathet-Lao (décembre 1975). C'est toute l'ancienne Indochine qui passe au communisme. Mais le désordre continue, aggravé par le génocide auquel se livrent les Khmers rouges au Cambodge, rebaptisé Kampuchéa démocratique.

• *La guerre du Viêt-nam s'achève donc par un échec grave pour le prestige américain* et le désengagement des puissances occidentales se manifeste aussi par la dissolution de l'OTASE (30 juin 1977). Toutefois la « théorie des dominos » ne se vérifie pas au-delà des frontières de l'ancienne Indochine française : la Thaïlande, malgré de sérieuses difficultés frontalières avec le Cambodge et le développement de maquis communistes au Nord résiste à la poussée révolutionnaire. Elle constitue le 8 août 1967, avec la Malaisie, l'Indonésie, les Philippines et Singapour un groupement régional, l'Association des nations du Sud-Est asiatique, l'ASEAN (*Association of South East Asian Nations*), organisme de coopération économique et politique dont la règle est le neutralisme. Il s'agit de constituer en Asie du Sud-Est une zone de paix et de neutralité, libre de toute interférence de la part des puissances extérieures à la région. Mais la crainte de l'expansion vietnamienne amène l'ASEAN à se rapprocher des États-Unis, afin de faire barrage aux menées subversives. Les États-Unis conservent donc un rôle dans la région, grâce à ses relations étroites avec le Japon, la Corée du Sud, les pays de l'ASEAN, qui lui louent les bases de Clark Field et de Subic Bay, et surtout la Chine.

• *Les protectorats vietnamiens* : *Laos et Cambodge*. La République démocratique du Viêt-nam, unifiée en 1975 par sa victoire et première puissance militaire de la région, impose en juillet 1977 son protectorat au Laos qui devient aussi un satellite de l'URSS. Au Cambodge, la stratégie expansionniste du Viêt-nam se heurte au soutien actif de Pékin au régime de Pol Pot. Les combats frontaliers nés de différends territoriaux et la dénonciation des massacres des Khmers rouges fournissent au Viêt-nam un prétexte à une intervention militaire (25 décembre 1978-7 janvier 1979) et à l'occupation du Cambodge. Le Viêt-nam élimine le régime de Pol Pot et instaure un protectorat de fait. Tout l'ensemble indochinois est reformé sous l'égide politique et militaire du Viêt-nam. L'état de guerre endémique qui sévit dans la région, les massacres et les pillages entraînent des migrations de Vietnamiens et de Cambodgiens qui fuient leur pays, surtout par mer (d'où leur nom de *boat-people*) et souvent au péril de leur vie.

L'attitude chinoise face à la double hégémonie

L'Asie du Sud-Est constitue un enjeu dans le conflit sino-soviétique qui persiste. La succession de Mao Tsê-Tung et de Chou En-Lai — morts l'un et l'autre en 1976 — n'apporte guère de changement à la politique extérieure de la Chine ; celle-ci reste dominée par son rejet de la double hégémonie des États-Unis et de l'Union soviétique, mais dans la pratique elle soutient tout ce qui peut contrecarrer l'URSS en Asie et en Afrique et elle revendique des territoires occupés par l'Inde. Considérant que l'URSS est devenue leur « ennemi principal », les dirigeants chinois élaborent « la théorie des trois mondes » : États-Unis et URSS forment le « premier monde », celui des impérialismes ; l'Europe, le Canada et le Japon constituent un monde intermédiaire, susceptible de s'opposer aux deux hégémonies ; enfin le « troisième monde » comprend les pays en voie de développement, dont la Chine se prétend le leader. C'est en fait une rivalité globale qui oppose les deux grandes puissances communistes. En général, la Chine adopte une politique qui fait obstacle à celle de l'Union soviétique. Elle maintient ses revendications sur des régions frontalières de l'URSS, comme le Pamir, ou de l'Inde. Mais surtout elle entend être la grande puissance de l'Asie du Sud-Est.

Face à l'Union soviétique et au Viêt-nam, liés par un traité d'amitié signé en novembre 1978, la Chine s'inquiète de l'expansion vietnamienne au Laos et au Cambodge. Craignant d'être prise en tenaille entre l'Union soviétique et son allié vietnamien et voulant infliger une « leçon » au Viêt-nam, elle envahit provisoirement les régions frontalières (17 février-3 mars 1979), sans que l'URSS intervienne autrement que par des livraisons de matériel. Par son « opération de police », la Chine fait désormais figure de gendarme de la région.

• *Le rapprochement sino-américain.* D'autre part, elle poursuit le rapprochement avec l'Ouest, entamé au début des années 1970. Elle conclut en août 1978 un traité de paix et d'amitié avec le Japon, comportant une clause « antihégémonique », qui vise en fait l'URSS. Depuis le voyage de Nixon à Pékin (21-28 février 1972) les négociations sino-américaines butent sur le problème de Taiwan, que les Américains refusent de lâcher. À la suite de l'arrivée au pouvoir de Teng Hsiao-Ping en Chine et de Carter aux États-Unis, la Chine établit le 16 décembre 1978 des relations diplomatiques avec les États-Unis qui reconnaissent la République populaire comme l'unique gouvernement légal de la Chine. Le voyage de Teng Hsiao-Ping aux États-Unis en février 1979 et la crise afghane confirment le rapprochement spectaculaire entre Pékin et Washington. Même si la Chine reste un État marxiste-léniniste, il s'agit d'une véritable alliance de revers avec l'Occident contre l'URSS.

• *L'amélioration des relations sino-soviétiques.* Depuis 1982, Pékin semble rechercher des relations équidistantes entre Moscou et Washington. Après la mort de Mao Tsê-Tung, la Chine tourne le dos à la révolution culturelle ; dès lors, le conflit avec l'Union soviétique perd une partie de sa dimension idéologique. Sous l'impulsion de Teng Hsiao Ping, le régime se convertit au réalisme. Les relations s'intensifient en 1985, malgré la persistance des « obstacles » à une normalisation, comme l'intervention soviétique en Afghanistan et vietnamienne au Cambodge. Le retour à des relations plus cordiales se poursuit avec le voyage de Gorbatchev en Chine du 15 au 18 mai 1989, qui scelle la normalisation entre les deux pays après trente ans de brouille.

Le rôle du Japon et de l'Inde

• *Le Japon, devenu une superpuissance économique, est resté un nain politique.* Les relations extérieures d'un pays qui a longtemps limité son effort militaire et s'est reposé sur l'alliance américaine pour sa sécurité ont été essentiellement commerciales et financières. Les relations diplomatiques ont été rétablies avec l'URSS en 1956, mais n'ont pas abouti à un traité de paix, en raison de la revendication par le Japon des îles les plus méridionales des Kouriles (au nord de Hokkaido) occupées par les Soviétiques depuis 1945. Avec la Chine, le Japon a signé le 12 août 1978 un traité de paix et d'amitié. Le Japon est d'ailleurs devenu un partenaire commercial privilégié de l'URSS et de la Chine. Depuis peu, le Japon veut se dégager de son alignement traditionnel sur Washington et mettre sur pied une politique régionale indépendante. Il conquiert l'un après l'autre les marchés sur le dos des Américains, qui sont plus nombreux à croire en une menace économique japonaise qu'en une menace militaire soviétique ; le Japon inquiète aussi les Européens par son expansion commerciale dans plusieurs secteurs industriels clés, comme l'acier, l'automobile et l'électronique. Enfin, si le programme de défense est mené à son terme, le Japon est en passe de devenir une puissance militaire majeure dans l'Asie-Pacifique.

• *Quant à l'Inde, elle jouit encore d'une certaine autorité morale*, grâce au rôle historique joué par Nehru dans la création du mouvement des non-alignés, et cela bien qu'elle ait à maintes reprises sacrifié des positions neutralistes en s'alignant sur la diplomatie soviétique (traité d'alliance de 1971) afin d'obtenir son soutien contre ses deux principaux rivaux : le Pakistan et la Chine. Mais elle est surtout préoccupée de résoudre ses contradictions nationales et religieuses. Le mécontentement des sikhs, minorité religieuse implantée au Pendjab et qui réclame une plus grande autonomie, se transforme en révolte et provoque l'assassinat du premier ministre, Indira Gandhi (31 octobre 1984).

La percée des pays de l'« arc du Pacifique »

• *L'Asie est aussi la région des conflits « dormants ».* La question de Corée, qui n'est pas réglée par l'armistice de 1953, ressurgit en septembre 1983 lors de la destruction d'un avion de ligne sud-coréen par l'aviation de chasse soviétique. La situation de la Corée symbolise à la fois la division d'une nation en deux États, le reflet de la division du monde et un risque permanent de reprise des hostilités entre Pyong Yang et Séoul. C'est enfin un enjeu stratégique pour les quatre grandes puissances présentes dans la région Asie-Pacifique : les États-Unis qui y maintiennent des forces militaires depuis les années 50, l'Union soviétique au rôle croissant en Asie, la Chine et le Japon qui ont longtemps rivalisé pour le contrôle de la Corée. Les intérêts parallèles aboutissent à perpétuer le *statu quo*. La Corée du Sud est devenue une puissance industrielle et commerciale qui connaît des tensions dues à la persistance d'une menace militaire du Nord et au régime dictatorial.

• *La question de Taiwan* est celle d'un pays, modeste par sa superficie et sa population, isolé par la volonté de l'Occident. Elle est rendue d'autant plus paradoxale que l'extraordinaire essor économique de Taiwan en fait une des nouvelles puissances industrielles d'Asie, des quatre « dragons ». La solution au problème de Taiwan est dans l'impasse car l'intégration à la Chine populaire est refusée par Taibei. Les pays de l'« arc du Pacifique », la Corée du Sud, Taiwan, Hong Kong et Singapour qui ont réussi une remarquable percée sur les marchés mondiaux, rivalisent

Source : *Le Monde*.

avec les anciens centres industriels d'Europe et d'Amérique du Nord, et participent ainsi à la redistribution des pôles de puissance dans le monde.

LA DÉSTABILISATION DE L'AMÉRIQUE LATINE

Coups d'État et guérillas marquent la période et font de l'Amérique latine une des régions les plus instables de la planète. Les causes de ces conflits sont déjà connues. La fragilité des structures économiques, les disparités sociales et la faiblesse des systèmes politiques facilitent l'extension des guérillas et la progression des courants marxistes. La domination nord-américaine est de plus en plus insupportable aux pays d'Amérique latine et en particulier d'Amérique Centrale, qui expriment leur désir d'indépendance vis-à-vis de leur puissant voisin, dont la politique a d'ailleurs évolué.

L'influence du modèle cubain

La période est donc marquée par de violents soubresauts dus à la lutte entre les mouvements révolutionnaires marxistes-léninistes et les régimes conservateurs, au moment où plusieurs îles ou territoires britanniques (Jamaïque, Barbade,

Bahamas, Grenade, Bermudes, Belize) et néerlandais (Surinam) accèdent à l'indépendance. Le développement économique s'accompagne de telles disparités sociales qu'il favorise la contagion révolutionnaire menée à partir de Cuba.

Non seulement Cuba est devenue la première démocratie populaire d'Amérique, mais elle ne cache pas sa volonté d'exporter sa révolution partout en Amérique latine. L'hostilité du gouvernement américain renforce la popularité de Cuba et fait de Fidel Castro un des héros de l'anti-impérialisme. Cuba soutient des mouvements d'émancipation en Afrique (Angola, Guinée-Bissau) et agit à la fois pour son propre compte de missionnaire de la révolution et pour le compte de Moscou. De 1975 à 1985, 200 000 Cubains participent aux combats en Angola et en Éthiopie. Malgré sa dépendance à l'égard de l'Union soviétique, son prestige est croissant dans le Tiers Monde, comme l'atteste la tenue à La Havane (3-9 septembre 1979) du sixième sommet des pays non alignés.

La crise du leadership américain

Jusqu'à la fin des années 1970, les États-Unis veillent au maintien du *statu quo* politique dans l'hémisphère occidental. Certes, ce n'est plus une chasse gardée des États-Unis. Depuis 1962, ils tolèrent l'existence d'un régime communiste, allié de l'Union soviétique, dans leur sphère d'influence, mais partout ailleurs ils pratiquent une politique d'endiguement du communisme, conforme à leurs intérêts économiques et stratégiques. Ils désapprouvent l'expérience marxiste menée au Chili par Salvador Allende, qui est renversé le 11 septembre 1973 par un complot à la tête duquel se trouve le général Pinochet. Ils apportent ainsi leur soutien à des dictatures et ils éliminent les dirigeants des États jugés dangereux pour leurs intérêts et pour la stabilité de la région.

• *La politique de Carter (1976-1980)*. L'attitude des États-Unis à l'égard de l'Amérique latine subit une profonde transformation sous la présidence de Jimmy Carter qui proclame son attachement aux Droits de l'homme et au principe de la souveraineté des nations. Ainsi, les États-Unis pratiquent une politique d'aide sélective envers les États latino-américains, réduisant l'appui militaire et financier aux dictatures du Chili et d'Argentine. Le traité sur le canal de Panama (16 juin 1978) accorde à la république de Panama la souveraineté progressive sur la voie d'eau transocéanique et doit supprimer à terme la zone du canal, territoire cédé par la république de Panama aux États-Unis en 1903. Ainsi disparaît une marque de l'impérialisme des États-Unis en Amérique latine.

Le bilan de l'application de la «doctrine Carter» reste cependant incertain. Les forces révolutionnaires, inspirées ou non par le castrisme, en profitent pour occuper le terrain. Elles s'emparent ainsi du pouvoir dans l'île de la Grenade, en mars 1979. Au Nicaragua, en juillet 1979, les guérilleros du Front sandiniste de libération chassent le président Anastasio Somoza. Le risque de contagion révolutionnaire et l'aide apportée par le nouveau régime aux maquis du Salvador et du Guatemala inquiètent les États-Unis qui, à partir de l'arrivée au pouvoir de Ronald Reagan en novembre 1980, réagissent par une aide militaire et financière aux États et aux forces contre-révolutionnaires et par un plan d'aide aux Caraïbes.

• *Le plan Reagan de février 1982 pour l'Amérique Centrale* (Initiative pour le bassin Caraïbe) vise à contenir la subversion en promouvant la démocratie, le dialogue, le développement et la défense. L'intervention dans l'île de la Grenade, en proie au désordre, le 25 octobre 1983, traduit la volonté du gouvernement

Reagan de réaffirmer son autorité dans les Caraïbes. Mais le principal problème est celui du Nicaragua. Cette petite République, qui occupe une situation stratégique dans les Caraïbes, connaît en 1978 une crise aiguë due à la confrontation entre le Front sandiniste (du nom d'Augusto Sandino, 1895-1934, résistant nicaraguayen qui s'est opposé avec succès à une intervention américaine dans son pays en 1933) et la famille du président Somoza, qui règne sur le pays depuis plus de quarante ans. Lâché par les États-Unis, le général Somoza abandonne le pouvoir (17 juillet 1979) dans une atmosphère de guerre civile. L'aide américaine au Nicaragua dirigé par les sandinistes est suspendue et la guerre civile reprend en 1982, animée par les forces contre-révolutionnaires (*Contras*) soutenues par l'Amérique de Reagan qui s'inquiète de la présence de Cubains et de conseillers militaires soviétiques. Mais le Congrès rechigne à renouveler l'aide militaire aux *Contras* et le groupe de Contadora (Mexique, Venezuela, Colombie, Panama), créé en avril 1983, tente une médiation.

Dans leur volonté de maintenir une *pax americana* en Amérique latine, les États-Unis doivent tenir compte de la volonté d'indépendance des dirigeants latino-américains, de l'émergence de nouveaux acteurs comme le Mexique, le Brésil ou le Venezuela, ainsi que des réserves formulées à l'égard de leur politique par des dirigeants occidentaux (comme celles du président français, F. Mitterrand).

• *Cette « crise du leadership américain » sur l'Amérique latine se manifeste clairement lors de la guerre des Malouines, au printemps 1982*. Il s'agit d'un conflit territorial entre la Grande-Bretagne qui occupe les îles Malouines (ou Falkland) depuis 1833 et l'Argentine qui récuse la souveraineté britannique et les revendique comme son propre territoire. Ce conflit potentiel dégénère en un affrontement aéronaval lorsque le président argentin Galtieri fait occuper par surprise, le 2 avril 1982, Port Stanley, la capitale des Malouines. La guerre tourne à l'avantage de la Grande-Bretagne, dirigée depuis 1979 par Margaret Thatcher, la « dame de fer », qui n'hésite pas à envoyer toute la marine anglaise à 11 000 km de Londres pour récupérer des îles où vivent seulement 1 600 personnes. Le 14 juin 1982, les forces britanniques reprennent Port Stanley.

D'un point de vue géopolitique, l'enjeu est peut-être le contrôle du détroit de Drake, c'est-à-dire l'itinéraire des sous-marins soviétiques entre l'océan Atlantique et l'océan Pacifique. Sur le plan politique, la crise des Malouines est mal venue pour l'Occident, qui affronte une contradiction fondamentale. Les États-Unis doivent choisir entre deux types d'alliances, celle de l'Atlantique-Nord et celle du continent américain. Le président Reagan prend le parti de soutenir le Royaume-Uni, s'attirant ainsi le ressentiment de l'Argentine et de nombreux États latino-américains (l'Organisation des États américains reconnaît la souveraineté argentine sur les Malouines) et permettant aux Russes et aux Cubains de marquer des points dans la région. La défaite face au Royaume-Uni explique la chute du régime militaire et l'avènement d'un régime libéral en Argentine. Le président Raoul Alfonsin est élu président de la République et le nouveau régime entame des poursuites contre les militaires de l'ancienne junte. De façon générale d'ailleurs, la démocratie fait des progrès en Amérique latine. Le Venezuela et la Colombie, depuis 1958, le Pérou en 1978, la Bolivie en 1981, le Brésil, l'Argentine et l'Uruguay en 1984 passent de la dictature et du régime militaire à la démocratie tandis que, après la chute de Duvalier (février 1986), Haïti cherche son équilibre.

NOUVEAUX TERRAINS D'AFFRONTEMENT
ET NOUVEAUX ENJEUX

Les ambitions soviétiques dans le Tiers Monde ont longtemps semblé se limiter à l'Asie et au Proche-Orient. À partir des années 1970, la présence et les intérêts soviétiques se sont considérablement diversifiés, dans l'océan Indien, dans les Caraïbes, dans l'océan Pacifique et en Afrique où la percée soviétique a été spectaculaire.

LE GOLFE PERSIQUE ET L'OCÉAN INDIEN

L'Asie du Sud-Ouest est une région vulnérable où les antagonismes religieux et les rivalités ethniques, les disparités sociales entretiennent un climat de tension permanente, illustré par une forte instabilité politique (coups d'État au Pakistan, assassinats politiques en Inde). C'est aussi une région vitale pour l'Occident.

Depuis la crise pétrolière, les grandes puissances accordent une importance stratégique accrue au golfe Persique, zone essentielle de la production pétrolière, et aux routes de l'océan Indien. Par ailleurs, la «corne» de l'Afrique commande le débouché de la mer Rouge. Or l'Occident s'inquiète de la poussée soviétique qui s'exerce dans cette partie du monde à la faveur de la disparition de deux alliés dans le Tiers Monde. À la suite de la chute de l'empereur d'Éthiopie (12 septembre 1974), une junte militaire prend le pouvoir en 1977 et s'aligne sur le modèle soviétique. L'Éthiopie devient l'alliée privilégiée de l'URSS qui s'appuie également sur l'Inde (traité de 1971), l'Afghanistan (traité de 1978) et la république populaire du Yémen, ou Yémen du Sud (traité de 1984). La flotte soviétique dispose ainsi de nombreux points d'appui dans l'océan Indien. Afin de rééquilibrer le rapport des forces Est-Ouest en Asie méridionale, les États-Unis n'ont d'autre choix que d'offrir en 1981 leur aide économique et militaire au Pakistan, aide supprimée en 1979, et de renforcer leur base de Diego-Garcia (îlot de l'océan Indien loué à la Grande-Bretagne).

Les répercussions de la guerre Iran-Irak

• *Née des frustrations d'une modernisation trop rapide, la révolution islamique qui, en 1978-1979 embrase l'Iran*, puis abat le régime du Shah, aboutit à l'instauration d'une République islamique et bouleverse le paysage politique du golfe Persique. Sous l'impulsion de l'imam Khomeiny, rentré de son exil en France pour prendre la tête de la révolution iranienne (1er février 1979), le nouveau régime adopte dans tous les domaines le contre-pied de la politique pratiquée par le Shah, considéré par les États-Unis comme «le gendarme du Golfe», du temps de Mohammed Reza. L'Iran se replie sur lui-même, réduisant de 50 % ses ventes de pétrole, fermant ses frontières aux influences occidentales et prêchant la révolution intégriste dans tout le monde musulman. Le coup est dur pour l'Occident qui perd un de ses bastions avancés, directement sous influence de l'URSS par sa frontière avec celle-ci. La révolution iranienne, par le prosélytisme chiite qui sous-tend, renforce et stimule les mouvements radicaux islamiques non seulement au Proche-Orient mais dans le monde entier, de l'Indonésie à l'Afrique noire, en passant par le Maghreb. Toutefois c'est d'abord dans le golfe Persique que l'Iran constitue un agent de déstabilisation, dont s'inquiète l'État irakien laïque.

L'océan Indien

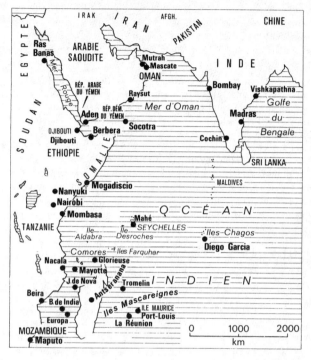

• *C'est sur ces entrefaites qu'éclate la guerre Iran-Irak.* Le 22 septembre 1980, l'Irak décide d'attaquer l'Iran, en prétextant des incidents de frontière et en dénonçant le partage des eaux du Chott-El-Arab, conflit traditionnel entre deux pays que sépare une frontière de 1 500 km. Il s'agit de profiter des difficultés du nouveau régime de l'Iran pour reprendre ce que le Shah avait arraché à l'Irak par l'accord d'Alger du 6 mars 1975, qui divisait le Chott-El-Arab, voie d'eau formée par la réunion du Tigre et de l'Euphrate, en deux parties attribuées à chacun des riverains.

Le commandement irakien croit en une guerre éclair, en profitant de l'opportunité de la révolution islamique en Iran et de la faiblesse momentanée de l'armée iranienne. Aux attaques irakiennes (septembre 1980-mars 1982) succèdent les contre-offensives iraniennes (mars 1982-avril 1984). La guerre éclair se transforme en une guerre longue : l'Iran forte de 40 millions d'habitants ne s'effondre pas et l'Irak, dont la population est de 14 millions, s'affaiblit. L'instinct patriotique iranien et les slogans khomeinistes donnent à l'armée iranienne assez d'énergie pour mener des offensives contre l'Irak. Pendant les quatre années suivantes (avril 1984-août 1988), Irakiens et Iraniens bombardent tour à tour les villes de l'ennemi et attaquent les navires pétroliers, provoquant l'internationalisation du conflit. Et la guerre a des effets dans le monde arabe et au Proche-Orient. Elle révèle les dissensions interarabes. Elle accélère les reclassements dans la région. L'Iran est soutenu par la Syrie et la Libye. L'Irak est appuyé par les gouvernements arabes modérés — dont l'Arabie Saoudite — effrayés des effets que pourrait avoir l'extension de la révolution iranienne. Le conflit a enfin des conséquences sur la scène internationale et il modifie les conditions de la compétition entre l'Est et l'Ouest.

• *L'enjeu de cette guerre, épuisante pour les deux protagonistes, devient le contrôle du détroit d'Ormuz*, par où transite tout le pétrole de la région. Du coup, le golfe Persique est de plus en plus incertain et voit s'affronter l'intervention concurrente des États-Unis et de l'Union soviétique. Celle-ci opère d'abord un rapprochement avec l'Iran, puis renoue ses liens avec l'Irak. Les États occidentaux perdent tout contact avec l'Iran, au fur et à mesure de sa radicalisation politique et religieuse et de son soutien avéré aux preneurs d'otages et aux terroristes. Les États-Unis soutiennent l'Irak, mais ils fournissent secrètement des armes à l'Iran. Ils encouragent les États du golfe (Arabie Saoudite, Émirats arabes unis, Qatar, Bahrein et Koweit) à s'unir au sein du Conseil de coopération du Golfe (26 mai 1981), afin de ne pas perdre le contrôle du golfe Persique et des considérables réserves de pétrole.

Les réactions face à l'intervention soviétique en Afghanistan

• *L'événement le plus lourd de conséquences pour la paix mondiale est l'intervention de l'armée soviétique en Afghanistan à partir de décembre 1979.* En 1978, ce pays archaïque et depuis toujours État-tampon entre la Russie et l'Inde, est en proie à un coup d'État militaire qui renverse la monarchie et met en place un gouvernement prosoviétique, dominé par Nur Muhammad Taraki, chef de l'aile dure du parti communiste afghan. Celui-ci est assassiné en septembre 1979 par les partisans du secrétaire du parti, Hafizullah Amin, que les Soviétiques considèrent comme incapable de faire face à la guérilla contre-révolutionnaire. La rébellion se généralise et se transforme en guerre civile. Aussi Moscou décide-t-il d'intervenir le 27 décembre 1979 en Afghanistan, engageant plusieurs dizaines de milliers d'hommes et un matériel considérable et mettant en place un nouveau gouvernement dirigé par Babrak Karmal. S'agit-il, pour Moscou, d'un abandon délibéré de la politique de détente ou d'un simple accroc à la coexistence ? Pourquoi cette attaque en force contre un État limitrophe au risque de ternir son image ? Est-ce pour défendre son glacis ou pour conquérir un avantage stratégique, au seuil du golfe Persique ?

Les Soviétiques présentent l'intervention comme une opération idéologique, justifiée par la « solidarité prolétarienne ». Il s'agit d'empêcher, conformément à la doctrine Brejnev, qu'un pays entré dans le camp socialiste en sorte. Mais c'est aussi un acte stratégique : il permet de prendre position à proximité du golfe Persique, au contact direct du Pakistan, allié des États-Unis, et de l'Iran, en pleine révolution.

• *Les Soviétiques n'ont probablement pas mesuré l'ampleur des réactions que leur intervention susciterait.* L'Assemblée générale des Nations Unies la condamne par 104 voix contre 18 et 18 abstentions. Les ministres des Affaires étrangères des pays islamiques, réunis en janvier 1980 à Islamabad (Pakistan), sont unanimes à dénoncer « l'agression contre le peuple afghan ». Les pays occidentaux perçoivent cette intervention comme une agression remettant en cause la détente, car sous le couvert de l'idéologie, l'Union soviétique exige le développement infini de son fameux glacis.

La riposte du président Carter, sous la forme d'un embargo d'ailleurs partiel des ventes de céréales et des équipements de haute technologie à l'Union soviétique et du boycott des Jeux olympiques de Moscou de 1980, ne fait pas reculer les Soviétiques. En revanche, l'affaire d'Afghanistan a pour effet de secouer l'Amérique, longtemps inhibée par le syndrome vietnamien, et pèse dans le mouvement d'opinion qui aboutit à l'élection en novembre 1980 du républicain Ronald Reagan, réputé pour son antisoviétisme et son hostilité à la détente. Sur le terrain, la ténacité de la résistance afghane empêche l'armée soviétique d'obtenir une solution militaire et l'amène en fait à une situation d'échec semblable à celle de la guerre du Viêt-nam.

L'AFRIQUE

Jusqu'en 1975, l'Afrique est restée en grande partie à l'écart de la confrontation entre l'Est et l'Ouest, et dans la mouvance des États d'Europe occidentale. Dans la période 1975-1985, l'Afrique, victime des rivalités des grandes puissances, en proie aux famines, ravagée par des conflits armés, connaît une détresse plus profonde que du temps de la colonisation.

L'accession à l'indépendance des dernières colonies

Certes, en Algérie et au Congo, la décolonisation — qui s'est opérée avec violence — a provoqué des affrontements. Mais d'une façon générale, la plupart des États ayant acquis leur indépendance dans la paix ont maintenu leurs liens avec leur ancienne métropole, en particulier par le biais de groupements d'États, comme le *Commonwealth*, la Communauté française ou l'ensemble des États francophones.

Les seuls territoires à n'être pas alors décolonisés sont les colonies portugaises, qui deviennent indépendantes à la suite de la révolution portugaise du 25 avril 1974. Dès le 6 mai, la junte propose un cessez-le-feu général aux colonies. Le 26 août 1974 est signé à Alger un accord sur l'indépendance de la Guinée portugaise (Bissau) et des îles du Cap-Vert; le 6 septembre, intervient l'accord de Lusaka sur l'indépendance du Mozambique où le Frelimo (organisation armée du Front de libération du Mozambique) s'empare aussitôt du pouvoir. Et le 26 novembre, c'est le tour des îles Sao Tomé et Principe. En Angola, plusieurs mouvements de libération se disputent le pouvoir et proclament la République le 11 novembre 1975. L'UNITA (Union nationale pour l'indépendance totale de l'Angola) est aidée par l'Afrique du Sud. L'URSS et Cuba apportent un soutien de plus en plus important en matériel et en volontaires au MPLA (Mouvement populaire de libération de l'Angola), ce qui lui permet de prendre le dessus, sans toutefois pouvoir venir à bout de la guérilla menée par l'UNITA. L'Angola accède donc à l'indépendance dans une atmosphère de guerre civile.

Les raisons économiques de l'enjeu africain

Or le continent africain devient à la fin des années 1970 un enjeu capital pour plusieurs raisons. Il est constitué d'États économiquement faibles et politiquement instables, aux frontières artificielles, souvent déchirés par des conflits sociopolitiques. Il recèle d'immenses richesses minières.

Au début des années 1980, l'Afrique produit une proportion notable des minerais vitaux pour le monde industrialisé, soit 75 % des diamants, 70 % de l'or et du cobalt,

50 % du vanadium et du platine, 30 à 35 % du chrome et du manganèse, 20 % de l'uranium et du cuivre.

En outre, en raison de la multiplication des supertankers, le trafic pétrolier en provenance du golfe Persique vers l'Europe délaisse le canal de Suez et emprunte la route du cap de Bonne-Espérance à l'extrême sud de l'Afrique. Au début des années 1980, 60 % du pétrole à destination de l'Europe et 30 % du pétrole à destination de l'Amérique passent par là. Le contrôle de cette route et de ses étapes est essentiel. C'est pour toutes ces raisons que l'Afrique — notamment l'Afrique australe — devient un enjeu stratégique majeur et une nouvelle zone de compétition entre les deux blocs.

L'implantation communiste

Le fait nouveau est l'intrusion des États communistes, URSS, Cuba, Chine, sur la scène africaine qui, à la faveur de la décolonisation portugaise et des révolutions malgache et éthiopienne, avancent leurs pions en Afrique.

• *La percée africaine de Moscou* est due à sa solidarité inconditionnelle avec les luttes de libération et à une importante aide financière aux mouvements de rébellion (SWAPO de Namibie, ANC de Rhodésie); la tournée en Tanzanie, Zambie, Mozambique, de Nicolas Podgorny (22 mars-1er avril 1977) est le premier voyage d'un chef d'État soviétique en Afrique noire. L'intervention soviétique, fondée sur des moyens de transport considérables — avions gros porteurs à long rayon d'action, puissantes flottes marchandes et militaires —, n'est pas exempte d'à-coups, comme le montrent les échecs subis en Égypte, au Soudan et en Somalie. C'est pourquoi son action est le plus souvent indirecte. Elle prend la forme d'envoi de spécialistes, originaires d'Allemagne de l'Est ou de Cuba.

• *La vocation africaine de Cuba, manifeste dès la tournée de Che Guevara en 1965, se concrétise en 1975 par l'intervention massive des Cubains en Angola.* En Angola et au Mozambique, l'intervention des soldats cubains (opération «Carlota»), eux-mêmes appuyés par l'envoi de matériel soviétique grâce à un pont aérien, permet au Frelimo de triompher au Mozambique et au MPLA de remporter en Angola contre les deux autres mouvements de libération proches des Occidentaux. L'implantation militaire de Cuba, en Angola, au Mozambique, en Éthiopie, en Tanzanie, au Congo, en Sierra Leone, fait d'elle la première puissance étrangère sur le continent noir. La relation Moscou-La Havane en Afrique est complexe. Cuba agit à la fois en mercenaire de Moscou et de façon autonome en «missionnaire». Du 12 au 30 mars 1977, Fidel Castro se rend tour à tour en Libye, Somalie, Éthiopie, Tanzanie, Mozambique et Angola.

• *En Afrique orientale, l'Union soviétique s'implante d'abord en Somalie*, à la suite du coup d'État de Syad Barré en 1969. Elle lui apporte une aide économique et militaire, conclut même un traité d'amitié et de coopération. Puis en 1976, au terme d'un véritable retournement d'alliances, elle délaisse la Somalie pour l'Éthiopie, devenue communiste après la chute de l'empereur Hailé Sélassié (12 septembre 1974), remplacé par de jeunes officiers convertis au marxisme-léninisme. À la suite d'une tentative de coup d'État (3 février 1977), le lieutenant-colonel Mengistu Hailé Mariam devient chef de l'État. Une répression impitoyable s'ensuit. Et surtout, l'Éthiopie se lance à la reconquête de l'Ogaden, vaste plateau semi-désertique peuplé de populations somalis que les troupes somaliennes ont annexé à leur pays. Aidés par 20 000 soldats cubains, les Éthiopiens reprennent l'Ogaden en mars 1978 et viennent à bout de la guérilla menée par les autonomistes de l'Érythrée, colonie italienne jusqu'en 1941, administrée par les Britanniques jusqu'en 1952 et confiée depuis lors à l'Éthiopie par l'ONU.

En quelques années, l'influence soviétique a donc accompli des progrès considérables. L'Angola et l'Éthiopie, membres du COMECON, le Mozambique, le Congo, le Bénin, sont devenus des bastions de la politique de Moscou, qui entretient par ailleurs de bonnes relations avec l'Algérie et la Libye.

Les réactions occidentales

• *Face à cette poussée, les réactions occidentales apparaissent limitées.* Sous la présidence de J. Carter, les États-Unis ont pris leurs distances par rapport à l'Afrique du Sud ; ils ont favorisé l'avènement au Zimbabwe (ex-Rhodésie) d'un gouvernement dominé par une majorité noire et se sont abstenus d'intervenir directement. En outre, hanté par l'affaire vietnamienne, le Congrès refuse de voter des crédits pour une aide militaire nouvelle. La présidence de Reagan correspond à une reprise de la politique de soutien à l'Afrique du Sud, aux maquis anticommunistes, en particulier en Angola, et aux régimes conservateurs, comme celui du Zaïre. La politique britannique est discrète et dans certains cas, efficace, comme dans la transition du Zimbabwe vers l'indépendance, en 1980. Mais la position du Premier ministre Margaret Thatcher à l'égard de l'Afrique du Sud est jugée trop conciliante et suscite en 1986 une grande crise au sein du *Commonwealth*.

• *De son côté, la France a presque sans interruption constitué un frein à la déstabilisation du continent africain et à l'expansionnisme soviétique.* De fait, elle y joue le rôle de gendarme régional. La France a conservé des liens privilégiés avec certains États comme le Sénégal, la Côte-d'Ivoire et le Gabon ou en a noué de nouveaux avec le Zaïre. L'implantation militaire de la France (10 000 hommes) se situe en premier lieu dans des départements ou territoires d'outre-mer : îles de la Réunion et Mayotte (qui, lors du référendum du 8 février 1976, a voté pour le maintien de l'union avec la France à la différence des autres îles de l'archipel des Comores), dans le territoire des Afars et des Issas, devenu indépendant le 27 juin 1977, et dans trois bases françaises, au Sénégal, en Côte-d'Ivoire et au Gabon. La France a également passé des accords militaires avec la plupart de ses anciennes colonies pour la fourniture d'armes et de conseillers militaires.

• *La France soutient les pouvoirs en place.* Elle apporte son aide au Zaïre pour sauver le régime du président Mobutu menacé en avril 1977 par l'incursion au Shaba de troupes étrangères venant de l'Angola, puis lors de l'opération de Kolwezi (19 mai 1978), cité minière que les Angolais menacent. Elle intervient militairement au Tchad contre les incursions de la Libye et la guérilla du Frolinat (Front de libération nationale du Tchad), et elle aide le Maroc et la Mauritanie dans leur lutte contre le Front Polisario.

Mais l'Afrique n'est pas seulement le lieu de la confrontation des puissances. Elle compte aussi des acteurs régionaux, comme l'Algérie et la Libye.

Les acteurs régionaux

• *L'Algérie*, sous la direction de Houari Boumedienne (1965-1978), joue dans les années 1970 un grand rôle dans l'orientation du mouvement des non-alignés, les efforts de ce dernier pour un nouvel ordre économique mondial et ses nombreuses actions de médiation entre l'Iran et l'Irak, la Libye et le Tchad, et entre les factions de la résistance palestinienne. Elle incarne l'État tiers-mondiste par excellence.

• *La Libye*, pays très peu peuplé (4 millions d'habitants), mais doté d'immenses ressources pétrolières, est dirigée, depuis la révolution du 1er septembre 1969 qui a renversé la monarchie, par le colonel Kadhafi. Sa politique extérieure, marquée au début par le refus de la politique des blocs et donc par son hostilité aux deux Grands, s'est muée en un rapprochement de plus en plus étroit avec l'Union soviétique. Mais c'est avant tout un nationaliste arabe, qui met les richesses pétrolières de son pays au service de l'Islam et de la propagande révolutionnaire. Au début des années 1980, l'Occident voit la « main de Kadhafi » partout et la tension entre les Américains et les Libyens atteint son apogée lors du bombardement de Tripoli et de Benghazi par une cinquantaine d'avions de chasse et bombardiers américains dans la nuit du 14 au 15 avril 1986. Cependant l'influence de Kadhafi est érodée par l'effondrement des prix du pétrole à partir du début des années 1980 et par ses déclarations intempestives, ainsi que par ses interventions militaires au Tchad.

Les conflits régionaux

• *Le Tchad*, avec 1 284 000 km² et moins de 8 millions d'habitants, est composé de populations très variées, chrétiens et animistes au Sud, musulmans au Nord, dont les conflits internes, attisés par la Libye voisine, aboutissent à une situation de rébellion et à une intervention des troupes françaises et libyennes (avril 1978-mai 1980). En 1979, les accords de Lagos reconnaissent le gouvernement de Goukouni Oueddeï comme le gouvernement légitime qui, chassé du pouvoir par un autre leader, Hissène Habré, en juin 1982, repart à la conquête de la capitale, N'Djamena, aidé par les Libyens. La partie nord du Tchad est en effet convoitée par la Libye dont les forces s'emparent de Faya-Largeau en juillet 1983. Après beaucoup d'hésitations, le gouvernement français engage des unités parachutistes dans le cadre de l'opération Manta, qui tourne court (août 1983-novembre 1984) en raison de l'accord réalisé entre Paris et Tripoli concernant une évacuation totale du Tchad (17 septembre 1984). Mais les attaques des troupes prolibyennes de Goukouni Oueddeï se poursuivent, la France intervient à nouveau par le dispositif aérien Épervier (février 1986) et soutient Hissène Habré dont les troupes reconquièrent les régions septentrionales occupées par les Libyens (mars 1987), à l'exception de la bande d'Aouzou (114 000 km²) située dans l'extrême nord du Tchad et annexée par Tripoli depuis 1973.

• *Le Sahara occidental*, au temps de la colonisation, était devenu espagnol par un accord avec la France. Cet espace désertique de 256 000 km² attire les convoitises des pays voisins devenus indépendants : Algérie, Mauritanie et Maroc. Pour appuyer ses revendications sur ce territoire, le roi Hassan II du Maroc lance une marche pacifique vers le Sahara occidental (novembre 1975). Au moment de l'agonie du général Franco, des négociations tripartites aboutissent à un accord signé le 14 novembre 1975 entre l'Espagne, le Maroc et la Mauritanie en faveur d'une autodétermination du territoire peuplé de 74 000 habitants qui devrait aboutir à un partage entre le Maroc et la Mauritanie. Le mouvement de libération, le Front Polisario (Front populaire de libération de la Saghia el Habra et du Rio de Oro), constitué en 1973, favorable alors à une union avec la Mauritanie, est poussé par l'Algérie à réclamer son autodétermination. Au moment du départ des soldats espagnols, il proclame le 27 février 1976 la « République arabe Sahraouie démocratique », reconnue aussitôt par le gouvernement algérien. Les relations se tendent alors entre le Maroc et l'Algérie jusqu'à de violents affrontements entre leurs troupes respectives au Sahara occidental (janvier 1977). Le Front Polisario, de son côté, mène une guérilla incessante sous forme de raids et de sabotages contre la Mauritanie, qui se retire du conflit après la chute du président Moktar Ould Daddah (10 juillet 1978), et surtout contre le Maroc qui souhaite conserver la partie Nord, riche en phosphates. La reconnaissance par l'Organisation de l'unité africaine de l'État sahraoui (février 1982) et son admission à l'OUA (1984) provoquent une crise grave avec le Maroc qui, de plus en plus isolé en Afrique, doit accepter le principe d'un référendum d'autodétermination.

C'est un exemple parmi d'autres de l'impuissance de l'Organisation de l'unité africaine, qui non seulement ne réalise pas l'idéal panafricain, mais fonctionne comme un simple cartel de chefs d'État. Bien loin de résoudre les différends entre États-membres, l'OUA ne fait rien, sous le couvert du principe de « non-ingérence dans les affaires intérieures des États » (article 3 de la charte de l'OUA). La balkanisation menace l'Afrique, où le jeu diplomatique se déploie à l'échelle des différentes sous-régions et où les critères de division entre modérés et progressistes, entre francophones, anglophones et lusophones, entre petits et grands États ne manquent pas. Face au Nigeria, géant de l'Ouest africain (83 millions d'habitants et une armée non négligeable), sept états de l'Afrique occidentale francophone ont conclu un accord de non-agression et d'assistance en matière de défense (ANAD) le 9 juin 1977.

Du coup, l'Afrique reste l'enjeu de la confrontation internationale.

• *Le problème de l'Afrique du Sud devient dans les années 1970 un problème international.* Cet ancien dominion britannique, devenu indépendant, avait développé dans les années 1950, une politique de séparation raciale (*apartheid*) sous la direction d'Henrick Verwoerd (1958-1966), John Vorster (1966-1978) et Piether W. Botha (1978-1989).

L'Union sud-africaine est un pays où la minorité blanche (20 %) est confrontée à une forte population noire (près de 70 %), indienne et métisse (10 %). Après les indépendances africaines, la décolonisation des territoires portugais (1974) et la chute de Tsiranana, président de Madagascar (1972), l'Afrique du Sud n'est plus à l'abri des événements extérieurs. Son glacis protecteur disparaît et, à l'intérieur, on assiste à une résurgence du nationalisme noir antiapartheid, sous la direction — parfois contestée — de l'*African National Congress* (ANC) fondée en 1912. L'Afrique du Sud est de plus en plus violemment critiquée et tenue en quarantaine par l'ensemble des pays africains qui veulent aider leurs frères de couleur. La pression de la communauté internationale sur Pretoria s'accentue. Malgré l'instauration de l'état d'urgence, les violences se poursuivent dans les cités noires, comme à Soweto en juin 1976 et en octobre 1977, à l'initiative de l'ANC.

Washington et Londres continuent de s'opposer à des pressions économiques contre Pretoria. Quelles que soient la solidarité et la sympathie que peuvent éprouver les gouvernements occidentaux à l'égard de la lutte de la majorité noire, ils sont néanmoins sensibles aux enjeux économiques et stratégiques. L'Afrique du Sud est placée à un carrefour géostratégique : la route maritime du Cap est une des routes les plus fréquentées, en particulier par les pétroliers en provenance du golfe Persique. Elle possède des minerais précieux (or, platine, diamant) et des matériaux hautement stratégiques (chrome, manganèse, vanadium). Enfin sa présence s'oppose à l'extension de l'influence soviétique sur le continent noir.

De plus en plus isolée, l'Union sud-africaine essaie de renforcer sa position vis-à-vis des pays africains voisins et multiplie la création d'États indigènes, les Bantoustans : le Ciskei, le Venda, le Bophutha-tswana, le Transkei. Ces pays sont théoriquement indépendants, mais toute leur économie dépend de l'Afrique du Sud. Le régime du président Botha, en imposant sa supériorité militaire à ses voisins, réussit à cadenasser ses frontières. Tout en poursuivant son aide aux mouvements de maquisards qui luttent contre les régimes de Luanda (Angola) et de Maputo (Mozambique), Pretoria ne cesse de se livrer à des incursions armées en territoire angolais, sous prétexte de pourchasser les nationalistes namibiens de la SWAPO. Le cordon protecteur de l'Afrique du Sud comprend aussi la Namibie et la Rhodésie.

• *Le cas de la Namibie est particulier.* Ancienne colonie allemande du Sud-ouest africain, confiée en mandat à l'Afrique du Sud, cet immense territoire de 824 000 km^2 qui recèle des richesses minières considérables, est agité par un mouvement de libération, la *South West African People's Organisation* (SWAPO), soutenue par le MPLA et par l'Union soviétique. *En Rhodésie,* la minorité blanche (4 %) de cette colonie de la Couronne britannique proclame son indépendance contre le Royaume-Uni en 1965 et réussit à s'opposer avec succès aux mouvements d'opposition noirs. La médiation britannique permet de faire évoluer la Rhodésie — sous le nom de Zimbabwe — vers la forme d'une association au gouvernement des noirs et des blancs. Elle accède officiellement à l'indépendance en avril 1980.

LE PACIFIQUE

• *L'océan Pacifique est depuis 1945 un des lieux d'affrontement des grandes puissances* dont l'importance s'accroît chaque jour davantage. Après la bataille du Pacifique pendant la Seconde Guerre mondiale, la guerre froide tourne au conflit ouvert, à l'occasion de la guerre de Corée et des conflits de décolonisation. Les archipels accèdent à l'indépendance : après les îles Fidji (1970), la Papouasie-Nouvelle-Guinée (septembre 1974), c'est le tour des Nouvelles Hébrides, ancien condominium franco-britannique, qui devient un État sous le nom de Vanuatu (juillet 1980). Sous l'impulsion des pôles de puissance et de développement situés sur son pourtour, le Pacifique, qui était « l'espace vide » soumis à l'influence américaine, apparaît comme un gigantesque échiquier où une partie se joue à quatre : États-Unis, Union soviétique, Chine, Japon.

Face à la présence américaine de l'Alaska aux Philippines, grâce en particulier à la concession des bases de Subic Bay et Clarke (jusqu'en septembre 1992), en passant par les avant-postes d'Hawaï et de la Corée, l'Union soviétique multiplie les bases navales, au Kamtchaka, à Sakhaline, à Vladivostock et à Cam-Ranh et Danang, sur la côte du Viêt-nam.

Le Pacifique, au moment où il cesse d'être un « lac américain », suscite un intérêt renouvelé des États-Unis pour cette région, vers laquelle se déplace le centre de gravité du pays et où le commerce transpacifique dépasse en importance les échanges transatlantiques. En outre, la reprise des relations diplomatiques avec la Chine, le programme de modernisation et d'ouverture économique annoncé par Teng Hsiao-Ping relancent la fascination américaine pour l'Asie-Pacifique, malgré la concurrence de plus en plus vive du Japon et des « Quatre dragons ».

Le Pacifique-Sud était par tradition une zone tranquille de micro-États protégés par l'Australie agissant comme « gendarme régional » dans le cadre du pacte de l'Anzus

(Australie, Nouvelle-Zélande, États-Unis) signé en 1951. Récemment, les tensions politiques se sont multipliées, entraînant coups d'État comme aux Fidji, émeutes, crises constitutionnelles, et font apparaître que les équilibres hérités de l'époque coloniale sont en train de se lézarder. Les velléités isolationnistes des Néo-Zélandais, qui interdisent les escales de navires nucléaires, remettent en cause l'Anzus, confirmant un peu plus l'Australie dans son rôle de puissance militaire régionale. Les terres du Pacifique ne sont plus à l'abri des convulsions internationales.

• *La Nouvelle-Calédonie est un des théâtres de ces affrontements.* Le sort de ce territoire français d'outre-mer, riche de son nickel et d'une population de 150 000 habitants — Mélanésiens et Européens —, intéresse les pays riverains du Pacifique. La souveraineté de la France sur la « grande île » y est vivement contestée par le FLNKS (Front de libération kanake socialiste) et l'état d'urgence instauré. Aux élections régionales de septembre 1985, les anti-indépendantistes l'emportent, mais la violence continue. L'adoption par référendum, le 6 novembre 1988, du statut de la Nouvelle-Calédonie et le retour au calme ont apaisé ce conflit. Pour la France, l'enjeu est la présence dans une région clé sur le plan économique et surtout stratégique. La France tient à la libre disposition du Centre d'expérimentation du Pacifique, situé à Mururoa à 1 200 km de Tahiti, dont la perte serait grave pour la force de dissuasion, et à la possibilité d'effectuer des essais nucléaires, contestée par les États de la région, et l'organisation pacifiste et écologique, Greenpeace (affaire du *Rainbow-Warrior*, 10 juillet 1985).

Le poids économique de la région Asie-Pacifique, son importance stratégique en font désormais une région essentielle.

5 *Une ère nouvelle depuis 1985*

Il faut remonter à 1985 pour saisir les origines immédiates de la fantastique accélération de l'Histoire, évidente depuis 1989. En fait, toutes les bases sur lesquelles le monde a vécu non seulement depuis 1945, mais même depuis 1917, sont ébranlées. Les conséquences de la Seconde Guerre mondiale sont effacées; l'Allemagne unifiée et le Japon sont redevenus des puissances. Le communisme chancelle et l'économie de marché paraît triompher partout. L'Union soviétique, contrainte à un repli généralisé, éclate en plusieurs républiques. À la faveur de la fin de la guerre froide, les tensions s'apaisent; le modèle occidental de démocratie parlementaire s'étend, mais avec la résurgence du fait national, le nouvel ordre international en gestation signifie-t-il pour autant la fin des conflits ou un désordre généralisé?

C'est probablement à partir de 1985 qu'on peut dater une nouvelle période des relations internationales. Deux phénomènes, dans l'ordre économique et dans l'ordre politique, l'attestent.

• *De 1985 jusqu'en 1990, le monde occidental connaît une forte expansion.* Deux facteurs expliquent la fin de la crise économique qu'avait connue le monde depuis 1973. D'abord la baisse du prix du pétrole, en raison du ralentissement de la demande, de l'arrivée sur le marché de producteurs non membres de l'OPEP (Norvège, Royaume-Uni) et de l'augmentation des énergies de substitution (énergie nucléaire). La chute de la consommation jointe à l'augmentation de la production provoque des surcapacités énormes. Le deuxième facteur est la reprise de la croissance, due au boom économique que connaissent les États-Unis grâce à leur politique de désinflation; avec une hausse des prix limitée et une baisse sensible du chômage, leur nouvelle prospérité se transmet à toute l'économie mondiale. Pour remédier aux fluctuations du dollar, les ministres des Finances des sept pays les plus industrialisés s'accordent sur une stabilisation relative, concrétisée par les accords du Plaza à New York (22 septembre 1985) et du Louvre à Paris (22 juin 1987). De 1985 à 1989, le monde occidental connaît une nouvelle période d'expansion grâce aux progrès de la technologie, au développement de l'informatique, à l'intensification des échanges et des services. Mais ce retour de la croissance est fragile, ainsi que l'attestent un important taux de chômage, les fluctuations des cours des valeurs boursières (comme le krach du 19 octobre 1987 à Wall Street), et surtout la fragilité d'un système monétaire international, toujours fondé sur les États-Unis, pays endetté et déficitaire.

Avant même la crise du Golfe (1990-1991), le monde occidental replonge dans la récession caractérisée par la flambée momentanée du prix du pétrole, la fragilité des marchés boursiers, le ralentissement de l'activité économique, l'aggravation du chômage, d'autant plus que les principaux acteurs adoptent des positions contradictoires quant aux taux d'intérêt. Alors que l'Europe continentale s'enfonce dans le marasme (en 1993, le taux de chômage moyen dans la CEE dépasse 11 % de la population active), d'autres régions du monde — en particulier l'Asie-Pacifique — connaissent une croissance élevée. Mais en 1994, la reprise — favorisée par la baisse des cours du pétrole — s'étend.

• *Le deuxième phénomène est d'ordre politique.* C'est l'accession au pouvoir de Mikhaïl Gorbatchev, élu le 11 mars 1985 secrétaire général du Parti communiste soviétique. Cet événement n'a pas seulement des conséquences sur le plan intérieur. La *perestroïka* (restructuration) affecte tous les aspects de l'État et de la société soviétiques. Désormais, l'exigence de la *glasnost* (transparence) enclenche le processus de rupture. Les changements à la tête de l'Union soviétique, le retour d'exil (mai 1989) de l'académicien dissident Andreï Sakharov, assigné à résidence à Gorki depuis 1980, l'élection de Mikhaïl Gorbatchev comme chef de l'État (mai 1989) montrent que l'immobilisme brejnévien est bien mort.

En politique extérieure aussi, la politique de mouvement crée des ondes de choc. Car, afin de consacrer l'énergie soviétique à la reconstruction économique, Gorbatchev doit limiter les engagements internationaux de l'URSS.

En 1985, le redémarrage de l'expansion économique et la révolution gorbatchévienne ont des répercussions considérables. Elles permettent la reprise d'un dialogue constructif américano-soviétique, une véritable révolution en Europe de l'Est et la détente planétaire. Une nouvelle configuration internationale prend forme.

LA FIN DE LA GUERRE FROIDE

La fin de la guerre froide a des effets immédiatement positifs : règlement de conflits régionaux, engagement du processus démocratique, mais elle n'est pas « la fin de l'histoire » que certains escomptaient. Bien loin d'instaurer un nouvel ordre mondial, elle engendre plutôt le désordre.

ORDRE OU DÉSORDRE MONDIAL ?

Avec une facilité déconcertante, en quelques années, sinon en quelques mois, s'est engagé le règlement de situations qui semblaient bloquées et de conflits réputés interminables. Les deux Allemagnes se réunifient, le mur de Berlin est tombé, les troupes soviétiques ont quitté l'Afghanistan, la guerre Iran-Irak a pris fin, les soldats viêtnamiens ont évacué le Cambodge, l'Afrique du Sud laisse la Namibie accéder à l'indépendance. Non seulement les euromissiles sont démontés, mais ils sont détruits, en application du traité FNI (Forces nucléaires intermédiaires) qui apparaît comme le modèle du nouvel esprit Est-Ouest. Des signes de détente apparaissent partout, entre le Maroc et le Front Polisario (30 août 1988), entre Grecs et Turcs (premier sommet gréco-turc depuis 1978, en janvier 1988), entre Chypriotes grecs et Chypriotes turcs (24 août 1988), entre Coréens du Nord et Coréens du Sud (septembre 1990). Appelés pour rétablir l'ordre en 1987, mais peu pressés de retirer leurs troupes, les Indiens finissent par évacuer le Sri Lanka en juillet 1989. Les Éthiopiens négocient avec les Érythréens sous les auspices de l'ex-président Carter (septembre 1989). Les relations diplomatiques sont rétablies entre l'Argentine et la Grande-Bretagne le 15 février 1990. Les deux Yémen créent un État unique le 21 mai 1990 mais se combattent en 1994. Catholiques et protestants irlandais s'asseoient à la même table (juin 1991) et la déclaration anglo-irlandaise (déc. 1993) annonce la fin de la guerre civile. Israéliens et Palestiniens se reconnaissent mutuellement (9 septembre 1993). Le monde serait-il devenu plus sage ? Et se convertirait-il à la démocratie ? D'un autre côté, l'heure est au réveil des nationalismes et à la renaissance des intégrismes religieux, en Europe centrale et orientale, mais aussi en Asie et en Afrique.

UNE CONVERSION DIFFICILE À LA DÉMOCRATIE

Jusqu'à ces dernières années, la démocratie était un régime politique minoritaire dans le monde, limité à l'Europe occidentale, à l'Amérique du Nord, au Japon et à quelques autres États. Les années 1980 sont le théâtre d'une universalisation de la démocratie. En Europe d'abord, avec la démocratisation de l'Europe de l'Est. Certaines des démocraties populaires ont donné l'exemple, comme la Pologne (légalisation de Solidarité en août 1988) ou la Hongrie, mais toutes suivent le même chemin à la suite de manifestations (été-automne 1989). Après la constitution de gouvernements dirigés par des non-communistes ou composés en majorité de non-communistes, interviennent des élections démocratiques ou partiellement libres qui, généralement, expriment le rejet du régime et du parti communistes. En Pologne, l'ancien leader de Solidarité, Lech Walesa, est élu président (9 décembre 1991). En Roumanie, le régime dictatorial est renversé (22 décembre 1989) et le dictateur Ceauscescu exécuté. Même l'Albanie, dernier bastion du stalinisme en Europe, est entraînée dans la spirale démocratique. Dans l'ex-Union soviétique, la démocratisation est accélérée par l'échec du putsch conservateur (19 août 1991).

Hors d'Europe, aussi, la nouvelle détente est favorable à la chute des dictatures et à l'établissement de régimes plus libéraux. En Argentine, en Uruguay, au Brésil, de nouveaux présidents ont été élus au suffrage universel. Au Chili, la succession du général Pinochet est assurée en douceur (décembre 1989). Au Paraguay, le général Stroessner, à la tête d'un régime dictatorial depuis 1954, est renversé (février 1989) par un autre général qui se soumet aussitôt au verdict des urnes. Au Nicaragua, l'opposition libérale remporte les élections contre le candidat sandiniste (février 1990). La réconciliation nationale au Salvador, conclue en janvier 1992, est définitivement scellée en décembre 1992.

En Corée du Sud, un civil (le premier depuis trente ans) est élu président (février 1993). Aux Philippines, à la suite des élections présidentielles, après plus de vingt ans d'un régime autoritaire (1965-1986), le président Marcos est contraint de s'exiler sous la pression de la population, d'une partie de l'armée et des États-Unis, et de céder la place à Mme Cory Aquino (25 février 1986). Partout en Afrique, le pragmatisme l'emporte sur l'idéologie marxiste-léniniste et le multipartisme se généralise (Gabon, Côte-d'Ivoire, Zambie). Au Bénin, le régime marxiste-léniniste, instauré en 1972 après un putsch militaire, se libéralise (28 février 1990). En Éthiopie, la dictature du colonel Mengistu (qui dure depuis 1977) est chassée du pouvoir (mai 1991). La relève démocratique a enfin lieu à Madagascar avec l'élection présidentielle de février 1993. En Afrique du Sud, le nouveau chef de l'État (14 septembre 1989), F. de Klerk, rassuré par le recul du communisme dans les pays de la « ligne de front », confirme sa volonté de supprimer l'apartheid. Il fait libérer Nelson Mandela le 11 février 1990 et engage des discussions avec des mouvements nationalistes noirs (dont l'ANC). Les dernières lois d'apartheid sont abrogées (juin 1991) et les premières élections multiraciales (avril 1994) donnent le pouvoir à l'ANC et à Nelson Mandela, élu président.

Mais l'évolution vers la démocratie connaît bien des exceptions. En Asie, par exemple en mai-juin 1989 à Pékin, on assiste à l'écrasement du mouvement de libéralisation (symbolisé par les rassemblements étudiants place Tiananmen) et à la normalisation, malgré la pression des Occidentaux; la loi martiale instaurée le 20 mai 1989 est levée le 10 janvier 1990. En Inde, l'assassinat, en mai 1991, de Rajiv Gandhi (premier ministre de 1984 à 1989) reflète la crise qui secoue le sous-continent indien. Les affrontements religieux ensanglantent l'Inde et l'Afghanistan. En Amérique latine, le départ de Jean-Claude Duvalier (7 février 1986) signifie la fin de la dynastie Duvalier en Haïti, mais pas le retour à la démocratie mise à mal par un putsch (1991-1994). Des coups de force secouent aussi le Venezuela (février et novembre 1992), le Pérou (novembre 1992) miné par la guérilla du Sentier lumineux, la Colombie rongée par le trafic de drogue, et le Brésil où, au terme d'une grave crise politique (décembre 1992), le président Collor est contraint à la démission. En Afrique, le Togo, le Zaïre sont agités par des soubresauts violents. Le Rwanda (avril-mai 1994) et le Burundi (mars 1995) sont le théâtre de massacres. En Algérie, à la suite des émeutes d'octobre 1988, la voie ouverte à la démocratie (février 1989) est semée d'embûches. Pour parer aux succès populaires du Front islamique du Salut, l'armée prend le pouvoir (11 janvier 1992) et dépose le chef de l'État, le président Chadli Bendjedid. Malgré l'état d'urgence, le terrorisme se développe (assassinat du président M. Boudiaf le 29 juin 1992) et la véritable guerre civile qui ravage le pays n'empêche pas l'élection du président sortant Liamine Zeroual (16 novembre 1995). L'Égypte aussi est la proie de violences dues aux progrès de l'intégrisme musulman.

LE DIALOGUE AMÉRICANO-SOVIÉTIQUE

Avant même l'arrivée de Gorbatchev à la tête de l'Union soviétique, l'évolution est amorcée en 1984 à l'occasion de la reprise des négociations sur le désarmement. En ce début d'année électorale aux États-Unis, le président Reagan souhaite en effet renouer un dialogue réaliste avec l'URSS. En janvier, la conférence sur le désarmement en Europe s'ouvre à Stockholm en présence des 75 signataires de l'Acte d'Helsinki. Les responsables des diplomaties américaine et soviétique, Schulz et Gromyko, s'accordent pour reprendre à Vienne les négociations sur les MBFR (*Mutual and Balanced Force Reductions*) et même sur les armes stratégiques. Ils décident également d'organiser trois négociations séparées sur les euromissiles, sur les armes stratégiques et sur les armes spatiales.

La reprise du dialogue

• *Avec l'accession au pouvoir de Gorbatchev, l'Union soviétique lance une campagne de grande envergure en faveur du désarmement.* Il s'agit d'une tendance permanente de la diplomatie soviétique qui sème le trouble dans le camp occidental, car elle correspond à l'autre objectif constant : une Europe dénucléarisée et neutralisée, que Gorbatchev réactualise sous le nom de « Maison commune européenne ». Enfin, elle répond à une exigence budgétaire : limiter le fardeau considérable des dépenses militaires. L'URSS consacre alors à ces dernières environ 16 % de son PNB (autant qu'on puisse le savoir), les États-Unis 6,5 %, la France 3,9 % du PIBM.

Dès octobre 1985, à Paris, Gorbatchev propose de diminuer de moitié les armes stratégiques des deux camps à condition que les États-Unis renoncent à la guerre des étoiles, et il s'adresse directement aux gouvernements de Londres et de Paris pour négocier sur leur propre force de dissuasion.

• *La rencontre au sommet avec le président Reagan (19-21 novembre 1985) à Genève* est la première de ce genre depuis 1979. Elle jette les bases d'un dialogue américano-soviétique durable. Les deux hommes ont tout intérêt à s'entendre. Après plusieurs revers en politique extérieure (*Irangate*, difficultés dans l'aide aux *Contras* du Nicaragua), le président Reagan veut achever son mandat en pacificateur et non en boutefeu. Gorbatchev a lui aussi besoin de succès en politique extérieure. Le dialogue est renoué, mais le désaccord subsiste sur la guerre des étoiles que Gorbatchev dénonce comme une tentative de tourner le principe de la parité stratégique, reconnu par les SALT. Reagan, placé en porte-à-faux vis-à-vis de l'opinion américaine et mondiale, refuse d'abandonner le projet de guerre des étoiles et il accuse l'URSS de ne pas respecter les accords de désarmement. En revanche, une perspective d'accord apparaît sur les FNI, sur la base de « l'option zéro », c'est-à-dire le démantèlement des SS 20, d'un côté, des Pershing et Cruise de l'autre.

Tout au long de l'année 1986, Gorbatchev va multiplier les appels au désarmement, qui vise à libérer la terre des armes nucléaires et des armes « nouvelles » (laser, faisceaux de puissance) d'ici à la fin du siècle.

• *Tout cela est discuté lors de la nouvelle rencontre au sommet de Reykjavik (11-12 octobre 1986).* La surenchère entre Reagan et Gorbatchev est bien près d'aboutir à un accord d'une vaste portée : réduction de moitié des armes intercontinentales, suppression des armes à portée intermédiaire tirant à plus de 1 000 km, gel des autres FNI. Mais Gorbatchev demande en outre que les États-Unis s'engagent à renoncer à tout essai autre qu'en laboratoire de leur bouclier spatial. Du coup, l'accord ne se fait pas. Sans avoir le moins du monde consulté les Européens, les États-Unis ont failli consentir au retrait de leurs armes nucléaires d'Europe, qui a été traité en objet de la négociation. L'élimination des euromissiles aurait laissé intacte la supériorité du pacte de Varsovie en armements conventionnels et en effectifs. Cela conduit Français et Allemands à rapprocher leurs efforts de défense : manœuvres communes, création d'une Brigade franco-allemande et d'un Conseil de défense franco-allemand, mais l'ambiguïté demeure entre une puissance nucléaire indépendante et une puissance non nucléaire.

Les accords de désarmement

• *Au cours de l'année 1987, les discussions reprennent pour aboutir finalement au traité de Washington.* Le 28 février, Gorbatchev abandonne le lien établi entre tous les dossiers du désarmement et propose de négocier un accord sur les FNI indépendamment des autres dossiers. Le 13 avril, il réitère sa proposition d'option « double zéro », c'est-à-dire l'élimination non seulement des armes d'une portée supérieure à 1 000 km, mais de celles qui tirent entre 500 et 1 000 km. Pendant que la bataille des euromissiles fait rage dans les chancelleries et dans l'opinion, surtout en Allemagne, l'élaboration du traité par MM. Chevarnadze et Schulz est rapide. Le 8 décembre 1987, R. Reagan et M. Gorbatchev signent le traité de Washington qui prévoit la destruction dans un délai de trois ans de tous les missiles d'une portée de 500 à 5 500 km basés à terre et stationnés en Europe. L'accord comporte de la part des Soviétiques des concessions importantes : il n'inclut pas les systèmes nucléaires britannique et français dans l'équilibre européen. L'URSS doit éliminer deux fois plus de missiles que les États-Unis; il est vrai que les SS 20 soviétiques sont obsolètes, alors que les Pershing 2 américains sont des armes modernes et performantes. Pour la première fois, Américains et Soviétiques acceptent non seulement un accord de limitation d'armements, mais aussi la destruction d'armes nucléaires. Toutefois, les armes concernées représentent 4 % des têtes atomiques accumulées par les deux Grands et elles ne se situent pas sur leur territoire.

Autre nouveauté : des procédures détaillées de vérification sur place sont acceptées par les deux parties. La signification en est claire : les deux superpuissances ont accepté un désarmement qui ne les concernait pas directement et ont, de cette façon, sanctuarisé leur territoire. Les puissances nucléaires européennes, France et Royaume-Uni, se trouvent d'un coup en première ligne. Et le grand débat sur l'option « triple zéro » (armes à très courte portée tirant en deçà de 500 km) ouvre la voie à la dénucléarisation totale de l'Allemagne.

• *Du 29 mai au 2 juin 1988, à Moscou, une quatrième conférence au sommet Reagan-Gorbatchev, aboutit à des accords techniques* sur les essais de missiles et les expériences atomiques, mais c'est en fait les Droits de l'homme qui sont au centre des discussions.

• *Après avoir annoncé, le 7 décembre 1988, à la tribune de l'ONU, la réduction unilatérale des forces armées soviétiques* de 500 000 hommes et le retrait dans les deux ans de 6 divisions, 5 000 chars et 800 avions stationnés en RDA, Tchécoslovaquie, Hongrie, M. Gorbatchev rencontre R. Reagan et G. Bush. Même si la supériorité militaire en armements et effectifs des forces soviétiques demeure, ces propositions sèment le trouble dans l'Alliance atlantique. À la conférence au sommet des membres de l'OTAN, à Bruxelles (29 mai 1989), le principe de la modernisation des missiles à courte portée est maintenu, mais il est lié aux progrès qui seront faits dans le domaine des armes conventionnelles. Après la clôture des MBFR, sans résultat tangible, en février 1989, une conférence sur les forces armées conventionnelles en Europe (FCE) réunit les 23 membres des deux alliances à Vienne, à partir de mars 1989.

• *La conférence pour l'interdiction des armes chimiques qui se tient à Paris en janvier 1989* réaffirme le protocole de 1925 interdisant leur emploi, mais on ne parvient pas à un accord pour en prohiber la fabrication, les Arabes s'y opposant aussi longtemps qu'Israël se refuse à autoriser une inspection de ses installations nucléaires.

• *Au cours de la rencontre Bush-Gorbatchev (2-3 décembre 1989),* au large de Malte, les deux chefs d'État annoncent l'ouverture d'une ère nouvelle dans les relations internationales et décident d'accélérer les négociations sur le désarmement. De fait, lors de la conférence des ministres des Affaires étrangères de l'OTAN et du pacte de Varsovie réunis à Ottawa (13 février 1990), l'entente se fait sur la réduction des forces américaines et soviétiques à 195 000 hommes en Europe centrale et orientale, en même temps que l'accord « ciel ouvert », c'est-à-dire le libre survol des territoires de l'OTAN et du pacte de Varsovie par des avions de l'autre camp.

• *Au cours des entretiens Bush-Gorbatchev à Washington et à Camp David (30 mai-3 juin 1990)* une série d'accords prévoit les grandes lignes d'un futur traité de réduction des armements stratégiques, allant jusqu'à 50 %. Les États-Unis et l'URSS s'engagent à réduire de moitié leurs stocks d'armes chimiques d'ici à l'an 2000.

• *Le 19 novembre 1990,* à Paris, les 16 pays membres de l'OTAN et les 6 pays du pacte de Varsovie signent le traité sur la réduction des forces conventionnelles en Europe (FCE). Il s'agit d'éliminer les attaques par surprise en Europe (de l'Atlantique à l'Oural) par le plafonnement de cinq catégories d'armes classiques (chars, blindés, artillerie, avions, hélicoptères) et le respect de la parité Est-Ouest. La disparition du pacte de Varsovie et la dislocation de l'Union soviétique rendent d'ailleurs caduc le traité FCE.

• *Le 30-31 juillet 1991, lors d'une réunion à Moscou qualifiée de « premier sommet de l'après-guerre froide »,* G. Bush et M. Gorbatchev souhaitent établir un partenariat durable : le symbole en est la convocation conjointe d'une conférence sur la paix au Proche-Orient. Surtout, le 31 juillet, les deux chefs d'État signent le traité START (*Strategic Arms Reduction Talks*) qui prévoit une réduction de 25 % à 30 % de leurs armements nucléaires stratégiques (plus de 5 500 km de portée). On est loin des réductions de 50 % annoncées au début des négociations. En réalité, le nombre de têtes nucléaires possédées par les deux superpuissances doit passer de 12 081 à 10 395 pour les États-Unis et de 10 841 à 8 040 pour l'Union soviétique. Dans certaines catégories d'armes (SLBM : *Sea-Launched Ballistic Missile*) toutefois, les plafonds autorisés sont supérieurs aux quantités détenues et on s'achemine donc vers une restructuration des arsenaux. Il s'agit néanmoins du plus important des accords de désarmement jamais conclus entre les deux Grands depuis 1945.

• *Les présidents G. Bush (27 septembre 1991) et M. Gorbatchev (5 octobre 1991) font assaut de propositions audacieuses.* Les États-Unis décident d'éliminer unilatéralement de leur arsenal nucléaire les armes tactiques basées à terre et en mer et proposent à l'URSS l'élimination de tous les missiles balistiques à têtes nucléaires multiples. Le plan soviétique prévoit une liquidation totale des armes nucléaires tactiques, aussi bien au sol qu'en mer ou dans les airs, une réduction des effectifs de l'armée rouge et un moratoire d'un an sur les essais nucléaires.

• *Après la brève rencontre George Bush-Boris Eltsine, le 1er février 1992 à Camp David, le sommet américano-russe de Washington (16-17 juin 1992)* permet aux deux chefs d'État de signer une charte de coopération et d'amitié et de se mettre d'accord pour réduire encore leurs armements nucléaires stratégiques respectifs. Par le protocole de Lisbonne (23 mai 1992), les États-Unis obtiennent l'adhésion des États successeurs de l'Union soviétique aux accords de désarmement et s'efforcent d'aboutir à la dénucléarisation de l'ex-URSS en dehors de la Russie. De fait, toutes les armes nucléaires tactiques soviétiques seraient regroupées en Russie depuis mai 1992; et les Américains ont rapatrié aux États-Unis toutes les armes nucléaires tactiques basées à terre et en mer.

• *Le 3 janvier 1993, les présidents Bush et Eltsine (pour la CEI) signent à Moscou le traité Start II,* qui marque une nouvelle et très ambitieuse étape dans le désarmement nucléaire, puisqu'il prévoit la disparition, dans les dix ans, des deux tiers des ogives nucléaires stratégiques, passant d'environ 10 000 à 3 000 ou 3 500, et des missiles MIRV basés au sol. Le traité ne pourra entrer en vigueur avant l'application de Start I, qui doit encore être ratifié.

• *À Paris (15 janvier 1993) , le traité interdisant la production, l'emploi et le stockage des armes chimiques* est signé par 130 pays, qui devront détruire leurs stocks dans un délai de dix ans et accepter un dispositif de vérification sur pièce et sur place.

• *À Vancouver (Canada), les 3-4 avril 1993,* le président Clinton annonce à Boris Eltsine une aide financière pour soutenir son programme de réformes. Confrontés à la modification de la « menace » et aux nécessités budgétaires, les États-Unis renoncent (13 mai 1993) à l'IDS au profit d'un programme antimissiles moins ambitieux.

• *À Moscou, le 14 janvier 1994,* le président Clinton conclut avec le président ukrainien Kravtchouk et Boris Eltsine un accord prévoyant le démantèlement de l'arsenal nucléaire de l'Ukraine.

• *Les 27-28 septembre 1994,* à Washington, les présidents Eltsine et Clinton s'engagent à accélérer le désarmement nucléaire et à faire progresser leur nouveau « partenariat ».

• *Le 10 mai 1995,* à Moscou, le sommet Eltsine-Clinton marque le retour à la « paix froide », avec le double refus opposé par la Russie à l'extension de l'OTAN aux États d'Europe centrale et à l'arrêt de sa coopération nucléaire avec l'Iran.

LA NAISSANCE D'UNE NOUVELLE EUROPE

L'Europe revient au centre des relations internationales. Plusieurs facteurs y concourent : la construction de l'Europe, après avoir marqué le pas, reprend et provoque des réactions dans le monde entier. Le désarmement que négocient les superpuissances la concerne essentiellement. La nouvelle détente et la faillite du communisme en Europe de l'Est constituent des événements décisifs et positifs, mais ils ont aussi des effets déstabilisateurs. Le *statu quo*, maintenu par la force des armées soviétiques, s'efface et laisse la place à un vide qui fait peur, car « le rideau de fer, en se levant, démode tout le théâtre de l'après-guerre ». Si la réunification allemande et l'éclatement de l'Union soviétique ne s'accompagnent d'aucune violence, il n'en va pas de même ailleurs : les problèmes de frontières resurgissent, les nationalismes sont exacerbés. La guerre flambe de nouveau au cœur de l'Europe. Sur les plans économique, stratégique et idéologique, la carte de l'Europe est profondément remaniée. Elle est même bouleversée sur le plan politique.

LE REFLUX SOVIÉTIQUE EN EUROPE
ET LA LIBÉRATION DES PAYS D'EUROPE DE L'EST

• *Sur le plan militaire, la détente en Europe a des conséquences considérables.* Pour mesurer la portée du processus, il faut se référer à l'extraordinaire concentration militaire qui s'y trouvait à la fin des années 1980. Sur le plan des effectifs, par exemple, on comptait en 1989 près de 1,5 million de soldats en Allemagne sur un territoire plus petit que celui de la France : en RDA, 173 000 hommes dans l'armée est-allemande et 380 000 soldats soviétiques, en RFA, 490 000 hommes pour l'armée ouest-allemande, 264 000 soldats américains, 67 000 britanniques, 50 000 français (plus les forces canadiennes, néerlandaises et belges), auxquels s'ajoutent 11 000 militaires occidentaux à Berlin-Ouest. Sur le plan des matériels, l'Alliance atlantique alignait 22 000 chars (dont 1 400 chars français) contre 61 000 pour la seule Union soviétique.

Le ministre soviétique des Affaires étrangères propose, le 23 octobre 1989, la liquidation d'ici à l'an 2000 de toutes les bases militaires à l'étranger, ainsi que de toute présence militaire en territoire étranger. Par le traité sur la réduction des forces conventionnelles en Europe (FCE), signé à Paris le 19 novembre 1990, la parité militaire est rétablie entre les deux alliances dans le champ géographique couvert par le traité (de l'Atlantique à l'Oural). La disparition du pacte de Varsovie jette un trouble sur les suites de ce traité et les négociations ultérieures, mais finalement les 29 pays concluent à Helsinki (30 juin 1992) un accord sur la limitation des effectifs qui doit permettre l'entrée en vigueur du traité FCE. L'accord détermine, entre autres, les plafonds d'effectifs (pour l'armée de terre) : 1 450 000 pour la Russie, 450 000 pour l'Ukraine, 345 000 pour l'Allemagne, 325 000 pour la France. Les Américains, tout en réduisant leurs effectifs en Europe, sont décidés — à la demande des Européens — à maintenir des forces militaires sur le continent européen.

• *Dans le domaine idéologique et politique, la faillite du communisme en Europe de l'Est* est pour une part le constat d'un échec, d'autre part le reflet d'une nouvelle politique soviétique. D'autres facteurs y concourent : le rayonnement du pape Jean-Paul II, renforcé par ses multiples voyages, en particulier en Pologne (1979, 1983, 1987, 1991), le rôle des Églises chrétiennes et l'image de l'autre Europe diffusée par la télévision, toutes choses qui remettent en cause la division de l'Europe.

• *On assiste depuis 1985, mais tout spécialement depuis 1989, à des bouleverse-ments dans les régimes communistes d'Europe de l'Est*, et d'abord à un relâchement des liens idéologiques entre l'Union soviétique et les démocraties populaires. Aupa-ravant, chaque fois qu'un pays d'Europe de l'Est faisait mine de bouger, les fronce-ments de sourcil du «grand frère» suffisaient en général à faire tout rentrer dans l'ordre. Cet interventionnisme avait d'ailleurs été formalisé dans la doctrine Brejnev de 1968. Or, non seulement les dirigeants soviétiques relâchent leur emprise sur l'Europe de l'Est, mais ils font savoir que le pacte de Varsovie n'interviendra plus dans les affaires intérieures des pays frères et que l'armée soviétique quittera le terri-toire de la Hongrie et de la Tchécoslovaquie. Et la conférence au sommet du pacte de Varsovie, en décembre 1989, va jusqu'à condamner l'intervention de 1968 en Tché-coslovaquie. Le retournement est considérable. Pour autant, l'Union soviétique n'abandonne pas l'Europe, qui est même au centre de la diplomatie soviétique, avec l'idée de «maison commune européenne». Confronté aux problèmes économiques et ethniques en Union soviétique, Gorbatchev lâche du lest, reprenant ainsi la vieille tactique russe, perdre de l'espace pour gagner du temps.

• *Les solidarités du bloc oriental volent en éclats.* Lors de la réunion des dirigeants du COMECON (9-10 janvier 1990) à Sofia, son fonctionnement est remis en cause, et une réforme profonde envisagée; dix-huit mois plus tard (28 juin 1991), l'alliance économique est dissoute. Il en est de même du pacte de Varsovie. Les demandes quasi simultanées de retrait des troupes soviétiques stationnées en Tché-coslovaquie (75 000 hommes), en Pologne (45 000 hommes) et en Hongrie (60 000 hommes) lui portent le coup fatal. Les dirigeants du pacte de Varsovie, réunis à Budapest, décident le 25 février 1991 la dissolution du pacte en tant qu'or-ganisation militaire, totalement dissoute le 1er juillet 1991. Et en juin 1991, les troupes soviétiques achèvent leur retrait de Hongrie et de Tchécoslovaquie.

De l'Elbe au Caucase, l'effondrement du bloc communiste fait resurgir les riva-lités ethniques et nationales, remettant en question les frontières. Dans un premier temps (décembre 1989), les dirigeants de l'Alliance atlantique et ceux du pacte de Varsovie soulignent leur volonté de maintenir les frontières et les organisations poli-tico-militaires existantes en Europe! La dégradation est telle qu'au cours de l'été 1991 les Occidentaux se résolvent à cautionner les démarches d'indépendance, tout en s'inquiétant des pressions migratoires qui pourraient résulter de la crise profonde que traversent les pays d'Europe de l'Est, et en assistant — impuissants — à la multiplication des conflits. La transition vers l'économie de marché et la démocratie est difficile, comme le prouve le retour en force d'ex-communistes, en Russie, avec leur succès aux élections législatives de décembre 1995 et en Pologne, avec la défaite de Lech Walesa aux élections présidentielles (novembre 1995).

L'UNIFICATION ALLEMANDE

La question allemande a été brutalement et inopinément posée à la suite de l'écroulement du régime de la RDA.

• *Avant la construction du mur de Berlin, près de 3 millions de citoyens est-alle-mands avaient déjà voté avec leurs pieds.* La fin de l'hémorragie humaine allait-elle permettre la naissance d'un véritable État, une Prusse rouge, national-marxiste? On aurait pu penser que le mur aidant, l'*Ostpolitik* aurait consolidé la RDA. En fait, il n'en est rien, et l'exode des Allemands de l'Est s'est précipité en août-septembre 1989, en contournant le mur par la brèche hongroise. À l'hémorragie s'ajoutent des manifestations de rues contre les dirigeants. Finalement, le 9 novembre 1989, le « mur de la honte » et la frontière interallemande sont entrouverts grâce à une décision administrative du gouvernement de la RDA. Dès le 10 novembre au matin, des milliers de Berlinois de l'Est se ruent à l'Ouest, pour revenir chez eux peu de temps après. C'est la chute du symbole le plus criant de la guerre froide et de la division de l'Allemagne, mais l'exode continue, au rythme de 2 000 par jour, car le niveau de vie en RFA est de deux à trois fois supérieur à celui de la RDA.

• *Cette ouverture et les bouleversements politiques internes en RDA posent le problème de la réunification allemande.* Des manifestations ont lieu, par exemple à Leipzig (novembre 1989), pour réclamer une réunification rapide. La décomposition interne de la RDA crée un vide que la puissance de la RFA est en mesure de combler. Le chancelier Helmut Kohl prend tout le monde de vitesse en rendant public un plan en dix points qui vise à la réalisation de l'unité allemande dans le cadre de structures confédératives (28 novembre 1989), sans évoquer l'intangibilité des frontières et en particulier de la ligne Oder-Neisse. En fait, l'accélération des événements, et en particulier le succès des partisans d'une unification rapide aux élections en Allemagne de l'Est (18 mars 1990), bouleverse tout le calendrier politique et bouscule les chancelleries.

• *Les réactions étrangères sont prudentes.* Au sommet de Strasbourg (8-9 décembre 1989), les Douze acceptent le droit à l'autodétermination du peuple allemand, tout en l'entourant de conditions. La France nie vouloir freiner la réunification de l'Allemagne et se prononce pour une confédération associant la CEE renforcée et les pays de l'Est devenus démocratiques. L'Union soviétique accepte l'idée de l'unification des deux États allemands en reconnaissant son caractère inéluctable (3 janvier 1990), mais, dans un premier temps, elle s'oppose à l'idée d'une Grande Allemagne, membre de l'Alliance atlantique. À la Pologne, qui réclame un traité garantissant l'intangibilité de la frontière germano-polonaise, répondent les atermoiements du chancelier Kohl, qui finit par rassurer les voisins de l'Allemagne (6 mars 1990).

La question allemande revient au premier plan de l'actualité. La réunification est en effet assortie de nombreuses inconnues. La perspective d'une Grande Allemagne (80 millions d'habitants), pesant d'un poids économique très lourd au sein de la Communauté, ne constitue-t-elle pas un risque pour l'Europe ? L'Allemagne réunifiée restera-t-elle dans l'OTAN ou deviendra-t-elle neutre ? L'Allemagne de l'Ouest pourrait-elle être tentée de troquer la réunification contre la neutralisation d'une Europe centrale dénucléarisée ? Bien que l'ancrage de l'Allemagne fédérale à l'Ouest soit solide, la dynamique de la réunification préoccupe davantage le gouvernement ouest-allemand que tout autre chose. Kohl fait des gestes vers l'Est, en acceptant l'option « double zéro » et même « triple zéro », en renonçant à l'allongement de la durée du service militaire (avril 1989), en accueillant Gorbatchev (juin 1989) et en se ralliant à son objectif de « maison commune européenne ». Alors qu'on avait craint que la RFA ne bascule à l'Est, seule possibilité pour obtenir la réunification, c'est le contraire qui se passe.

L'effondrement du régime communiste est-allemand et le ralliement de la population aux partis proches du chancelier ouest-allemand, lors des élections du 18 mars 1990, permettent d'aboutir à l'unification. L'union monétaire entre les deux Allemagnes entre en vigueur le 1er juillet 1990. Les deux États allemands sont associés aux conversations des quatre puissances garantes du statut de l'Allemagne (États-Unis, Grande-Bretagne, France, URSS). De son côté, l'Union soviétique reconnaît le caractère inéluctable de l'unification (janvier 1990), mais repousse dans un premier temps (12 février) le maintien de l'Allemagne unie dans l'OTAN, que M. Gorbachev accepte par l'«accord historique» du Caucase (16 juillet), moyennant une réduction des effectifs de la future armée allemande à 370 000 hommes et le financement du retrait des soldats soviétiques de l'ex-RDA avant la fin 1994. Le traité «portant règlement définitif de la question allemande» est paraphé à Moscou le 12 septembre. L'Allemagne, pleinement souveraine, accepte toutefois un plafond de ses effectifs militaires et une renonciation aux armes nucléaires. La voie est désormais libre pour l'unification, qui intervient le 3 octobre 1990. Les derniers soldats russes quittent Berlin le 31 août 1994, et les troupes occidentales le 8 septembre. L'Allemagne est une nouvelle grande puissance de 80 millions d'habitants, dont le rôle de pivot peut faire craindre l'orientation vers une «Europe allemande», même si le coût de la réunification est plus élevé que prévu. La question allemande n'est pas la seule inconnue de la nouvelle donne européenne.

LA DISLOCATION DE L'EMPIRE SOVIÉTIQUE

L'effondrement du communisme soviétique débouche sur la dislocation de l'Union soviétique, confrontée à une triple crise :

– idéologique, car le rôle dirigeant du communisme et du PCUS est non seulement remis en cause (13 mars 1990), mais le PC russe se voit même interdire toute activité après le putsch manqué (19 août 1991);

– économique, en raison de la désorganisation de l'économie soviétique (inflation, déficit budgétaire, endettement extérieur);

– politique, car l'engrenage des réformes démocratiques déstabilise le pouvoir soviétique et démontre son incapacité à se réformer sans changer radicalement de système : Mikhaïl Gorbatchev, devenu président de l'Union et apprécié à l'étranger (prix Nobel de la paix, 1990), peine à arbitrer l'affrontement entre conservateurs et partisans des réformes et doit abandonner son poste de secrétaire général du PCUS (24 août 1991).

Cause et conséquence de la fin du communisme, la dislocation de l'empire s'accélère. Chacune à leur tour, les Républiques proclament leur souveraineté.

• *Dans les pays Baltes*, Lituanie, Lettonie, Estonie, disputés depuis des siècles par Slaves, Germains et Suédois, indépendants de 1920 à 1939, annexés par l'Union soviétique dans le cadre du pacte germano-soviétique du 23 août 1939, occupés par les Allemands de 1941 à 1944 et réannexés par l'URSS, des manifestations, en août 1989, réclament leur autonomie et le retour aux Républiques baltes. À la suite d'une année de tensions, l'indépendance des trois pays est reconnue en août 1991. Trois ans plus tard, il n'y a plus de troupes russes.

À la faveur de l'échec du putsch (19-21 août 1991), déclenché par les éléments conservateurs (PCUS, armée et KGB), à la veille de la signature du nouveau traité de l'Union, le Congrès des députés octroie de larges pouvoirs aux Républiques, le «centre» conservant la tutelle de la politique étrangère et militaire. Mais les Républiques sont de plus en plus réticentes à accepter une limitation de leur souveraineté. La dislocation de l'Union soviétique s'accélère alors. À la suite de la Géorgie (9 avril 1991), la Moldavie, ancienne Bessarabie, arrachée à la Roumanie par l'Union soviétique par les accords Molotov-Ribbentrop de 1939 et récupérée à la faveur de la guerre, proclame son indépendance (août 1991). Puis c'est le tour de l'Azerbaïdjan, de la Kirghizie et de l'Ouzbekistan. La sécession de l'Ukraine (1er décembre 1991) et son refus de signer le traité de l'Union signent l'arrêt de mort

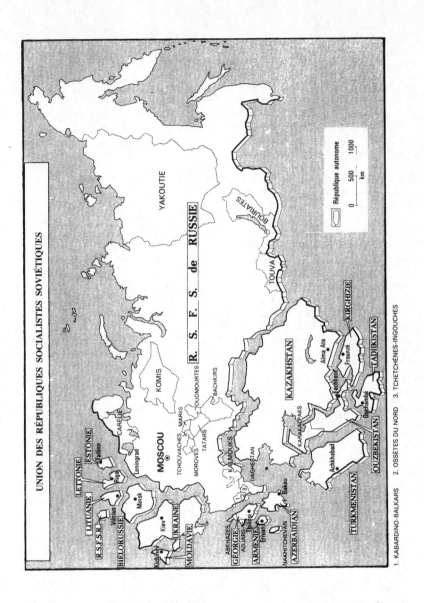

UNION DES RÉPUBLIQUES SOCIALISTES SOVIÉTIQUES

1. KABARDINO-BALKARS · 2. OSSÈTES DU NORD · 3. TCHETCHÉNES-INGOUCHES

République autonome

0 500 1000
km

de l'Union soviétique. Les présidents de Russie, Ukraine et Biélorussie s'entendent (8 décembre 1991) pour créer une Communauté d'États indépendants (CEI), à laquelle toutes les autres Républiques — sauf la Géorgie qui s'y joint en septembre 1993 — adhèrent (21 décembre 1991). La Russie hérite de l'ex-Union soviétique le siège de membre permanent du Conseil de sécurité de l'ONU et la responsabilité des forces nucléaires stratégiques. En revanche, l'Ukraine, la Moldavie et l'Azerbaïdjan obtiennent le droit de créer leurs propres armées nationales. Isolé et privé de tous ses pouvoirs, M. Gorbatchev donne sa démission (25 décembre 1991).

• *En raison des déficiences de la CEI, qui demeure une coquille vide, les États de l'ex-Union soviétique s'organisent entre eux.* Les cinq pays de l'Asie centrale (Kazakhstan, Turkménistan, Ouzbékistan, Tadjikistan, Kirghizie) esquissent un rapprochement régional. La Russie et l'Ukraine signent un accord de coopération politique et économique (juin 1992). Partout, les forces centrifuges sont à l'œuvre : en Géorgie, du fait des Abkhazes et des clivages religieux opposant les Ossètes, chrétiens, aux Ingouches, musulmans ; en Azerbaïdjan, du fait des Arméniens dans le Haut-Karabakh (enclave arménienne, chrétienne, en pays musulman). La Russie a des rapports difficiles avec l'Ukraine (à propos de la flotte de la mer Noire), la Biélorussie, le Kazakhstan (à propos des armes nucléaires).

La transformation de la Russie est radicale. C'est en vérité un nouveau pays qui a abandonné toute référence au marxisme-léninisme et toute idée de mission historique dans le monde. Les réformes politiques (instauration d'un régime semi-présidentiel fort) et économiques (mise en place de l'économie de marché) suscitent un climat trouble et de brèves épreuves de force (21 septembre-4 octobre 1993). Sur le plan extérieur, l'objectif de la Russie est de faire partie du « monde civilisé » — par la participation à toutes les instances internationales comme le FMI et la Banque mondiale — et de coller au plus près à la politique américaine, tout en prenant garde de ne pas apparaître comme le brillant second et en faisant monter les enchères. Cette politique résolument tournée vers le monde occidental est évidemment liée aux avantages que la Russie en attend. Elle est d'ailleurs invitée à participer à certaines réunions du G7. Sur le plan national, la Russie est elle-même menacée d'éclatement. Sa population est certes plus homogène que celle de l'ex-URSS, mais les Républiques autonomes s'agitent. La Russie invoque la protection des minorités russes et russophones pour y imposer sa loi. En décembre 1994, l'armée russe intervient en Tchétchénie, république musulmane membre de la Fédération de Russie en proie à la guerre civile, et y mène une guerre dure, pour interrompre le processus de décomposition en cours. Un cessez-le-feu et le désengagement de l'armée russe interviennent le 10 juin 1996.

LE RÉVEIL DES NATIONALISMES ET LA REMISE EN CAUSE DES FRONTIÈRES

La faillite des régimes d'Europe de l'Est s'accompagne d'une résurgence des nationalismes et des problèmes de frontières. Du temps de la guerre froide, la seule frontière dont on parlait, c'était le « rideau de fer ». Et la doctrine de l'internationalisme prolétarien avait étouffé toute revendication nationale ou territoriale. Les régimes communistes avaient fait de la résolution des problèmes de nationalité une de leurs priorités. Avec la disparition de ces régimes les vieux conflits nationaux, un moment occultés, resurgissent. Ce réveil des nationalismes menace directement les frontières nées de la Seconde Guerre mondiale.

• *Les problèmes de frontières reviennent au premier plan.* Brutalement, l'Europe retrouve ses démons de 1914 et redécouvre que l'empire des Habsbourg, qui regroupait tous les peuples d'Europe centrale, avait des avantages. Le sursaut polonais est fondé en grande partie sur le ressort de la nation polonaise, liée à l'Église catholique. En Hongrie, des manifestations nationalistes ont lieu le 14 mars 1989 à l'occasion de la mort de l'impératrice Zita, dernière reine de Hongrie. En

Roumanie, la minorité hongroise (3 millions de personnes) qui habite la Transylvanie, ancienne province hongroise, revendique son autonomie. Les minorités roumaines s'agitent en Moldavie ex-soviétique. Des tensions apparaissent entre Hongrois et Slovaques. Le cas le plus dramatique est celui de la Yougoslavie.

• *En Yougoslavie*, le lent effondrement du système communiste à partir de la mort de Tito en 1980 s'est accompagné d'une résurgence des nationalismes et des passions que la fermeté de Tito avait réussi à maîtriser au lendemain de la Seconde Guerre mondiale, en imposant un État fédéral comprenant six Républiques (Slovénie, Croatie, Bosnie-Herzégovine, Serbie, Montenegro, Macédoine) et deux provinces autonomes (Vojvodine, Kosovo). À l'heure du post-communisme, la Yougoslavie est le territoire le plus sensible du vieux continent pour des raisons très anciennes. Depuis la mort de l'empereur romain Théodose (365), la ligne de fracture entre Rome et Byzance, catholiques et orthodoxes, Croates et Serbes, coupe l'ex-territoire yougoslave en deux. Si la conquête slave n'y change rien, la conquête turque fait passer la frontière entre l'Empire ottoman et celui des Habsbourg au milieu de la Yougoslavie et fuir beaucoup de Serbes orthodoxes, qui s'installent sur les confins de la Croatie catholique. Sur les ruines des empires, et dans le fracas des crises balkaniques qui ont déclenché le premier conflit mondial (attentat de Sarajevo, 28 juin 1914), les vainqueurs inventent un royaume des Serbes, Croates et Slovènes, divisé en trois groupes linguistiques (slovène, serbo-croate, macédonien) et religieux (catholique, orthodoxe, musulman), mélange condamné à exploser. Pendant la Seconde Guerre mondiale, les antagonismes s'exacerbent, déchirent le royaume yougoslave et laissent des traces dans la mémoire collective (le massacre des Serbes par les Oustachis, nationalistes croates). Aux rivalités ancestrales opposant les Serbes aux Croates et aux Slovènes s'ajoute la question des minorités nationales, car aucune des Républiques n'a une population homogène. C'est particulièrement le cas en Bosnie-Herzégovine où la mosaïque ethnique mêle 44 % de musulmans, 31 % de Serbes et 17 % de Croates. L'éclatement de la Yougoslavie provient de la conjonction entre la crise du système communiste et celle de l'État multinational. Le drame se noue en mai 1991 à l'occasion de l'élection à la présidence collégiale de la Fédération, dont Slovènes et Croates réclament la dissociation en plusieurs États souverains. Des affrontements interethniques ont lieu. Slovénie et Croatie proclament leur indépendance (juin 1991), en raison de l'intervention de l'armée fédérale (largement composée de Serbes) qui entend faire respecter les droits des Serbes en Croatie. Les démarches de la Communauté européenne pour promouvoir un règlement négocié ont un effet limité.

Aucun des cessez-le-feu conclus n'est respecté, et les États membres de la CEE, qui ne parviennent pas à se mettre d'accord sur l'envoi d'une force européenne d'interposition, en appellent au Conseil de sécurité de l'ONU (novembre 1991) et reconnaissent l'indépendance de la Slovénie et de la Croatie (15 janvier 1992), puis de la Bosnie-Herzégovine (6 avril 1992). Sur les ruines de la fédération yougoslave, la Serbie et le Montenegro proclament la république fédérale de Yougoslavie (27 avril 1992), à laquelle les Serbes veulent agréger les enclaves à peuplement serbe en Croatie et en Bosnie-Herzégovine, autour de Sarajevo encerclée et bombardée par les forces serbes. Tandis que la guerre civile continue et provoque — en raison de la « purification ethnique » — l'exode de milliers de réfugiés, une force de protection des Nations unies (la FORPRONU) de près de 15 000 hommes, dont l'envoi dans ces zones a été décidé le 21 février 1992, doit permettre de garantir les frontières litigieuses et d'assurer l'accès de Sarajevo. Une FORPRONU II (forte de

La nouvelle Europe

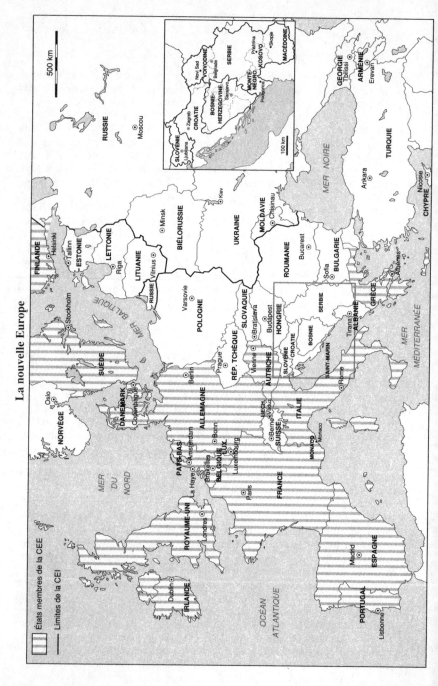

6 000 hommes), envoyée en octobre 1992, a bien du mal à faire respecter les trêves et à protéger les convois humanitaires. Renonçant à imposer une solution militaire, l'ONU et la CEE coopèrent à la recherche d'un règlement en Bosnie. Après le rejet (octobre 1992) du plan Vance-Owen, la mise au point d'un plan de partition (Owen-Stoltenberg) constitue une victoire pour les Serbes de Bosnie qui contrôlent la plus grande partie du territoire et qui rejettent (juillet 1994) le plan du «groupe de contact» (États-Unis, Russie, Allemagne, France, Grande-Bretagne). La menace de frappes aériennes par l'OTAN se révèle inefficace, et la guerre continue en présence de 44 000 casques Bleus, dont le mandat est reconduit dans l'ambiguïté (mars 1995).

À l'instigation du président Jacques Chirac, l'ONU vote le 16 juin 1995 une résolution créant la Force de réaction rapide (FRR) dont la mission consiste à appuyer les casques bleus en Bosnie. Grâce à la fermeté retrouvée, un cessez-le-feu intervient en octobre 1995 sur l'ensemble du territoire de la Bosnie-Herzégovine. Les négociations de paix, qui ont lieu à Dayton (États-Unis) en novembre 1995 aboutissent à un accord ratifié à Paris le 14 décembre. La Bosnie reste un État aux frontières inchangées, mais divisé en deux entités politiques autonomes : une fédération croato-musulmane (51 % du territoire) et une République serbe de Bosnie (49 %). La FORPRONU cède son autorité à l'IFOR («*Implementation Force*»), force multinationale de 63 000 hommes sous commandement de l'OTAN, avec la participation de 20 000 soldats américains.

Outre la Bosnie, d'autres provinces de l'ex-Yougoslavie risquent de sombrer dans la guerre civile. C'est en particulier le cas du Kosovo, ancien berceau historique serbe (le 28 juin 1989, 1 million de Serbes y ont célébré le 6e centenaire de la bataille de Kosovo Polje, victoire des Turcs sur les Serbes), peuplé à 90 % d'Albanais musulmans, tentés par l'indépendance ou le rattachement à l'Albanie.

• *Enfin la Tchécoslovaquie*, créée à la suite de la Première Guerre mondiale sur les ruines de l'Autriche-Hongrie, éclate en une République tchèque et une Slovaquie qui divorcent pacifiquement (1er janvier 1993), après soixante-quatorze ans de vie commune. La balkanisation, fruit des nationalismes, ronge l'espace européen dont le seul pivot de stabilité est l'Europe des Douze.

VERS L'UNION EUROPÉENNE

• *La décision prise à Luxembourg, le 13 juin 1988, par les ministres des Finances de libérer complètement les mouvements de capitaux au sein de la Communauté* à partir du 1er juillet 1990 joue comme un déclic. C'est un pas décisif vers la constitution d'un marché de 345 millions de consommateurs à niveau de vie élevé. À la veille de l'échéance du 1er janvier 1993, les attaques de Washington et de Tokyo s'avivent contre la « forteresse Europe », accusée de constituer un marché intérieur imprenable. Au terme d'un énorme effort d'harmonisation et de libéralisation, l'avènement du grand marché sans frontières intérieures est une date importante pour la construction européenne.

En fait, *les négociations du GATT* ont bien érodé le tarif extérieur commun et suscité une croissance notable du commerce mondial. À la suite des quatre premières négociations commerciales (1947, 1949, 1950, 1956), le *Dillon round* (1960-1962), le *Kennedy round* (1964-1967), le *Tokyo round* (1973-1979) ont abouti à une réduction considérable des tarifs douaniers industriels. La conférence réunie à Punta del Este depuis septembre 1986, et dite pour cette raison *Uruguay round*, achoppe sur les produits agricoles, les services, l'audio-visuel. États-Unis et Canada demandent aux Européens la suppression des subventions agricoles en particulier dans le domaine des oléagineux (soja-tournesol) et un meilleur accès au marché; les Européens réagissent en insistant sur l'agressivité commerciale du Japon et sur le protectionnisme américain en matière aéronautique. Intervenant peu de temps après la réforme de la politique agricole commune (qui substitue au régime de prix garantis un système d'aides directes à la production et qui impose à la fois la mise en jachère de 15 % des terres et la baisse de 29 % des prix des céréales), l'accord de Blair House conclu (19 novembre 1992) par la Commission européenne avec les Américains (réduction du montant des exportations subventionnées et plafonnement des surfaces plantées en oléagineux) est violemment rejeté par les Français, principaux producteurs européens. Le compromis réalisé (14 décembre 1993) permet la signature de l'acte final du cycle de l'Uruguay (15 avril 1994) à Marrakech, obligeant 121 pays à un démantèlement sans précédent de leurs barrières douanières. La ratification des accords du GATT ouvre la voie à la création de l'Organisation mondiale du Commerce (OMC) le 1er janvier 1995.

• *Les négociations qui vont aboutir aux accords de Maastricht sont ardues, en particulier l'harmonisation des fiscalités et l'Union monétaire.* Malgré l'entrée de la livre sterling dans le système monétaire européen le 8 septembre 1990, les Anglais écartent l'idée d'une monnaie unique; en Allemagne, la Bundesbank et les milieux d'affaires sont hostiles à toute précipitation. À Strasbourg (9 décembre 1989), le Conseil européen met au point un plan d'Union économique et monétaire (UEM) qui doit, au terme de trois étapes (la première débutant le 1er juillet 1990), être symbolisée par l'adoption d'une monnaie commune. Si elle se réalisait, cette UEM impliquerait des transferts de souveraineté plus importants que tous ceux qui l'ont précédé. Le Conseil européen de Dublin (28 avril 1990) souligne l'urgence d'accélérer la construction politique de l'Europe, dont l'absence dans le conflit du Golfe et l'impuissance dans la crise yougoslave confirment la nécessité d'une politique de défense commune. Afin de sortir de l'impasse, Français et Allemands proposent le 14 octobre 1991 de renforcer les responsabilités des institutions européennes en matière de défense et ils annoncent la création d'un corps d'armée franco-allemand élargi à la Belgique, au Luxembourg et à l'Espagne : l'Eurocorps, de 35 000 à 50 000 hommes, devenu opérationnel en novembre 1995, pourrait être le noyau d'une force européenne relevant de l'UEO, mais pouvant également être engagé sous le contrôle de l'OTAN.

Les progrès des négociations permettent au Conseil européen de Maastricht (9-10 décembre 1991) d'aboutir à un accord sur les questions économiques et monétaires et sur les questions politiques. Le principe d'une politique étrangère et de sécurité commune est posé, et le droit de vote accordé aux ressortissants des pays de la CEE dans les élections locales du pays de leur résidence. Le plan d'Union économique et monétaire, qui doit se réaliser en trois étapes, prévoit — si du moins les politiques économiques sont suffisamment convergentes — la création avant le 1er janvier 1999 d'une monnaie unique, ce qui signifie une perte de souveraineté en matière monétaire. Le traité d'Union européenne, signé le 7 février 1992, tout en reprenant l'essentiel des dispositions des traités de Rome, a pour ambition d'organiser dans la plupart des domaines une vie communautaire et de faire exister une Union européenne au niveau supranational dans des secteurs clefs comme la monnaie ou la politique étrangère. Conformément au principe de subsidiarité, la Communauté n'intervient que dans la mesure où les objectifs de l'action envisagée ne peuvent être réalisés de manière suffisante par les États-membres. La Grande-

Bretagne, toutefois, obtient de réserver sa participation à l'UEM et au volet social. La ratification du traité ne pose pas de problème, sauf exceptions : les Danois le rejettent (2 juin 1992) avant de l'approuver (18 mai 1993); les Français l'approuvent (20 septembre 1992) timidement. Les Anglais finissent par le ratifier (2 août 1993). Les interrogations pèsent sur le système monétaire européen, soumis à des épreuves à répétition. La lire et la livre sterling sortent du SME. L'Espagne, le Portugal et l'Irlande rétablissent le contrôle des changes. La décision prise (1er-2 août 1993) d'élargir les marges de fluctuation des monnaies à 15 % par rapport à leur taux pivot signifie la dislocation du SME, ce qui est un mauvais point de départ pour l'Union monétaire. Et l'on s'achemine vers une Europe à plusieurs vitesses. En janvier 1995, le Luxembourgeois Jacques Santer succède à Jacques Delors à la présidence de la Commission. Reportée périodiquement, l'application de la convention de Schengen sur la libre circulation des personnes entre sept pays de l'Union européenne entre en vigueur le 26 mars 1995. Le sommet de Madrid (15-16 décembre 1995) adopte le calendrier de passage à la monnaie unique, baptisée « Euro »; les critères de convergence requis pour l'échéance au 10 janvier 1999 alimentent le débat sur les rapports entre l'Europe et l'emploi. La conférence intergouvernementale, qui doit statuer sur la réforme des institutions de l'Union européenne, s'ouvre à Turin en mars 1996.

Malgré ces remous, l'Europe occidentale bénéficie d'un indéniable pouvoir d'attraction et constitue un pôle d'influence dans le monde. Les négociations en vue du quatrième élargissement de la Communauté aboutissent à faire passer (1er janvier 1995) l'Union de 12 à 15 membres en y accueillant trois États : l'Autriche, la Finlande et la Suède mais pas la Norvège. La CEE est fort sollicitée d'apporter son aide, à la fois par l'Europe de l'Est et par le Tiers Monde. Elle conclut le 15 décembre 1989 un accord avec les 68 pays ACP, qui consacre une augmentation de l'aide de l'Europe au Tiers Monde : c'est Lomé IV. Elle crée une Banque européenne pour la Reconstruction et le Développement (BERD), qui a pour vocation d'assister financièrement les pays d'Europe de l'Est. Bref, l'Europe occidentale se trouve dans la situation paradoxale d'être un pivot de stabilité dans le monde, sans avoir pour autant la possibilité d'exercer une influence déterminante dans l'équilibre des forces mondiales. Elle hésite en outre sur son devenir et son statut.

UNE EUROPE À GÉOGRAPHIE VARIABLE

La disparition du mur de Berlin et du rideau de fer rendent à l'Europe sa plénitude géographique. En même temps, la disparition de l'hégémonie soviétique implique un risque de balkanisation et impose donc la recherche d'une structure. L'Europe des Douze doit-elle s'élargir au risque de s'affadir et de perdre son originalité? Les Douze de la CEE et les sept membres de l'AELE concluent (22 octobre 1991) un traité instaurant un Espace économique européen (EEE), qui apparaît comme un galop d'essai avant l'adhésion à la Communauté. Cependant, le rapprochement ne se fait pas sans heurts, comme le prouve le refus du peuple suisse de ratifier l'EEE (6 décembre 1992). Et que répondre aux pays de l'Europe de l'Est qui souhaitent connaître la prospérité et entrer à leur tour dans la Communauté? La Pologne, la Hongrie, la République tchèque et la Slovaquie constituant le groupe de Visegrad font l'apprentissage de la coopération régionale, présenté comme un préalable à l'adhésion. Afin de régler les problèmes de frontières et de minorités, le pacte de stabilité en Europe adopté le 22 mars 1995 vise à promouvoir la diplomatie préventive.

11 — UNE EUROPE À GÉOGRAPHIE VARIABLE (septembre 1996)

OSCE

OTAN
États-Unis
Canada

Turquie

Conseil de l'Europe

Albanie
Andorre
Croatie
Lituanie
Estonie
Roumanie
Bulgarie
Malte
Chypre
Saint-Marin
Hongrie
Lettonie
Moldavie
Pologne
Russie
République tchèque
Slovaquie
Slovénie
Macédoine
Ukraine

Tadjikistan
Turkménistan
Ouzbékistan
Bosnie-Herzégovine
Géorgie
Arménie
Azerbaïdjan
Belarus
Monaco
Saint-Siège
Bulgarie
Yougoslavie*
Kazakhstan
Kirghizie

AELE

Norvège
Islande
Suisse
Liechtenstein

UE

Danemark
Irlande
Autriche
Finlande
Suède

UEO

Benelux
France
Italie
Royaume-Uni

Espagne
Portugal
Allemagne
Grèce

* Suspendue depuis mai 1992.

Seule organisation rassemblant, outre les États-Unis et le Canada, tous les États européens, y compris l'Albanie (juin 1991), la *Conférence sur la sécurité et la coopération en Europe* (CSCE) entend jouer un rôle croissant. Lors de la 2ᵉ conférence au sommet de la CSCE (21 novembre 1990) est signée la Charte de Paris pour une nouvelle Europe : les trente-quatre pays membres célèbrent la fin de « l'ère de la confrontation et de la division », saluent la « démocratie comme seul système de gouvernement », et décident d'institutionnaliser la CSCE. Malgré l'adoption à Berlin (19-20 juin 1991), d'un mécanisme de consultation, la CSCE apparaît pour l'instant vouée à l'inefficacité. À la conférence au sommet de Budapest (5-6 décembre 1994), les 52 membres de la CSCE, qui devient l'Organisation pour la sécurité et la coopération en Europe (OSCE), divergent sur les modalités d'organisation de la sécurité européenne.

L'Alliance atlantique est confrontée à une reconversion profonde. Conçue pour faire face au danger quasi exclusif du pacte de Varsovie, elle doit adapter ses structures militaires à une situation profondément modifiée : le repli de l'armée soviétique et le retrait d'Europe d'une bonne partie des GI qui, de 320 000 en 1990, passent à 133 000 en 1994. Victorieuse de l'organisation rivale, elle doit répondre aux besoins de sécurité des États d'Europe centrale et orientale, inquiets de se trouver dans un « vide stratégique ». Elle doit aussi prendre en considération les tentatives de l'Europe des Douze de doter l'Union européenne d'une politique de sécurité (6-7 juin 1991) et d'en confier le bras séculier à l'UEO. Les initiatives se multiplient. L'OTAN réorganise son dispositif militaire en créant une force de « réaction rapide » (28-29 mai 1991) et en s'orientant vers la création de corps d'armée multinationaux, en particulier germano-américains (avril 1993), parallèlement à la décision franco-allemande (octobre 1991) de créer un Eurocorps qui a vocation à devenir l'embryon d'une armée européenne. En novembre 1991, le sommet de l'OTAN reconnaît que d'autres institutions qu'elle-même, en particulier la Communauté européenne, l'UEO et la CSCE ont un rôle à jouer en matière de défense et de sécurité. La décision du 4 juin 1992 de mettre les forces et infrastructures de l'Alliance au service de la CSCE pour des missions de maintien de la paix donne à l'OTAN pour la première fois la possibilité d'intervenir hors de la zone d'application du traité. Mais le rôle qui consiste à assurer la sécurité de la FORPRONU dans l'ex-Yougoslavie est limité. Afin d'étendre l'Alliance atlantique aux pays qui étaient membres du pacte de Varsovie et de l'URSS, on crée le 20 décembre 1991 (à l'initiative américaine) une superstructure, le Conseil de coopération nord-atlantique (COCONA, en anglais NACC). La signature le 10 janvier 1994 par les 16 pays membres de l'OTAN d'un document politique proposé aux pays ex-communistes pour participer au partenariat pour la paix est conçu comme la première étape vers une éventuelle adhésion à l'Alliance, à laquelle Moscou oppose une méfiance persistante. En Bosnie, par la création de la Force de réaction rapide et par l'IFOR, l'OTAN s'investit dans un nouveau type d'intervention, en coopération avec les forces de ses ex-adversaires ou neutres.

LE MONDE DE L'APRÈS-GUERRE FROIDE

La fin de la guerre froide ne fait pas disparaître les occasions de conflit. La détente planétaire observée depuis 1985 est due d'abord à la détente entre les deux superpuissances, ensuite au vaste désengagement de l'URSS (imité en cela par les forces déléguées cubaines), enfin à l'effondrement soviétique. Cette détente prend des formes variées : réduction des tensions, terme mis à plusieurs conflits régionaux, démocratisation. Favorisés par le sous-développement, les luttes d'influence, les tribalismes, les particularités nationales et religieuses resurgissent partout.

UNE ASIE TOUT EN CONTRASTES

On y constate un essoufflement des conflits, sauf celui du Cachemire, et une diversification croissante : à l'Asie orientale (y compris la Chine côtière) prospère s'oppose le toujours pauvre sous-continent indien.

• *Le désengagement le plus spectaculaire est le retrait de l'armée soviétique d'Afghanistan.* L'URSS, qui était intervenue militairement en Afghanistan, y menait une guerre quasi coloniale dans laquelle elle s'était peu à peu enlisée. Quand M. Gorbatchev devient secrétaire général du PCUS, la guerre dure depuis cinq ans et ressemble de plus en plus à la guerre du Viêt-nam. Une armée disposant d'armements et de matériels puissants, aux effectifs relativement limités, ne peut venir à bout de la résistance d'un peuple fruste aidé par le Pakistan, les États-Unis, la Chine et les pays du Golfe. Le durcissement des combats s'accentue. La possession par la résistance afghane de missiles anti-aériens Stinger fait perdre aux Soviétiques la maîtrise du ciel en 1987, et les opérations menées par l'armée soviétique pour dégager les centres susceptibles de tomber aux mains de la résistance tournent court. Pour M. Gorbatchev, sortir l'Union soviétique du bourbier afghan est un objectif prioritaire, car l'offensive de paix soviétique ne peut être crédible tant que l'Afghanistan est occupé. Les négociations ouvertes à Genève prennent aussitôt un tour décisif. Le chef du gouvernement, Babrak Karmal, qui freine les négociations, est remplacé le 4 mai 1986 par le général Najibullah. Après le sommet Reagan-Gorbatchev de décembre 1987 à Washington, les événements se précipitent. La diplomatie soviétique fait tout ce qu'elle peut pour obtenir un cessez-le-feu et mettre sur pied un gouvernement de coalition. Le 14 avril 1988 intervient l'accord sur le retrait des troupes soviétiques négocié par le gouvernement de Kaboul, le Pakistan, l'URSS et les États-Unis. Malgré des difficultés dans l'application, le retrait des troupes soviétiques s'achève le 15 février 1989 dans les délais prévus.

Confronté à une coalition hétéroclite formée par la résistance modérée qui n'avait pas accepté le cessez-le-feu et les milices islamistes, le régime communiste s'effondre (avril 1992), mais les affrontements aboutissent à la prise de Kaboul par les « talibano », religieux soutenus par les Américains (septembre 1996) entre factions afghanes.

• *D'autres conflits, dans lesquels l'URSS n'était pas autant impliquée que dans la guerre d'Afghanistan, mais où elle était néanmoins engagée politiquement et financièrement* s'arrêtent pour les mêmes raisons générales. C'est le cas de l'intervention du Viêt-nam au Cambodge. Dès novembre 1987, le Viêt-nam commence à rapatrier quelques unités et annonce le 5 avril 1989 le retrait total de ses troupes. À l'invitation de la France une conférence sur l'avenir du Cambodge réunissant tous les acteurs, de l'ancien roi — le prince Norodom Sihanouk — au premier ministre en place, Hun Sen, qui se tient à Paris en août 1989 n'aboutit pas. Après le départ des soldats vietnamiens, la guerre civile fait de nouveau rage. Une tentative pour faire de l'ONU le pivot d'un règlement du problème cambodgien parvient à regrouper (septembre 1990) les quatre factions khmères sous la présidence du prince Sihanouk et à prévoir un cessez-le-feu. L'accord de paix, qui finalement est signé par tous les participants le 23 octobre 1991, place en effet le pays sous la tutelle des Nations unies jusqu'à l'organisation d'élections libres. Par la Résolution 945 (28 février 1992), le Conseil de sécurité vote l'envoi de 22 000 hommes et crée l'Autorité provisoire de l'ONU (APRONUC), chargée d'acheminer le Cambodge vers une situation normale. Malgré les entraves des Khmers rouges, l'APRONUC, qui réussit à organiser des élections générales (mai 1993), achève sa mission (novembre 1993) sur un bilan plutôt positif. La pacification est en cours, sous l'égide de Sihanouk.

Cette diminution de la tension dans la péninsule indochinoise explique que les tentatives de M. Gorbatchev pour renouer le dialogue avec la Chine aboutissent. À Vladivostock (28 juillet 1986), M. Gorbatchev se déclare prêt à créer un climat de bon voisinage, et sa visite officielle en Chine (16-18 mai 1989) permet la normalisation des relations sino-soviétiques, renforcée par la visite du secrétaire général du PC chinois à Moscou (mai 1991) et celle du président chinois Jiang Zemin à Moscou (septembre 1994).

• *La guerre Iran-Irak aussi s'est arrêtée, le 20 août 1988, mettant fin à un conflit de huit ans qui a provoqué la mort d'un million de personnes.* En dépit de ses efforts et de la supériorité de son armée, toutes les actions de l'Irak sur les installations pétrolières iraniennes, sur les villes, sur les frontières ont été des échecs relatifs et se sont heurtées à des parades efficaces de l'Iran, qui a même contre-attaqué en s'emparant de la ville de Fao, en février 1986, ville reconquise par l'Irak en avril 1988 seulement. On a assisté à une intensification des combats, avec utilisation de missiles et recours aux armes chimiques. Le monde s'en est accommodé tout en armant les protagonistes jusqu'à ce que le pourrissement du conflit inquiète la communauté internationale. Deux facteurs y ont contribué : les menées subversives et terroristes de l'Iran, dont l'ombre se trouve derrière les prises d'otages et les attentats de septembre 1986 à Paris amenant à la rupture des relations diplomatiques avec la France, et les émeutes de la Mecque (31 juillet 1987), fomentées par les chiites contre la dynastie gardienne des lieux saints de l'Islam.

Le deuxième facteur d'internationalisation concerne le golfe Persique, qui devient un lieu potentiel d'affrontement en raison des attaques contre le trafic maritime et des menaces qui pèsent sur l'approvisionnement pétrolier. Les États d'Europe occidentale décident d'envoyer, en août 1987, des navires de guerre dans le Golfe afin de rassurer les États producteurs de pétrole du golfe Persique, de barrer la route à une éventuelle exploitation de la crise par les Soviétiques et de maintenir l'accès au pétrole.

Finalement, la lassitude des combattants, les revers de l'armée iranienne et la pression internationale amènent en juillet 1988 l'Iran, de plus en plus isolé dans le monde arabe, puis l'Irak, à accepter le cessez-le-feu exigé par l'ONU le 20 juillet 1987 et à entamer des pourparlers. L'accord sur le cessez-le-feu est annoncé par le secrétaire général des Nations unies, Perez de Cuellar, le 8 août 1988 et entre en vigueur le 20 août, après l'arrivée de 350 observateurs des Nations unies.

La fin de la guerre Iran-Irak, le rétablissement des relations diplomatiques de l'Iran avec la France le 16 juin 1988, suite à la libération des otages français, la mort de l'imam Khomeiny (3 juin 1989) ne mettent pas un terme aux tensions internationales dans le golfe Persique.

• *La crise du Golfe, causée par l'invasion du Koweit par l'Irak, replonge le monde pour sept mois, dont six semaines de conflit armé, dans une atmosphère de guerre.* Derrière le contentieux qui oppose l'Irak au Koweit se cachent d'une part la volonté de Bagdad de s'assurer le leadership du monde arabe, d'autre part la nécessité pour l'Occident industrialisé de protéger le « grenier à pétrole » qu'est le golfe Persique. Pour y avoir un vrai débouché, l'Irak convoitait tout ou partie du Koweit, princi-

pauté de la famille al-Sabah, protectorat britannique indépendant depuis 1961. Ce pays, possédant d'immenses ressources et réserves pétrolières, était une proie tentante pour un État endetté. Enfin, Bagdad accusait le Koweit de contribuer à la stagnation du prix du pétrole et réussit d'ailleurs, le 27 juillet 1990, à faire pression sur l'OPEP pour augmenter de 18 à 21 dollars le prix de référence du baril.

À la suite de plusieurs semaines de tension et de vaines négociations, l'armée irakienne, aguerrie par le conflit avec l'Iran et suréquipée grâce au matériel d'origine soviétique et française, envahit le Koweit le 2 août et l'annexe le 8 août 1990.

Face à cette violation flagrante du droit international, les États-Unis — suivis d'un certain nombre d'États — réagissent par la mise en place d'un important dispositif militaire en Arabie Saoudite, qui vise à protéger les États du Golfe menacés par l'expansionnisme irakien et à faire pression sur l'Irak par un embargo, auquel le Conseil de sécurité de l'ONU donne son appui total le 25 août.

Pour desserrer l'étreinte, l'Irak décide de renoncer le 15 août à ses conquêtes territoriales sur l'Iran, enjeu d'une guerre de huit ans, de revenir à l'accord de 1975 et de retenir prisonniers au Koweit et en Irak les étrangers présents. La crise du Golfe a de graves répercussions, sur le plan de la tension internationale, l'approvisionnement en pétrole et l'augmentation de son prix, enfin le marasme des marchés financiers.

Face à la première grave crise survenant dans l'après-guerre froide, on constate un sursaut de la communauté internationale. Américains et Soviétiques condamnent d'une même voix l'agression. Le Conseil de sécurité, qui n'est plus inhibé par le *veto* d'un membre permanent, prend résolution sur résolution. Et les Américains rassemblent une impressionnante armada en Arabie, retirant, dans ce but, le tiers de leurs forces d'Europe, ce qu'ils n'auraient jamais pu faire sans la fin de la guerre froide et la passivité du Kremlin, qui lâche ainsi son principal protégé au Proche-Orient.

Tandis que les renforts affluent dans le Golfe, les menaces et les affirmations d'intransigeance se multiplient tant à Bagdad qu'à Washington. La coalition anti-irakienne autour des Américains (400 000 hommes) regroupe aussi bien des Occidentaux (29 000 Britanniques, 12 000 Français) que des Arabes (Saoudiens, Égyptiens, Syriens, Marocains). L'opération déclenchée sous le nom de « Tempête du désert » se déroule en deux phases : bombardements aériens intensifs à partir du 17 janvier 1991 et offensive terrestre du 24 au 28 février. Elle aboutit à la libération du Koweit et à l'occupation d'une partie de l'Irak, mais non à la chute de Saddam Hussein. Celui-ci garde même les moyens de réprimer des révoltes internes (chiites et kurdes) dans lesquelles, malgré la violence de la répression antikurde, les États-Unis répugnent à intervenir. Par la Résolution 687 (avril 1991), le Conseil de sécurité fixe les conditions d'un règlement définitif du cessez-le-feu, contraignant l'Irak à payer des dommages de guerre et à prendre à sa charge l'élimination de ses armes de destruction massive pour le priver de toute capacité d'agression. Mais les obstacles opposés aux missions des inspecteurs de l'ONU, chargés de surveiller le démantèlement du potentiel militaire irakien, et les rodomontades de Saddam Hussein sont un facteur de crise permanent (bombardements aériens en janvier 1993).

• *Les rivalités territoriales et militaires* semblent s'effacer grâce à la stabilité politique, à la croissance du commerce intra-régional et à la prospérité économique. Ainsi, la Chine populaire et l'Inde — sans relations diplomatiques depuis 1962 — entament un dialogue (septembre 1993) en passant sous silence leur conflit territorial. En avril 1996, Pékin et Moscou esquissent un rapprochement pour contrer l'influence américaine. Après plusieurs mois de tensions, la Corée du Nord s'engage à geler son programme nucléaire (août-octobre 1994). Mais l'on note une montée en puissance militaire de la Chine et du Japon qui fait dépendre une normalisation de ses relations avec Moscou de la restitution des Kouriles méridionales (report de la visite prévue au Japon de Boris Eltsine en septembre 1992). Après son repli annoncé des Philippines, le maintien de la présence américaine en Corée du Sud et au Japon peut avoir pour objectif de rassurer la région contre tout risque de résurgence d'un

Japon impérialiste. L'effacement américain relatif et l'effondrement soviétique laissent face à face l'Inde et le Pakistan, dotés l'un et l'autre de l'arme nucléaire, et promeuvent au rang de puissances régionales l'Indonésie, l'Iran et la Turquie en plus de la Chine, du Japon et des pays de l'ASEAN.

L'AFRIQUE À L'ABANDON

On aurait pu croire qu'à la faveur de la fin de la guerre froide les principaux conflits s'éteindraient en Afrique; mais il n'en est rien : les affrontements tribaux et la montée du banditisme se multiplient dans un continent laissé à l'abandon, frappé par l'ampleur de la dette et le sous-développement. Avec la fin des blocs, l'Afrique cesse d'être un enjeu de la rivalité entre les deux camps et perd de son importance stratégique et diplomatique. Des forces antagonistes coexistent : poussée de l'intégrisme musulman, présence active du catholicisme (voyages de Jean-Paul II en 1982, 1985, 1990, 1992, 1993, 1995), progrès de la démocratie face aux régimes dictatoriaux.

• *Le règlement de l'affaire de Namibie et la guerre civile en Angola.* Depuis son indépendance en 1975, l'Angola n'a jamais connu la paix. Le Mouvement populaire de libération de l'Angola (MPLA) est contesté par deux autres mouvements, le FNLA et l'UNITA, dirigée par Jonas Savimbi, qui en 1986 contrôlait au moins les tiers du pays. Face au gouvernement angolais, soutenu par une aide soviétique, cubaine et est-allemande, l'UNITA bénéficie de l'aide américaine et sud-africaine, à la poursuite des militants nationalistes namibiens. La Namibie est en effet administrée par la République sud-africaine, qui se prévaut d'un mandat de la SDN donné en 1920. Mais l'Assemblée générale de l'ONU l'a révoqué en 1966 et reconnu en 1973 la *South West Africa People's Organisation* (SWAPO) comme seul représentant authentique du peuple namibien, qui y mène une guérilla. Face au MPLA, soutenu par Moscou et La Havane, l'UNITA réussit à maintenir une rébellion antimarxiste et contraint l'État angolais à consacrer la moitié de son budget aux dépenses militaires. Le conflit s'aggrave depuis 1985, avec une pression américaine accentuée et un resserrement des liens avec Moscou (mai 1986). À la fin de 1987 et au début de 1988, des combats importants s'y déroulent sans qu'aucun des deux camps ne semble en mesure de l'emporter militairement. Toutes les tentatives de règlement négocié se heurtent au refus de Pretoria de retirer ses troupes de Namibie et de reconnaître son indépendance, tant que les forces cubaines stationnent en Angola et donnent un appui armé à la SWAPO. Les pourparlers entre l'Angola, Cuba, l'Afrique du Sud et les États-Unis aboutissent à un accord de cessez-le-feu le 8 août 1988 et au retrait des troupes sud-africaines d'Angola le 22 novembre 1989. Deux traités signés aux Nations unies le 22 décembre 1988 prévoient l'accession de la Namibie à l'indépendance, qui est proclamée le 21 mars 1990, et le départ progressif des forces cubaines avant le 1er juillet 1992. Le retrait des Cubains, qui avait permis l'installation (en 1975) et le maintien à Luanda d'un gouvernement prosoviétique, marque l'échec des ambitions soviétiques sur l'Afrique. Un accord supervisé par l'ONU (mai 1991) ramène la paix en Angola. Contestée par le président de l'UNITA, la victoire du président du MPLA, Eduardo dos Santos, aux élections présidentielles (septembre 1992) donne le signal d'une nouvelle guerre civile qui s'étend à l'ensemble du pays. Un accord de paix entre le gouvernement de Luanda et l'UNITA intervient en novembre 1994, ouvrant un espoir de paix en Angola, après vingt ans de guerre civile, tandis qu'au Mozambique les premières élections libres ont lieu en octobre 1994.

• *Au Sahara occidental*, malgré les succès diplomatiques et militaires du Polisario, la position marocaine ne cesse de se renforcer. La réconciliation spectaculaire avec l'Algérie, en mai 1988, après douze ans de rupture, profite au Maroc en privant le Polisario du soutien inconditionnel de son allié algérien. Dès le 30 août 1988, le Front Polisario accepte l'instauration d'un cessez-le-feu et l'organisation, sous le contrôle de l'ONU et d'une force de maintien de la paix créée en avril 1991, d'un référendum (ajourné jusqu'en 1996) permettant à la population sahraouie de choisir entre l'indépendance et l'intégration au Maroc.

• *Au Tchad*, le processus de paix engagé depuis le cessez-le-feu du 11 septembre 1987 paraît solide. Tchad et Libye reprennent des relations diplomatiques normales le 3 octobre 1988 et signent un accord-cadre pour le règlement du différend territorial tchado-libyen le 31 août 1989. La souveraineté du Tchad est reconnue (février 1994) sur la bande frontalière d'Aouzou (114 000 km^2), occupée par l'armée libyenne depuis 1973. Mais le pays est instable (Hissène Habré est chassé du pouvoir le 1er décembre 1990 par son ancien adjoint, Idriss Debi, armé par la Libye).

• *Les conflits intraétatiques se multiplient* au Liberia, au Soudan, en Somalie au Nigeria ; le désordre règne au Togo, au Zaïre. Un peu partout, des mouvements autonomistes armés sapent l'autorité de l'État et le dogme de l'intangibilité des frontières est remis en cause. L'Éthiopie est ébranlée par la guérilla des Érythréens et Tigréens. Au terme de trente ans de guerre contre l'Éthiopie, les Érythréens accèdent à l'indépendance (24 mai 1993). Après le départ (janvier 1991) du général Syaad Barré chassé du pouvoir (qu'il occupait depuis octobre 1969), la Somalie, démembrée entre le Nord et le Sud, sombre dans le chaos et la famine qui suscite l'intervention d'une force militaire internationale d'urgence (« Rendre l'espoir ») sous commandement américain en décembre 1992. L'enlisement de ces forces contraint l'ONU à engager 28 000 casques Bleus (4 mai 1993) dans une opération « ONUSOM II », la plus importante par le nombre d'hommes et par le coût que l'ONU ait engagée. En raison de l'insécurité, l'ONU décide (novembre 1994) de mettre fin au mandat de l'ONUSOM qui évacue en mars 1995. Déclenchés à la suite de l'assassinat des présidents rwandais et burundais en avril 1994, des affrontements ethniques entre Tutsis et Hutus ensanglantent le Rwanda (où les Tutsis sont massacrés par les Hutus) et amènent la France à intervenir (juin-août 1994) dans le cadre d'une opération humanitaire sous mandat de l'ONU (« Turquoise »). A son tour, le Burundi est le théâtre de violents affrontements (printemps 1996).

UN PROCHE-ORIENT INSTABLE

Le Proche-Orient continue d'être une région fragile et troublée, confrontée à de multiples facteurs d'instabilité : baisse des revenus due aux fluctuations du prix du pétrole, accroissement démographique, faiblesse des structures étatiques, surarmement, terrorisme et montée de l'intégrisme islamique.

• *Endémique depuis les années 1960, le terrorisme s'est aggravé dans les années 1980*. Il frappe le Liban, en particulier en 1983, et d'autres pays du Proche-Orient, s'attaque aux moyens de transport (détournement du Boeing de la TWA en juin 1985, de l'*Achille Lauro* en octobre 1985, nombreux actes de piraterie en 1986) et aux capitales d'Europe occidentale, à Vienne (décembre 1985), à Berlin (avril 1986), à Rome et à Paris (septembre 1986). Les acteurs sont de petits groupes autonomes en théorie, mais qui à l'occasion se muent en prestataires de service pour des États — Libye, Syrie, Iran — qui s'en servent comme d'un instrument politique.

Face à cette nouvelle situation, les grandes puissances font preuve de circonspection. L'Union soviétique abandonne sa politique de soutien à tous les extrémismes et s'efforce même de renouer avec Israël. Les États-Unis décident de se désengager du Liban. Mais ils n'entendent pas rester sans réaction face au terrorisme, comme l'attestent l'arraisonnement de la chasse américaine de l'avion transportant les pirates de l'*Achille Lauro*, le raid sur Tripoli et Benghazi en avril 1986 et la destruction de deux Migs 23 libyens (janvier 1989).

• *Au Liban, après le départ de la force d'interposition en février 1984 et le retrait israélien du sud du pays, on assiste au retour en force (juillet 1986) des Syriens* qui avaient dû évacuer Beyrouth en août 1982. Le Liban s'enfonce dans les luttes confessionnelles entre sunnites et chiites et devient un enjeu entre la Syrie et l'Iran, par milices interposées. À l'expiration du mandat d'Amine Gemayel, en septembre 1988, la situation devient inextricable, les Syriens, qui veulent empêcher la reconstitution d'un véritable État libanais, s'imposent par des bombardements intensifs de Beyrouth-Est. Après six mois de combat, le cessez-le-feu intervient (22 septembre 1989). Par l'accord de Taëf (22 octobre 1989), la Syrie se voit reconnaître son rôle et sa présence au Liban par les pays arabes. Cet accord cautionné par les grandes puissances permet l'élection d'un nouveau président de la République libanaise (novembre 1989), au grand désarroi des chrétiens divisés quant à l'attitude à adopter. La signature d'un traité syro-libanais (22 mai 1991) consacre le rôle prépondérant de la Syrie au Liban.

• *Espoir de paix dans le conflit israélo-arabe.* Jusqu'en 1993, le problème palestinien s'aggrave en raison de l'immobilisme de la politique israélienne et de la radicalisation de l'opposition palestinienne. Une révolte naît en décembre 1987 et gagne en profondeur les territoires occupés : c'est l'*Intifada*. Par la répression qu'elle provoque, elle suscite un trouble profond dans la société israélienne et accentue l'internationalisation du problème palestinien.

L'OLP, qui était affaiblie et en perte de vitesse, en retrouve une nouvelle vigueur (sommet de la Ligue arabe à Alger, 7-9 mai 1988), comme le montre l'invitation adressée à Yasser Arafat à se rendre au Parlement européen à Strasbourg (13-14 septembre 1988). Le 15 novembre 1988, le Conseil national palestinien proclame la création d'un État palestinien en acceptant la Résolution 242 (adoptée après la guerre des Six Jours) et reconnaît implicitement l'existence d'Israël. On observe des modifications significatives du rôle des grandes puissances. Depuis l'arrivée de M. Gorbatchev au pouvoir, l'URSS s'efforce d'ouvrir son jeu vis-à-vis d'Israël. Une mission israélienne exploratoire est reçue à Moscou en juillet 1988 et les Juifs soviétiques sont autorisés à émigrer en Israël.

Quant aux Américains, ils annoncent le 14 décembre 1988 qu'ils sont prêts à ouvrir un dialogue substantiel avec les représentants de l'OLP. Des pourparlers ont lieu à Tunis. Mais, la longue crise gouvernementale israélienne (mars-juin 1990) et l'intransigeance du gouvernement Shamir empêchent tout progrès malgré les efforts égyptiens (plan Moubarak) et américains (plan Baker). Les affrontements sanglants, qui se multiplient, provoquent l'intervention du Conseil de sécurité qui vote une résolution sur la protection des Palestiniens dans les territoires occupés (20 décembre 1990). À la faveur de la guerre du Golfe et de la coalition anti-irakienne, le secrétaire au Département d'État, James Baker, rallie les principaux protagonistes à l'idée d'une conférence internationale sur le Proche-Orient. Coparrainée par les États-Unis et l'Union soviétique, la conférence de la paix, qui s'ouvre à Madrid le 30 octobre 1991, réunit pour la première fois Israël, ses voisins arabes et les Palestiniens. Après la victoire du parti travailliste aux élections législatives (23 juin 1992), le nouveau gouvernement israélien relance le processus de paix au Proche-Orient en admettant la validité partielle de la Résolution 242 et en annonçant un gel partiel des implantations juives dans les territoires occupés, où la tension reste vive.

A la suite de conversations secrètes entre Israël et l'OLP, un accord de reconnaissance mutuelle est signé officiellement à Washington le 13 septembre 1993. La «déclaration de principe sur les arrangements intérimaires d'autonomie» prévoit l'autonomie des territoires occupés et le retrait des forces israéliennes de la «bande de Gaza et de la zone de Jéricho d'abord». L'autorité palestinienne s'y installe en mai 1994. Israël et la Jordanie signent un traité de paix (26-27 octobre 1994) et établissent des relations diplomatiques (novembre 1994). Mais le processus de paix reste fragile en raison des violences des mouvements islamiques, des réticences de la Syrie face aux négociations et de l'arrivée au pouvoir en Israël du gouvernement Netanyahou (mai 1996).

LA SITUATION EN AMÉRIQUE CENTRALE ET EN AMÉRIQUE DU SUD

En Amérique centrale, si marquée par la guerre froide, la situation politique est apaisée. La guerre civile a cessé au Nicaragua, et au Salvador on célèbre la réconciliation nationale. Un peu partout, des élections libres se déroulent sans encombres. Sous l'impulsion du FMI, des réformes de structure commencent à avoir des effets sur la santé économique de pays comme l'Argentine et le Chili. Et des efforts d'unification économique régionale (MERCOSUR) aboutissent.

• *Le rôle de l'Union soviétique y est profondément transformé*. La visite que fait M. Gorbatchev à Cuba (avril 1989) ne permet apparemment pas de convaincre Fidel Castro des charmes de la *perestroïka*. Moscou prend ses distances, retire des troupes (été 1991) et ne lui fournit plus d'aide économique. Quant aux États-Unis, préoccupés au plus haut point par leur «arrière-cour», ils oscillent entre l'immobilisme (ou le multilatéralisme par OEA interposée) et l'interventionnisme, qui ne trouve plus sa justification dans le souci de protéger sa sécurité nationale, mais de combattre le fléau de la drogue.

• *Au Nicaragua*, malgré l'opposition du Congrès, le président Reagan veut aider la rébellion antisandiniste, les *Contras*. Des fonds leur sont illégalement versés (*Irangate*). Finalement l'administration décide de ne plus accorder d'aide militaire aux *Contras* (mars 1989), mais elle n'accepte pas non plus la poursuite des livraisons d'armes soviétiques aux sandinistes.

La démarche préconisée par les cinq chefs d'État d'Amérique centrale (7 août 1987) indique les voies à suivre : démocratisation, pacification, coopération régionale. Un accord de cessez-le-feu est conclu entre le président Ortega et les *Contras* (23 mars 1988). Des élections libres ont lieu en février 1990 avec le concours des casques Bleus et donnent, contre toute attente, la victoire à la candidate de l'Union nationale d'opposition, Violeta Chamorro, qui l'emporte sur le candidat sandiniste, le président sortant Ortega. Les Américains lèvent l'embargo. La *Contra* démobilise. Est-ce la fin de la guerre civile au Nicaragua?

• *Au Panama*, après deux années de pressions diplomatiques, les États-Unis lancent l'opération militaire «Juste Cause», le 20 décembre 1989, dans le but déclaré de

L'Amérique centrale

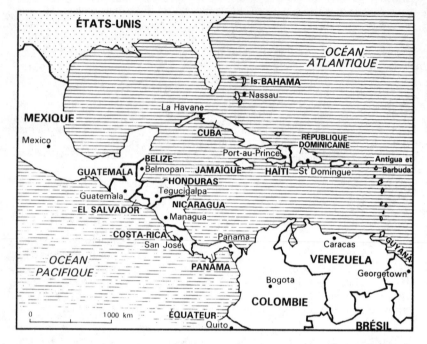

Source : *Le Monde.*

restaurer le processus démocratique. En réalité, elle a pour mission de chasser du pouvoir et d'arrêter le général Noriega qui avait modifié les résultats des élections favorables à l'opposition (mai 1989). Le refus de Noriega de collaborer avec les États-Unis contre le régime sandiniste n'explique pas tout. Le contentieux entre les deux pays concerne la zone du canal de Panama, concédée à perpétuité aux États-Unis par le traité de 1903, où ceux-ci entretiennent 12 000 hommes et dont les accords signés (septembre 1977) entre Carter et le président panaméen Omar Torrijos prévoient la restitution à la république de Panama avant le 31 décembre 1999.

• *Au Salvador*, le gouvernement et les rebelles signent (31 décembre 1991) un accord de cessez-le-feu mettant fin à une guerre civile qui a tué environ 90 000 personnes en douze ans : c'est la réconciliation nationale, scellée en décembre 1992 et contrôlée par une mission des Nations unies (ONUSAL).

• *En Haïti,* l'exil de Jean-Claude Duvalier (1986) n'a permis au pays de retrouver ni la stabilité, ni la démocratie en raison du coup d'État militaire en septembre 1991. Les sanctions décidées par l'ONU, et les pressions exercées par les États-Unis finissent par faire céder la junte (septembre 1994); la présence des casques bleus, surtout américains, permet l'élection paisible du successeur du président Aristide.

6 Un paysage géopolitique nouveau et contrasté

D'une certaine façon, le xxᵉ siècle est déjà achevé. En effet, la plupart des fondements de cette deuxième moitié du siècle, mais aussi du siècle tout entier, ont été balayés ou sont dévalorisés. On se trouve à l'aube d'un monde nouveau, mouvant et imprévisible.

Alors que la mondialisation est en marche et que l'Asie du Sud-Est confirme sa vitalité économique, la situation de l'Afrique est contrastée entre les pays acquis au jeu démocratique et des États où la démocratie est à l'épreuve de la misère (coups d'État militaires au Nigeria, en Guinée, au Congo). L'Europe fait pâle figure dans un monde en pleine expansion. Club des sept pays les plus industrialisés au monde, le G7 tente — comme à Lyon en juin 1996 — de maîtriser la mondialisation et se saisit des problèmes les plus divers, par le biais de réunions spécialisées (emploi, terrorisme).

LA FIN DU SYSTÈME EST-OUEST

Le cadre Est-Ouest n'est plus. L'ordre bipolaire né à l'issue de la Seconde Guerre mondiale a fait place à un «remembrement de l'espace politique international». Certes, les États-Unis et la Russie — héritière des forces stratégiques soviétiques — restent les deux Super-Grands par leur puissance militaire. Mais absorbée par ses problèmes intérieurs, l'URSS — puis la Russie — cesse d'attiser les conflits et se replie sur elle-même. Partout le choc des hégémonies planétaires a cédé la place à la recherche de l'apaisement et du compromis. Il est dû en priorité à la révision déchirante de la politique extérieure soviétique depuis Gorbatchev, aux antipodes de celle de Brejnev. Les concessions sont impressionnantes et le rapprochement avec l'Ouest spectaculaire. L'Union soviétique accepte l'unification de l'Allemagne et son maintien dans l'OTAN. Elle abandonne sans combat le glacis européen. Elle ne s'oppose pas à l'action des États-Unis contre l'Irak, client soviétique par excellence. Elle apporte son concours aux Nations unies et n'utilise pas son droit de *veto*. Bref, l'Union soviétique n'est plus qu'«une superpuissance réduite à la mendicité». M. Gorbatchev et ses successeurs, à la tête des États de l'ex-Union soviétique, réclament l'aide de l'Occident pour assurer le succès des réformes. En juillet 1991, le sommet du G7 approuve la transition de l'URSS vers l'économie de marché, mais il ne promet aucune aide immédiate. En avril 1992 et avril 1993, le G7 décide un programme d'aide (dons, prêts, facilités de crédits) à la CEI et le sommet du G7 allège la dette extérieure de l'ex-URSS (juillet 1992), mais le passage à l'économie de marché, qui génère une hyperinflation, est une entreprise risquée. Lors des sommets du G7 à Halifax (juin 1995) et à Lyon (juin 1996), la Russie est admise aux discussions politiques; les Occidentaux font tout pour favoriser l'élection d'Eltsine qui joue la carte de l'apaisement en Bosnie et en Tchétchénie. Mais la réélection d'Eltsine (juin 1996) ne met pas un terme au trouble politique.

Avec le déclin de la puissance soviétique et la Russie réduite au rang de comparse des États-Unis, la *pax americana* est-elle pour autant instaurée? Certains indices pourraient le laisser penser. La guerre du Golfe et l'impressionnant déploiement militaire renforcent le rôle des États-Unis comme «gendarmes du monde». Mais la puissance américaine cache mal les réalités d'une nation surendettée (1 000 milliards de dollars), frappée d'un lent déclin industriel et qui a dû faire financer la guerre du Golfe par les Allemands, les Japonais et les Saoudiens. L'échec de George Bush aux élections présidentielles de novembre 1992 exprime aussi la volonté des Américains de se préoccuper d'abord d'eux-mêmes. En fait, les États-Unis oscillent d'une démarche de « profil bas » à une politique d'intervention « au nom du droit », et l'effacement de leur adversaire-partenaire soviétique les gêne tout autant qu'il les place dans une position unique. La présidence Clinton (1992-1996) est d'abord marquée par une singulière atonie de la politique extérieure jusqu'à l'été 1995 où la Maison-Blanche prend en main le dossier de l'ex-Yougoslavie, intervient militairement en Bosnie et décide de rénover l'OTAN, s'implique de plus en plus dans le processus de paix au Proche-Orient, bref exerce un leadership mondial, mal ressenti par leurs alliés (comme dans le cas de la loi Helms-Burton qui pénalise les sociétés étrangères commerçant avec La Havane). Amorcée par le retour de la France au comité militaire de l'OTAN (5 décembre 1995), la rénovation de l'Alliance atlantique adoptée par le Conseil atlantique des 3 et 4 juin 1996 porte sur une meilleure adaptation de l'OTAN aux nouvelles missions apparues depuis la fin de la guerre froide et sur une prise en compte de la volonté européenne de jouer un rôle autonome en son sein, par l'émergence d'une « identité européenne de défense »; l'accord porte notamment sur la possibilité pour les Européens d'opérations avec les moyens de l'OTAN sans les Américains au sein de groupes de forces armées internationales (GFIM).

La multipolarité triomphe sur l'ancien monde bipolaire. De nouveaux pôles de développement bouleversent complètement les zones d'influence qui se morcellent et se multiplient. Avec la chute du rideau de fer et de son symbole — le mur de Berlin —, l'Europe est « rentrée dans son histoire et sa géographie ». Et le G7, qui apparaît comme un directoire mondial, compte quatre nations européennes.

La construction de l'Europe a permis la constitution d'un bloc économique puissant qui recherche encore les voies de son unité politique, c'est-à-dire de son approfondissement. Ainsi l'échec de l'Europe en Bosnie montre la nécessité d'une politique étrangère et de sécurité commune qui est l'un des objectifs de la conférence intergouvernementale (CIG) qui s'ouvre à Turin en mars 1996. Le respect des critères du traité de Maastricht pose bien des problèmes aux États membres qui s'engagent en faveur de l'union monétaire (juin 1995) créent « l'Euro », la future monnaie unique, en décembre 1995 et s'engagent dans un pacte de stabilité budgétaire (septembre 1996). L'approfondissement n'est pas le seul problème auquel se heurte l'Union européenne : outre des oppositions internes (crise de la « vache folle »), l'Europe est en effet appelée à l'élargissement aux pays d'Europe centrale et orientale. Elle est donc confrontée à la poursuite d'identités contradictoires : atlantique, communautaire, paneuropéenne, nationale. Plusieurs États européens conservent un rôle disproportionné à leur superficie et à leur population : le Royaume-Uni et la France ont une ambition qui ne se limite pas à l'Europe. Ils disposent d'une force de dissuasion nucléaire, d'un magistère d'influence dans le monde (par *Commonwealth* et francophonie interposés) et ils ont un siège de membre permanent au Conseil de sécurité, que revendiquent d'ailleurs l'Allemagne et le Japon.

Par l'unification, l'Allemagne accède dans la paix à une suprématie européenne qu'elle n'a pu atteindre par la guerre. Hors d'Europe, un autre vaincu de la Seconde Guerre mondiale, le Japon, est un géant économique et financier. Aux Européens et aux Américains il apparaît même comme une menace, en raison de ses capacités exportatrices susceptibles de ruiner leur industrie. On a pu parler à propos de ces deux derniers pays de « victoire des vaincus ». Toutefois, leur influence diplomatique n'est pas à la hauteur de leur poids économique, comme on l'a vu lors de la crise du Golfe. Mais la multiplication des conflits régionaux amène l'Allemagne à rendre possible la participation de la Bundeswehr à des opérations militaires de maintien de la paix hors de la zone OTAN (décision de la Cour de Karlsruhe du 12 juillet 1994) et le Japon à accepter l'envoi de troupes à l'étranger, dans le cadre des Nations unies. La puissance allemande s'affirme, aussi bien dans l'Union européenne qu'à l'extérieur : avec la participation de 4 000 soldats de la Bundeswehr à l'IFOR, l'Allemagne intervient militairement hors des frontières de l'OTAN.

De nouveaux centres de puissance sont apparus en Asie, en Amérique latine, en Afrique et en Océanie, qui aspirent à jouer un rôle de « gendarme régional » loin du contrôle des Grands. La Chine manifeste un activisme en mer de Chine et dans le Sud-Est asiatique, qui est le théâtre d'une course aux alliances (le Vietnam rejoint l'ASEAN) et aux armements, et elle fait entendre sa voix dans le nouvel ordre international. Le Tiers Monde est directement concerné par la fin du système Est-Ouest. La plupart des guerres du Tiers Monde étaient peu ou prou des affrontements par pions interposés. À la faveur du désengagement soviétique, la concurrence américano-soviétique dans le Tiers Monde a fait place à une possibilité de compromis, voire de coopération fondée sur la perception d'intérêts communs. Les risques d'affrontement n'ont pas disparu pour autant et le Tiers Monde traverse une crise d'identité : par rapport à quoi est-il non aligné désormais ?

PERSISTANCE DE L'AFFRONTEMENT NORD-SUD

Ce Tiers Monde est concerné par trois menaces globales : le surarmement, l'endettement et le défi démographique, prouvant la persistance et même l'aggravation du conflit Nord-Sud que, de l'Asie ex-soviétique jusqu'en Afrique, l'intégrisme musulman attise malgré une situation économique tout en nuances. Les États-Unis prennent la tête d'une croisade contre le terrorisme qui vise plusieurs pays du Proche-Orient.

• *Dans le domaine militaire,* les États-Unis et l'Union soviétique ont fait un effort notable non seulement par l'arrêt de la course aux armements nucléaires, mais aussi par un réel désarmement avec l'élimination des euro-missiles, le démantèlement partiel des arsenaux nucléaires stratégiques et la réduction du volume des armes nucléaires tactiques. Certes, il existe encore une accumulation formidable des armes nucléaires par les puissances qui les possèdent déjà : les États-Unis et l'URSS surtout, le Royaume-Uni, la France, la Chine, ces deux derniers États ayant adhéré au TNP en 1991. La fin de la guerre froide donne lieu à un ralentissement général des dépenses d'armement (15 % de baisse en 1992 par rapport à 1991) et à une certaine dénucléarisation, mais aussi à la prolifération nucléaire. Paradoxalement, le désarmement au Nord conduit à une attitude inverse dans le Tiers Monde, engagé dans une véritable course aux armements. Frappés par le manque de devises, les États successeurs de l'ex-Union soviétique bradent les produits de leurs industries militaires. Le risque d'une prolifération horizontale existe. Le nombre d'États ayant acquis la capacité de se doter de l'arme atomique s'accroît : après l'Inde (1974) et l'Afrique du Sud (1979) se profilent les « quasi-nucléaires » : Israël, le Pakistan, l'Irak, l'Iran, la Corée du Nord. D'autres États sont tentés de recourir à l'arme chimique pour compenser leur infériorité. Les armes et technologies modernes sont susceptibles d'ébranler la stabilité régionale et la sécurité internationale. On l'a bien vu à l'occasion de la guerre du Golfe, dans un Proche-Orient devenu une zone à forte densité d'engins balistiques, malgré le protocole MTCR (*Missile Technology Control Regime*) de 1987. Le président Bush saisit cette occasion pour proposer un plan tendant à éliminer les armes de destruction massive au Proche-Orient. Cette idée est adoptée par les cinq pays membres du Conseil de sécurité de l'ONU, qui se concertent pour la première fois sur le commerce des armes (8-9 juillet 1991) et tentent d'élaborer un code de bonne conduite. En raison d'une opinion très sensibilisée, les questions nucléaires passent au premier plan de l'actualité. La conférence organisée par les Nations unies (avril-mai 1995) aboutit à proroger indéfiniment le traité de non-prolifération nucléaire (TNP) conclu en juillet 1968 et entré en vigueur en 1970 pour une durée de vingt-cinq ans. Les pays non détenteurs de l'arme nucléaire s'engagent pour toujours à y renoncer. Le 11 avril 1995, les cinq grandes puissances détentrices de l'arme nucléaire (États-Unis, Grande-Bretagne, France, Russie, Chine) s'engagent à ne pas utiliser cette arme contre les pays non nucléaires signataires du TNP de 1970. Le moratoire n'est respecté ni par la Chine ni par la France qui décide en juin 1995 une ultime campagne d'essais nucléaires (septembre 1995-janvier 1996) qu'elle avait interrompus en 1992, ce qui suscite de violentes protestations dans le Pacifique sud et une réserve hostile même chez les alliés de la France, sauf la Grande-Bretagne. En mars 1996, les États-Unis, la Grande-Bretagne et la France se rallient au traité de Rarotonga de dénucléarisation du Pacifique sud conclu en 1985. Dix pays d'Asie du Sud-Est signent à Bangkok (15 décembre 1995) un traité faisant de la région une zone exempte d'arme nucléaire. Le 11 avril 1996, les pays d'Afrique signent le traité de Pelindaba de dénucléarisation de l'Afrique auquel adhère la France. L'opposition de l'Inde jette une ombre sur la signature du traité d'interdiction des essais nucléaires, CTBT (*Comprehensive Test Ban Treaty*) le 25 septembre 1996.

• *L'endettement du Tiers Monde* se monte, au début de 1995, à 2 000 milliards de dollars tandis que l'aide publique au développement atteint son niveau le plus bas depuis 1970. Depuis le début des années 1980, une cinquantaine de pays sont en état de surendettement prolongé : plusieurs pays latino-américains, l'Afrique — excepté la Libye et l'Algérie — les Philippines, le Viêt-nam et l'Europe de l'Est. En effet, la croissance s'est effondrée dans un certain nombre de pays du Tiers Monde, entraînant inflation, chômage et contraintes économiques multiples. La situation dramatique des pays endettés contraint les gouvernements à prendre des mesures exceptionnelles, comme le Mexique et le Venezuela, qui obtiennent le rééchelonnement de leurs dettes, et la Côte-d'Ivoire, qui annonce à ses créanciers en 1987 qu'elle ne peut les rembourser en raison de la chute des cours du cacao et du café. Des manifestations et des grèves éclatent un peu partout. Le FMI est devenu la bête noire des dirigeants des pays endettés. L'allègement de la dette est au centre des travaux de la CNUCED (1987), et du sommet mondial de Copenhague pour le développement social (1995). Malgré les progrès réalisés par certains États latino-américains et les efforts de pays occidentaux qui annulent une partie de la dette des trente-cinq pays africains (mai et juillet 1989) ou qui réduisent les dettes publiques de la Pologne et de l'Égypte (janvier 1991), un malaise persiste. La dévaluation de 50 % du franc CFA (12 janvier 1994) est un choc pour les pays de la zone franc. La crise du peso mexicain contraint les États-Unis et le FMI à intervenir (janvier 1995). Et les pays dits « émergents » membres du G15 demandent aux pays industrialisés d'ouvrir leurs marchés. Le G7 décide lors du sommet de Lyon d'alléger la dette des pays les plus pauvres.

• *Enfin, le défi démographique* réside dans la double disparité d'une part entre la croissance de la population et celle moins forte des ressources de la planète, et d'autre part entre des pays nantis, à bas taux de reproduction démographique et des pays pauvres, concernés par l'explosion démographique. Une telle disparité n'est-elle pas susceptible de remettre en cause les équilibres du monde en cette fin du xxe siècle? Alors que le nombre d'habitants de la planète en 1994 atteint 5,6 milliards, la population des pays développés ne représente que 1/4 de la population mondiale et elle dispose en moyenne des 3/4 des richesses produites dans le monde. La conférence du Caire (septembre 1994) insiste sur le ralentissement de la croisssance démographique. En trente ans, l'écart entre les pays riches et les pays pauvres a doublé. Les inégalités Nord-Sud sont loin d'être comblées par les aides publiques insuffisantes. «Bombe démographique» et migrations de populations deviennent des réalités des relations internationales. L'aide est donc une nécessité et le problème d'autant plus délicat à résoudre que le Tiers Monde est multiple et son développement inégal. Certains pays profitent de leur intégration à l'économie mondiale. D'autres en pâtissent. D'ici la fin du siècle, le revenu annuel par habitant ne progresserait que de 0,5 % en Afrique contre près de 4 % en Amérique latine et plus de 5 % en Asie. L'homogénéité du Tiers Monde n'existe plus et la frontière avec les pays industrialisés frappés par le marasme et l'exclusion bouge sans cesse. Désormais le conflit nord-sud est aussi interne à chaque pays.

UN MONDE UNIFIÉ ET BALKANISÉ À LA FOIS

Des tendances contradictoires gouvernent le monde de cette fin de siècle. La planète apparaît à la fois unifiée et balkanisée. Depuis 1945, la société internationale ne s'est pas seulement unifiée. Elle s'est aussi homogénéisée : aux rapports de dominant à dominé, qui étaient la règle avant 1939, se sont peu à peu substitués des rapports théoriquement égalitaires, faisant tripler le nombre des acteurs internationaux en trente ans. On a assisté ainsi à la naissance et à la diversification croissante du Tiers Monde. Face aux pays les moins avancés, qui s'enfoncent dans le sous-développement et la guerre civile, les nouveaux pays industrialisés — comme les «quatre dragons» (Hong Kong, Taiwan, Singapour, Corée du Sud) — sont tirés d'affaire. D'autres fractures intervenues dans les relations internationales à la suite de la révolution d'octobre 1917 ou de l'expansion communiste en Chine ou en Europe orientale se sont comblées. Les États issus de l'Union soviétique, la Chine et l'Europe orientale veulent participer à la vie internationale. Le monde évolue donc vers un système plus homogène et en même temps moins imprégné par l'idéologie.

• *Un autre aspect dans la recomposition de ce paysage mondial est le renouveau du rôle de l'ONU.* Longtemps, l'organisation internationale a été tout à fait impuissante à faire respecter la paix et incapable de prévenir des conflits; elle a obtenu des résultats minces dans le domaine du désarmement qui a au contraire progressé grâce aux négociations bilatérales américano-soviétiques. La coexistence, au sein des Nations unies, d'États énormes par leur superficie et leur population (comme la Chine et l'Inde) et de micro-États (Seychelles, Sao Tomé) aboutit à un éparpillement extraordinaire, renforcé par le principe d'égalité entre États aux contributions financières tout à fait inégales, les États-Unis assumant à eux seuls 25 % du budget de l'organisation.

C'est un forum universel de 185 États-membres qui reflète les tensions d'un monde multipolaire et qui sert de cadre à des négociations et des initiatives multiples. L'ONU est redevenue un lieu de dialogue et l'attribution du prix Nobel de la

12 — LES ÉTATS MEMBRES DES NATIONS UNIES
(185 États membres au 31 décembre 1994)

Pays	Année d'admission	Pays	Année d'admission
Afghanistan :	1946	Djibouti :	1977
Afrique du Sud :	1945	Dominicaine (Rép.) :	1945
Albanie :	1955	Dominique :	1978
Algérie :	1962	Égypte :	1945
Allemagne :	1991	El-Salvador :	1945
Andorre :	1993	Émirats arabes unis :	1971
Angola :	1976	Équateur :	1945
Antigua et Barbuda :	1981	Érythrée :	1993
Arabie Saoudite :	1945	Espagne :	1955
Argentine :	1945	Estonie :	1991
Arménie :	1992	États-Unis d'Amérique :	1945
Australie :	1945	Éthiopie :	1945
Autriche :	1955	Fédération de Russie :	1945
Azerbaïdjan :	1992	Fidji :	1970
Bahamas :	1973	Finlande :	1955
Bahreïn :	1971	France :	1945
Bangladesh :	1974	Gabon :	1960
Barbade (La) :	1966	Gambie :	1965
Bélarus :	1945	Géorgie :	1992
Belgique :	1945	Ghana :	1957
Belize :	1981	Grèce :	1945
Bénin :	1960	Grenade :	1974
Bhutan :	1971	Guatemala :	1945
Bolivie :	1945	Guinée :	1958
Bosnie-Herzégovine :	1992	Guinée-Bissau :	1974
Botswana :	1966	Guinée Équatoriale :	1968
Brésil :	1945	Guyana :	1966
Brunei Darussalam :	1984	Haïti :	1945
Bulgarie :	1955	Honduras :	1945
Burkina Faso :	1960	Hongrie :	1955
Burundi :	1962	Inde :	1945
Cambodge :	1955	Indonésie :	1950
Cameroun :	1960	Irak :	1945
Canada :	1945	Iran :	1945
Cap-Vert :	1975	Irlande :	1955
Centrafricaine (Rép.) :	1960	Islande :	1945
Chili :	1945	Israël :	1949
Chine :	1945	Italie :	1955
Chypre :	1960	Jamaïque :	1962
Colombie :	1945	Japon :	1956
Comores :	1975	Jordanie :	1955
Congo :	1960	Kazakhstan :	1992
Corée du Nord :	1991	Kenya :	1963
Corée du Sud :	1991	Kirghizie :	1992
Costa Rica :	1945	Koweit :	1963
Côte-d'Ivoire :	1960	Laos :	1955
Croatie :	1992	Lesotho :	1966
Cuba :	1945	Lettonie :	1991
Danemark :	1945	Liban :	1945

Libéria :	1945	Roumanie :	1955
Libye :	1955	Royaume-Uni :	1945
Liechtenstein :	1990	Rwanda :	1962
Lituanie :	1991	Saint-Kitts et Nevis :	1983
Luxembourg :	1945	Saint-Marin :	1992
Macédoine :	1993	Saint-Vincent-et-Grenadines :	1980
Madagascar :	1960	Sainte-Lucie :	1979
Malawi :	1964	Salomon (îles) :	1978
Malaysia :	1957	Samoa :	1976
Maldives :	1965	Sao Tomé et Principe :	1975
Mali :	1960	Sénégal	1960
Malte :	1964	Seychelles :	1976
Maroc :	1956	Sierra Leone :	1961
Marshall (îles) :	1991	Singapour	1965
Maurice (île) :	1968	Slovaquie :	1993
Mauritanie :	1961	Slovénie :	1992
Mexique :	1945	Somalie :	1960
Micronésie :	1991	Soudan :	1956
Moldavie :	1992	Sri Lanka :	1955
Monaco :	1993	Suède :	1945
Mongolie :	1961	Surinam :	1975
Mozambique :	1975	Swaziland :	1968
Myanmar (Birmanie) :	1948	Syrie :	1945
Namibie :	1990	Tadjikistan :	1992
Népal :	1955	Tanzanie :	1961
Nicaragua :	1945	Tchad :	1960
Niger :	1960	Tchèque (Rép.) :	1993
Nigeria :	1960	Thaïlande :	1945
Norvège :	1945	Togo :	1960
Nouvelle-Zélande :	1945	Trinité et Tobago :	1962
Oman :	1971	Tunisie :	1956
Ouganda :	1962	Turkménistan :	1992
Ouzbékistan :	1992	Turquie :	1945
Pakistan :	1947	Ukraine :	1945
Panama :	1945	Uruguay :	1945
Papouasie-Nouvelle-Guinée :	1947	Vanuatu :	1981
Paraguay :	1945	Venezuela :	1945
Pays-Bas :	1945	Viêt-nam :	1977
Pérou :	1945	Yémen :	1947
Philippines :	1945	Yougoslavie :	1945
Pologne :	1945	Zaïre :	1960
Portugal :	1955	Zambie :	1964
Qatar :	1971	Zimbabwe :	1980

paix 1988 aux forces de l'ONU sanctionne un prestige retrouvé. Il est significatif que la fermeté manifestée lors de l'invasion du Koweit par l'Irak révèle en particulier une volonté nouvelle de faire respecter une certaine conception du droit international et de faire prévaloir le rôle des Nations unies. Celles-ci sont davantage sollicitées que par le passé dans le processus de résolution des conflits régionaux (accession de la Namibie à l'indépendance, règlement de l'affaire d'Angola, guerre du Golfe, administration du Cambodge pacifié, organisation du référendum au Sahara occidental, affaire du Kurdistan, Somalie, Yougoslavie). De 1988 à 1992, l'ONU a lancé autant d'opérations de maintien de la paix qu'au cours des quarante années précédentes. Quelque 80 000 Bérets bleus (observateurs non armés) et soldats casques Bleus (armés) servent sur tous les continents. Face à la multiplication des conflits, l'ONU est de plus en plus sollicitée, et pour des missions chaque fois plus complexes. Elle risque l'enlisement et l'impuissance, comme on le constate au Cambodge ou en Somalie. En Yougoslavie, la FORPRONU a été une force de paix inadaptée dans un pays en guerre puisque sa mission consistait à rester « neutre ». Ses capacités à désamorcer les conflits de l'après-guerre froide doivent être réévalués à la baisse. Le droit de *veto* avait détraqué le Conseil de sécurité et l'avait frappé d'impuissance. La fin de l'affrontement Est-Ouest limite les cas du recours à ce droit, et l'ONU reste le seul cadre à travers lequel l'URSS — puis la Russie — peut exercer un contrôle sur la politique américaine. Mais lors de la célébration du 50ᵉ anniversaire des Nations unies, en 1995, on constate surtout la quasi-faillite financière de l'organisation.

La perception de la terre comme un tout ne ressort pas seulement du domaine politico-idéologique. L'économie est en voie de mondialisation par l'intégration des pays d'économie collectiviste et leur adoption des lois du marché. Explosion démographique, réseaux mondiaux de communication, problèmes d'environnement, gaspillage des ressources vitales, élimination des déchets, catastrophes naturelles ou technologiques (comme l'explosion, le 25 avril 1986, du réacteur numéro quatre de la centrale de Tchernobyl) pèsent dans la vie quotidienne de chaque habitant de la planète, relativisent tous les antagonismes et ignorent les frontières.

• *D'un côté, le monde est plus uni, de l'autre il est plus fragmenté.* Outre l'inégale répartition des ressources économiques et de la puissance politique, militaire et démographique, on perçoit dans la recomposition du paysage mondial une tendance à la constitution de groupements régionaux. Dans la voie d'une étroite imbrication des économies de la planète, le multilatéralisme, prôné et entraîné par le GATT, est battu en brèche par la création de blocs régionaux, tentés de constituer des refuges et des parades à une mondialisation de l'économie : CEE, UMA (Union du Maghreb arabe), ASEAN, ALENA (Accord de libre-échange nord-américain formé par les États-Unis, le Canada et le Mexique, entré en application le 1ᵉʳ janvier 1994), MERCOSUR, marché du Cône sud de l'Amérique regroupant en janvier 1995 l'Argentine, le Paraguay, l'Uruguay, le Brésil, que rejoignent le Chili et la Bolivie (juin 1996) projet de création d'une zone de libre-échange des Amériques (décembre 1994), APEC (zone de coopération Asie-Pacifique). Des déclarations de guerre opposent les blocs les uns aux autres et des pulsions protectionnistes réapparaissent en raison de l'agressivité commerciale des producteurs asiatiques et à l'intérieur de l'APEC, les pays d'Asie font prévaloir leurs intérêts face aux États-Unis, mais l'Union européenne s'entend avec le MERCOSUR (décembre 1995).

En outre, l'ordre international légué par la Seconde Guerre mondiale est ébranlé par la fin de la guerre froide. Aux disciplines et aux règles de cette période succède un système destructuré, instable. Trois piliers en sont fragilisés : le modèle étatique, l'intangibilité des frontières, la non-ingérence.

Mis en cause par les phénomènes planétaires et par toutes sortes d'atteintes (mafias, trafics, migrations clandestines), *le modèle étatique* s'avère incapable de fonctionner dans un nombre de plus en plus grand de situations, comme on l'a vu en URSS ou en Yougoslavie. Tout se passe comme si la disparition de la dictature — et de la peur qu'elle engendrait — ravivait partout les vieilles haines et les plaies qu'on prétendait cicatrisées. C'est également le cas en Inde, en Turquie, au Mexique et au Canada, où les institutions résistent mal aux diversités ethniques, linguistiques et religieuses. Même dans les vieilles nations d'Europe, des craquements séparatistes se font entendre comme en Belgique et en Italie. Beaucoup de pays sous-développés connaissent une déliquescence des structures étatiques. L'accession à la souveraineté étatique est souvent un leurre : c'est le cas pour bon nombre de micro-États, et d'autres voient leur souveraineté mise en tutelle par les ingérences humanitaires et les mandats internationaux, comme la Somalie ou le Cambodge.

Un autre tabou — *l'intangibilité des frontières* — chancelle. En Afrique, où l'OUA l'avait érigée à la hauteur d'un dogme, les frontières sont remises en cause, en Éthiopie, au Soudan, en Somalie. En Europe, le *statu quo* territorial était une règle absolue de la vie internationale, depuis les règlements consécutifs à la Seconde Guerre mondiale. Helsinki l'avait réaffirmé. Et l'unification allemande a évité le dérapage des limites territoriales; le traité germano-polonais (17 juin 1991) a d'ailleurs réaffirmé la frontière Oder-Neisse. Mais le réveil des nationalités, les exigences identitaires remettent les frontières en cause et ébranlent les États. L'implosion de l'Union soviétique, l'éclatement de la Yougoslavie, la séparation à l'amiable de la Tchécoslovaquie en deux États sont des événements considérables qui bouleversent la carte de l'Europe et l'acheminent vers une balkanisation pleine de danger. Cette fragmentation de l'espace va inéluctablement susciter des conflits en cascade.

Face aux violences et aux risques d'implosion, un autre tabou est remis en cause : celui de la non-ingérence dans les affaires internes des États. Par la Résolution 688 du 5 avril 1991, le Conseil de sécurité a admis l'existence d'un droit d'ingérence, lorsque la violation des Droits de l'homme à l'intérieur d'un État constitue une menace à la paix et à la sécurité internationales. Le droit d'assistance humanitaire légitime les interventions de l'ONU en Irak et en Somalie.

Dans ce monde nouveau de l'après-guerre froide, la sécurité n'est pas moindre; elle est fragilisée : réveil des nationalismes, exode de masses d'immigrants qui fuient le désespoir et la famine, multiplication des conflits intraétatiques, terrorisme, éventuel recours incontrôlé aux armes nucléaires. La menace n'est ni plus ni moins grande. Elle est mobile, versatile, fragmentée, inattendue. L'utopie de paix perpétuelle qui semblait à portée de main au printemps 1990 a fait place aux incertitudes d'un ordre international instable. La seule certitude, c'est que notre avenir est incertain et aléatoire.

Bibliographie

Instruments de travail

• *Atlas*
- BONIFACE Pascal, *Atlas des relations internationales*, Dunod, 1993.
- CHALIAND Gérard et RAGEAU Jean-Paul, *Atlas stratégique*, Complexe, 1988.
- PREVOT Victor, *Géopolitique transparente*, Magnard, 1987.

• *Dictionnaires*
- LACOSTE Yves (sous la direction de), *Dictionnaire de Géopolitique*, Flammarion, 1993.
- ZORGBIBE Charles, *Dictionnaire de politique internationale*, PUF, 1988.

• *Annuaires*
- *L'État du Monde*, la Découverte.
- *Ramsès*, Dunod.
- *Universalia*, Encyclopædia Universalis.

• *Les Revues*
- *Politique étrangère*.
- *Politique internationale*.
- *Relations internationales*.

• *Chronologies*
- *L'Histoire au jour le jour* (1944-1991), le Monde, 1992.
- ZORGBIBE Charles, *Chronologie des relations internationales* depuis 1945, PUF, 1990.

Ouvrages de réflexion

- ARON Raymond, *Paix et guerre entre les nations*, Calmann-Lévy, 1984.
- DUROSELLE Jean-Baptiste, *Tout empire périra*, «Une vision théorique des relations internationales», Armand Colin, 1991.
- DUROSELLE Jean-Baptiste et RENOUVIN Pierre, *Introduction à l'histoire des relations internationales*, Armand Colin, 1991.
- MONTBRIAL Thierry de, *Mémoire de notre temps*, Flammarion, 1996.

Ouvrage de base

- DUROSELLE Jean-Baptiste, *Histoire diplomatique de 1919 à nos jours*, Dalloz, 11ᵉ édition, 1993.

Ouvrages généraux

- BERG Eugène, *La Politique internationale de 1955 à 1988*, Economica, 1990.
- BERSTEIN Serge et MILZA Pierre, *Histoire du XXᵉ siècle*, Hatier, volumes 2 et 3, 1988.
- BONIFACE Pascal, *Manuel des relations internationales*, Dunod, 1994.
- BRETTON Philippe, *Relations internationales contemporaines*, Litec, 1993.
- DUFOUR Jean-Louis, *Les Vraies Guerres*, La Manufacture, 1990.
- DUFOUR Jean-Louis, *Les Crises internationales de Pékin (1900) à Sarajevo (1995)*, Complexe, 1996.
- FONTAINE André, *Histoire de la guerre froide*, Seuil, «Points-Histoire», 2 tomes, (1917-1953 et 1953-1962), 1983.
- LEBRETON Jean-Marie, *Les Relations internationales depuis 1968*, Nathan, 1988.`
- MONTBRIAL Thierry de, *Que faire? Les grandes manœuvres du monde*, La Manufacture, 1990.
- MOREAU-DEFARGES Philippe, *Les Relations internationales*, 2 tomes, Seuil, 1992.

– P<small>ACTEAU</small> Séverine et M<small>OUGEL</small> François-Charles, *Histoire des relations internationales (1815-1987)*, « Que sais-je? », PUF, 1988.
– S<small>OULET</small> Jean-François, G<small>UINLE-LORINET</small> Sylvaine, *Précis d'histoire immédiate, Le monde depuis la fin des années 1960*, Armand Colin, 1989.
– Z<small>ORGBIBE</small> Charles, *Le Monde depuis 1945*, PUF, « Que sais-je? », 1980.

Ouvrages par thèmes

• Sur l'Asie
– G<small>RAVEREAU</small> Jacques, *Le Japon, l'ère de Hiro-Hito*, Seuil, 1993.
– J<small>OYAUX</small> François, *La Nouvelle Question d'Extrême-Orient*, Payot, 2 tomes, 1985 et 1989.
– J<small>OYAUX</small> François, *Géopolitique de l'Extrême-Orient*, 2 tomes, Complexe, 1993.
– J<small>OYAUX</small> François, *La politique extérieure du Japon*, PUF, 1994.
– B<small>ERGERE</small> Marie-Claire, *La République populaire de Chine de 1949 à nos jours*, Armand Colin, 1987.
– D<small>OMENACH</small> Jean-Luc, R<small>ICHÉ</small> Philippe, *La Chine de 1949 à nos jours*, Seuil, 1995.
– J<small>OYAUX</small> François, *La tentation impériale. Politique extérieure de la Chine depuis 1949*, Impr. nationale, 1994.

• Sur le Proche-Orient
– B<small>ARNAVI</small> Elie, *Une histoire moderne d'Israël*, Flammarion, 1988.
– G<small>RESH</small> Alain et V<small>IDAL</small> Dominique, *Les Cent Portes du Proche-Orient*, Autrement, 1989.
– L<small>AURENS</small> Henry, *Le Grand Jeu. Orient arabe et rivalités internationales depuis 1945*, Armand Colin, 1991.
– Z<small>ORGBIBE</small> Charles, *Terres trop promises*, La Manufacture, 1990.

• Sur le monde communiste
– C<small>ARRÈRE</small> d'E<small>NCAUSSE</small> Hélène, *La Politique soviétique au Moyen-Orient 1955-1975*, Presses de la FNSP, 1975.
– C<small>ARRÈRE</small> d'E<small>NCAUSSE</small> Hélène, *Le Grand Frère*, Flammarion, 1983.
– C<small>ARRÈRE</small> d'E<small>NCAUSSE</small> Hélène, *Ni paix ni guerre, le nouvel Empire soviétique*, 1986.
– F<small>EJTÖ</small> François, *Histoire des démocraties populaires*, Seuil, 2 volumes, 1972.
– F<small>EJTÖ</small> François, *Requiem pour un empire défunt*, Lieu commun, 1988.
– L<small>EVESQUE</small> Jacques, *L'URSS et sa politique internationale de Lénine à Gorbatchev*, Armand Colin, 2ᵉ édition, 1988.

• Sur les relations sino-soviétiques
– B<small>ETTATI</small> Mario, *Le Conflit sino-soviétique*, Armand Colin, 2 volumes, 1971.

• Sur les relations Est-Ouest
– T<small>INGUY</small> Anne de, *Les Relations soviéto-américaines*, PUF, « Que sais-je? » n° 2348, 1987.

• Sur le bloc occidental
– A<small>RTAUD</small> Denise, *La Fin de l'innocence, les États-Unis de Wilson à Reagan*, Armand Colin, 1985.
– B<small>ARIÉTY</small> Jacques et P<small>OIDEVIN</small> Raymond, *Les Relations franco-allemandes 1815-1975*, Armand Colin, 1977
– F<small>RITSCH-BOURNAZEL</small> Renata, *L'Union soviétique et les Allemagnes*, Presses de la FNSP, 1979.
– F<small>RITSCH-BOURNAZEL</small> Renata, *L'Allemagne unie dans la nouvelle Europe*, Complexe, 1991.
– G<small>ARDE</small> Paul, *Vie et mort de la Yougoslavie*, Fayard, 1992.
– G<small>ERBET</small> Pierre, *La Construction de l'Europe*, Imprimerie nationale, 1994.
– G<small>ROSSER</small> Alfred, *Les Occidentaux*, Seuil, « Points-Histoire », 1982.
– G<small>ROSSER</small> Alfred, *L'Allemagne de notre temps*, 1945-1970, Fayard, 1970.
– G<small>UILLEN</small> Pierre, *La Question allemande de 1945 à nos jours*, Imprimerie nationale, 1996.
– K<small>ASPI</small> André, *Les Américains, les États-Unis de 1945 à nos jours*, Seuil, « Points-Histoire », 1986.
– M<small>ARX</small> Roland, *La Grande-Bretagne et le monde au xxᵉ siècle*, Masson, 1987.
– M<small>ELANDRI</small> Pierre, *L'Alliance atlantique*, Gallimard, 1979.
– M<small>ELANDRI</small> Pierre, *La politique extérieure des États-Unis de 1945 à nos jours*, PUF, « L'Historien », 1995.
– P<small>OIDEVIN</small> Raymond, *L'Allemagne et le monde*, Masson, 1983.

– ROLLET Henri, *La Pologne au XXᵉ siècle*, Pedone, 1985.
– WAHL Alfred, *Histoire de la République fédérale d'Allemagne*, Armand Colin, 1995.
• **Sur la décolonisation, le Tiers Monde, et l'ONU**
– AGERON Charles-Robert, *La Décolonisation française*, Armand Colin, 1994.
– BRAILLARD Philippe et REZA DJALILLI Mohammad, *Le Tiers Monde dans les relations internationales*, Masson, 1984.
– JOUVE Edmond, *Le Tiers Monde dans la vie internationale*, Berger-Levrault, 1983.
– GERBET Pierre, GHEBALI Victor-Yves et MOUTON Marie-Renée, *Le Rêve d'un ordre mondial de la SDN à l'ONU*, Imprimerie nationale, 1996.
– MICHEL Marc, *Décolonisations et émergence du Tiers Monde*, Hachette, 1993.

Par périodes

• **Sur la guerre froide**
– FUNK Arthur, *1945, de Yalta à Potsdam*, Complexe, 1982.
– GIRAULT René, FRANK Robert, THOBIE Jacques, *La Loi des géants 1941-1964*, Masson, 1993.
– GROSSER Pierre, *Le Temps de la guerre froide*, Complexe, 1995.
– MARCOU Lily, *1947, La guerre froide*, Complexe, 1987.
– MILZA Pierre, *Les Relations internationales 1945-1973*, Hachette, 1996.
– YERGIN Daniel, *La Paix saccagée, les Origines de la guerre froide et la division de l'Europe*, Balland, France Adel, 1980.
– ZORGBIBE Charles, *Histoire des relations internationales*, Hachette, t. 3, 1945-1962.
• **Sur la coexistence**
– DELMAS Claude, *1961-1962, Crises à Cuba*, Complexe, 1983.
– FERRO Marc, *1956, Suez, naissance d'un Tiers Monde*, Complexe, 1987.
– GERBET Pierre, *1957, La Naissance du marché commun*, Complexe, 1987.
– LE GLOANNEC Anne-Marie, *1961, Un mur à Berlin*, Complexe, 1985.
• **Sur la détente**
– TINGUY Anne de, *1972, USA-URSS, la détente*, Complexe, 1985.
– WAJSMAN Patrick, *L'Illusion de la détente*, PUF, 1977.
• **Sur l'après-détente**
– MILZA Pierre, *Le nouveau désordre mondial*, Flammarion, 1983.
• **Sur les années 1980**
– PUAUX François, *La politique internationale des années 80*, PUF, 1989.
• **Sur les années 1990**
– EYRAUD Henri, *La Fin de la guerre froide*, Presses universitaires de Lyon, 1992.
– FONTAINE André, *L'Un sans l'Autre*, Fayard, 1991.
– LAÏDI Zaki (sous la dir. de), *L'Ordre mondial relâché*, Paris, FNSP, 1992.
– LAULAN Yves, *Le Monde balkanisé*, Economica, 1991.
– LELLOUCHE Pierre, *Le Nouveau Monde*, Grasset, 1992.

N.B. On a volontairement limité cette orientation bibliographique à des ouvrages généraux en langue française.

Index

(Les noms de pays figurent en italiques)

184

Table des matières

Table des cartes

Table des encadrés

Masson & Armand Colin Éditeurs
5, rue Laromiguière
75241 Paris Cedex 05
N° 001489/01
Dépôt légal : décembre 1996

SNEL S.A.
rue Saint-Vincent 12 – B-4020 Liège
tél. 32(0)4 343 76 91 - fax 32(0)4 343 77 50
novembre 1996